D1295955

LITERATUR UND LEBEN

HERAUSGEGEBEN VON

RICHARD ALEWYN und HERBERT SINGER

NEUE FOLGE · BAND 11

KLAUS-JÜRGEN ROTHENBERG

DAS PROBLEM DES REALISMUS BEI THOMAS MANN

Zur Behandlung von Wirklichkeit in den „Buddenbrooks“

1969
BÖHLAU VERLAG KÖLN WIEN

Gedruckt mit Unterstützung des Kultusministeriums
des Landes Nordrhein-Westfalen

Gesamtherstellung: Druckhaus Rolf Gremer, Ebelsbach am Main
Printed in Germany

MEINER FRAU
IN DANKBARKEIT

Was jedermann für ausgemacht hält,
verdient am meisten,
untersucht zu werden.
(Lichtenberg)

Ich habe es immer gesagt:
der Zweifel ist das produktive Prinzip.
(Thomas Mann)

INHALT

ERSTER TEIL

UNTERSUCHUNG DER BESCHREIBUNGSPRINZIPIEN DES AUTORS

ZWEITER TEIL

UNTERSUCHUNG DER GESINNUNGSGRUNDLAGEN DES AUTORS

EINLEITUNG

PROBLEM — STAND DER FORSCHUNG — ABSICHT UND METHODE

In einer Welt, der die Kategorien von Raum und Zeit längst fragwürdig geworden sind, die unsicher ist selbst hinsichtlich des Verständnisses von Materie, muß die Frage nach dem Verhältnis von Wirklichkeit und Dichtung so aktuell wie schwierig[1] zu beantworten sein. Nichts war denn auch im letzten Jahrzehnt so heiß umstritten wie der Begriff des literarischen Realismus. Das Verdienst, die Diskussion um diesen Problemkreis nachhaltig belebt zu haben, gebührt vor allem der Arbeit „Wirklichkeit und Illusion" von Richard Brinkmann[2], die, nimmt man ihre Ergebnisse vorweg, besser ‚Illusion statt Wirklichkeit' heißen müßte; geht es dem Verfasser doch um den Nachweis des Paradoxons, daß sich, je eindringlicher das Mühen um objektives Erfassen der Realität von seiten des Erzählers, die subjektive Perspektive notwendig um so mehr bemerkbar mache. Es sei darum falsch, Realismus und Objektivität gleichsetzen zu wollen, die getreueste Aufnahme der Wirklichkeit münde vielmehr zuletzt in äußerste Subjektivität.

Mit dieser These hat Brinkmann seine Ausgangsposition, die Frage nach dem Realismus des 19. Jahrhunderts, vorzeitig verlassen zugunsten des erkenntnistheoretischen Problems der Erörterung des Verhältnisses von Kunst und Wirklichkeit überhaupt. Realismus könnte es seiner Ansicht nach nur geben, wenn es gelänge, das aufnehmende Ich gänzlich auszuschalten, als Dokumentation also. Da nun Realität an sich noch nicht künstlerisch ist, es vielmehr erst wird durch Auswahl und Darbietungsweise, würde diese Forderung das Ende aller der Wirklichkeit verpflichteten Kunst bedeuten. Realismus und Dichtkunst müßten, als eine Art contradictio in adiecto, einander ausschließen. Angesichts dieses erkenntnistheoretischen

[1]) Daß der Problematik unseres Wirklichkeitsverständnisses, wie sie sich im Abrücken vom Gegenständlichen in Kunst und Dichtung, in Definitionsschwierigkeiten der Kritik offenbart, ein Komplexer- und Unüberschaubarwerden der Welt zugrunde liegt, darauf verweist Richard Thieberger, Moderne deutsche Prosa. Ein Beitrag zu ihrer Charakteristik. In: Der Deutschunterricht 16, Heft 2, 1964, S. 5-16.

[2]) Richard Brinkmann, Wirklichkeit und Illusion. Studien über Gehalt und Grenzen des Begriffs Realismus für die erzählende Dichtung des 19. Jahrhunderts, Tübingen 1957.

Rigorismus ist das Ergebnis klar: Da Wirklichkeit im Kunstwerk niemals als bloß photographischer Abklatsch erscheint und selbst dann noch eine notwendig andere — fiktive — Seinsweise hätte, gibt es für Brinkmann lediglich ‚sogenannte' Realisten, bedarf der Terminus Realismus stets „der geistigen Anführungszeichen" (S. 334).

Anfechtbar wie das Ergebnis ist auch der Weg, auf dem Brinkmann zu seiner Formel gelangt: Grillparzer, Otto Ludwig, Keyserling markieren für ihn die Stationen auf dem Wege der Subjektivierung des Objektiven. Diese Auswahl muß um so mehr befremden, als das Buch konzipiert war als Antwort auf Erich Auerbachs[3] provozierende These, nach der keiner der deutschen Erzähler des 19. Jahrhunderts als Realist ernstlich in Frage komme: „Keiner der Männer zwischen 1840 und 1890, von Jeremias Gotthelf bis zu Theodor Fontane, zeigt in voller Ausbildung und Vereinigung die Hauptmerkmale des französischen, d. h. des sich bildenden europäischen Realismus: nämlich ernste Darstellung der zeitgenössischen alltäglichen gesellschaftlichen Wirklichkeit auf dem Grunde der ständigen geschichtlichen Bewegung ..." (S. 460). Widerspiegelung ökonomisch-gesellschaftlicher Verhältnisse ist für den Romanisten Auerbach das Maß, mit dem Dichtung auf ihren Realitätsgehalt hin gemessen wird. Damit bewegen wir uns in der Nähe marxistisch orientierter Literaturwissenschaft, deren sozialistischer Realismus von der Voraussetzung ausgeht, daß alle Literatur Spiegelung der Wirklichkeit sei und am wahrsten dann, wenn sie die Dialektik des gesellschaftlichen Prozesses wiedergebe.

War es ein zu eng gefaßter Realismusbegriff — ‚realistische' Kunst darf weder didaktisch, moralisierend, rethorisch, idyllisch noch komisch sein —, der Auerbach hinderte, der deutschen Literatur des 19. Jahrhunderts gerecht zu werden, so begibt Brinkmann sich schon durch die abseitige Auswahl der Chance einer überzeugenden Widerlegung. Die Aufgabe blieb, die deutsche Dichtung dieses Zeitraums in ihren typischen Vertretern aufzusuchen und auf ihr jeweiliges Wirklichkeitsverhältnis hin zu überprüfen. Als ein erster bemerkenswerter Versuch auf diesem Wege dürfen Peter Demetz'[4] Ausführungen über Fontane angesehen werden.

Unser Gegenstand ist das Werk Thomas Manns, und diese Wahl bedarf, so scheint es, einer Rechtfertigung, gilt doch zumindest der Erstling dieses Dichters neben Kellers, Raabes und Fontanes Romanen für den bedeutendsten deutschen Beitrag zur Literatur des Realismus, einen Beitrag, der selbst das an den großen Franzosen geschärfte Urteilsvermögen Erich Auerbachs bestechen konnte: „Schon in das neue Jahrhundert gehört der erste große realistische Roman, der, obgleich durchaus eigentümlich geformt, in

---

[3]) Erich Auerbach, Mimesis. Dargestellte Wirklichkeit in der abendländischen Literatur, Bern 1946.

[4]) Peter Demetz, Formen des Realismus: Theodor Fontane, München 1964.

seiner Stillage den Werken der französischen Realisten des 19. Jahrhunderts entspricht: Thomas Manns Buddenbrooks erschienen 1901" (S. 459). Und ähnlich klingen zahllose Äußerungen vor- und nachher. Unter allen kritischen Beiträgen findet sich nicht einer, der gewillt wäre, Thomas Mann den Ehrentitel eines Realisten ernstlich abzusprechen!

Gleich sein Erstlingsroman hat entscheidend zum Entstehen dieser Einschätzung beigetragen. War doch der Eindruck, den die „Buddenbrooks" zuerst und vor allem hervorriefen, der großer Wirklichkeitsnähe. Mit behaglicher Genauigkeit schien der Dichter hier ein plastisches Bild seiner Vaterstadt und des Alltags ihrer Bewohner entworfen zu haben. So lesen wir erstmals bei Alexander Pache[5] die Behauptung, Mensch und Milieu seien in behaglicher Breite geschildert (s. S. 55 u. 59), alle Beobachtungsgabe des „scharfäugigen Realisten" an die Beschreibung der äußeren Erscheinung verwendet. In den „Buddenbrooks", wo alle Hauptpersonen — so Pache — „ausführlich ... charakterisiert" sind[6], finde sich bei Beschreibung einzelner Randfiguren „geradezu ein Schwelgen in Details" (S. 63) und im ganzen ein bewundernswerter „Realismus in der Wiedergabe natürlichster Redeweise" (S. 69). — Dem Realisten Mann erwächst in Martin Havenstein[7] einer der frühesten und zugleich entschiedensten Wortführer. Er, der über volle acht Seiten des einleitend allgemeinen Teils (95-102; vgl. S. 16) hinweg vom angeblichen Realismus des Autors zu handeln weiß, ja ihm gelegentlich ein Zuviel an Detail fast vorwurfsvoll ankreidet (s. S. 97), preist die „Buddenbrooks" als vollkommen reine Erzählung, als Wiedergabe des Lebens „in seiner wahren, unverkürzten und unverfälschten Wirklichkeit" (S. 120; vgl. 126). — Charlotte Rohmer[8] kommt auf Grund eines Vergleichs von „Buddenbrooks" und „Forsyte Saga" zu dem Ergebnis, beide Dichter seien „objektiv, realistisch eingestellt ..." (S. 47): „Thomas Mann und Galsworthy sind Realisten" (S. 44). „Daß die ‚Buddenbrooks', obgleich der Verfall ... die treibende Kraft der Handlung ist, den Eindruck lebendigsten, natürlichsten, ja alltäglichsten Lebens erwecken, hat seinen Grund in der realistisch lebendigen Darstellung ..." (S. 39; vgl. 4; 50; 53). — Anläßlich der Interpretation der Josephsromane weiß Käte Hamburger[9] Thomas

---

[5]) Alexander Pache, Thomas Manns epische Technik. In: Mitteilungen der literarhistorischen Gesellschaft Bonn, Jahrgang 2, 1907, S. 43-71.

[6]) Auf Grund der Charakterisierungskunst des Autors glaubt auch Walter Grüters — Der Einfluß der norwegischen Literatur auf Thomas Manns „Buddenbrooks", Diss. Bonn 1961, S. 19; 91 — die „Buddenbrooks" in die Geschichte des realistischen Romans einordnen zu dürfen.

[7]) Martin Havenstein, Thomas Mann. Der Dichter und Schriftsteller, Berlin 1927.

[8]) Charlotte Rohmer, Buddenbrooks und The Forsyte Saga, Nördlingen 1933.

[9]) Käte Hamburger, Thomas Manns „Joseph und seine Brüder". Eine Einführung, Stockholm 1945.

Manns große Kunst „realistischer Umweltschilderung und Psychologie“ zu rühmen. „Die ‚Buddenbrooks‘“, erfahren wir, „konnten eben [nur] darum zu einem Hausbuch des deutschen Bürgertums werden, weil dieses sich in dem breit behaglichen, realistisch sachgetreuen Gemälde wiedererkannte, das hier von dem täglichen Leben einer repräsentativen Bürgerfamilie entworfen war“ (S. 27). — Von Günther Müller angeregt, untersucht Waldtraut Schleifenbaum[10] das Verhältnis von Erzählzeit und erzählter Zeit, dabei für die „Buddenbrooks“ ein Überwiegen breit szenischer Darstellung über raffenden Berichtstil konstatierend (s. S. 118). Wie immer es darum bestellt sein mag — daß ein solches Verfahren nicht unbedingt realistische Grundstimmung voraussetzt, wäre der Verfasserin aufgegangen, hätte sie die Frage, was denn nun eigentlich breiterer Darstellung gewürdigt ist, nicht so sträflich vernachlässigt. Daß es der normale Alltag sei (s. S. 189), bleibt eine unbewiesene Behauptung, daß Umwelt, Interieur sich „Stück für Stück ... vor unseren Augen“ entwickle (S. 30; vgl. 34; 43; 44; 67), trifft effektiv nicht zu. So heißt es nicht von ungefähr bis zum Herannahen des letzten Weihnachtsfestes (B VIII, 8) warten, ehe das Stichwort fallen kann, auf das wir längst schon vorbereitet sind und wonach der Szene „an sich ... eine derart sinnliche Farbigkeit“ eignet, „daß sie ... ein Meisterstück realistischer Erzählkunst darstellt und den Autor als gelehrigen Schüler eines Tolstoi und Balzac erkennen läßt“ (S. 100). — Nach Erich Heller[11] fügt sich das Buch erneut und „Widerstandslos ... in die Kategorie ‚realistischer Roman‘“[12] ein, „undenkbar ohne das Vorbild der französischen und russischen Meister des Genres, undenkbar auch ohne Fontane“ (S. 14; vgl. 9; 19; 48).

Die Liste solcher Fehleinschätzungen ließe sich ohne Schwierigkeiten verlängern[13]. Sie ist eindrucksvoll durch ihre Länge ebenso wie durch das Ge-

---

[10]) Waldtraut Schleifenbaum, Thomas Manns „Buddenbrooks“. Ein Beitrag zur Gestaltanalyse von Dichtwerken, Diss. Bonn 1956.

[11]) Erich Heller, Thomas Mann. Der ironische Deutsche, Frankfurt a. M. 1959.

[12]) Wenn auch „romantic in spirit“, sind die „Buddenbrooks“ für Hatfield doch „realistic in manner“ (S. 44). Vgl. Henry C. Hatfield, Thomas Mann's ‚Buddenbrooks‘: The world of the father. In: University of Toronto Quarterly, Volume XX, 1950/51, S. 33-44.

[13]) Weitere Äußerungen in dieser Richtung bei Beda Allemann, Ironie und Dichtung, Pfullingen 1956, S. 141/42; Fritz Martini, Das Wagnis der Sprache. Interpretationen deutscher Prosa von Nietzsche bis Benn, Stuttgart 1954, S. 188; Fritz Martini, Thomas Manns Kunst der Prosa. Versuch einer Interpretation. In: Festschrift für O. Schmidt, Stuttgart 1951, S. 311-31, vgl. bes. S. 315; Hans Mayer, Nachwort zu „Buddenbrooks“. In: Bibliothek fortschrittlicher deutscher Schriftsteller, Berlin 1952, S. 789-97, vgl. bes. S. 790 u. 92; Oskar Seidlin, Pikareske Züge im Werke Thomas Manns. In: GRM XXXVI (= Neue Folge, Bd. V), 1955, S. 22-41, vgl. bes. S. 41; Wilhelm Waldstein, Thomas Mann als Erzähler. In: Waldstein, Kunst und Ethos, Salzburg 1954, S. 194-209, vgl. bes. S. 207.

wicht klangvoller Namen. Noch eine Autorität wie Paul Scherrer[14], Direktor des Thomas Mann-Archivs in Zürich, hält den Dichter „Dem Realismus verpflichtet" und meint, die „Buddenbrooks" fesselten „durch ihre Wirklichkeitstreue und die Substanzialität der Schilderungen . . ." (S. 333). Kein Wunder also, wenn diese communis opinio der Forschung alsbald Eingang fand in die Roman-[15] und Literaturgeschichten[16], ein Umstand, dem wiederum die Legende vom Realismus Thomas Manns Verbreitung wie Zählebigkeit verdankt. So konnte noch jüngst eine Anthologie mit dem Titel „Die wirkliche Welt"[17] einen Beitrag Thomas Manns bringen, den wir — laut Untertitel der Sammlung — unter die realistischen Erzählstücke der Weltliteratur zu zählen hätten.

Vorbehalten begegnet man höchstens im Sinne der Modifizierung, indem etwa gesagt wird, die Art, wie der Dichter erzähle, sei realistisch und symbolisch zugleich[18]. Womit man zwischen den Zeilen ‚Realistik' als etwas unbefriedigend Vordergründiges zu erkennen gibt, das notwendig symbolischer Überhöhung bedürfe. So ist Käte Hamburger[19] überzeugt, die

---

[14]) Paul Scherrer, Thomas Manns Mutter liefert Rezepte für die „Buddenbrooks". In: Libris et litteris, Festschrift für Hermann Tiemann zum 60. Geburtstag am 9. Juli 1959, S. 325-37.

[15]) Wenn Bernhard Rang — Der Roman, Freiburg 1950 — in seinem Handbuch eine Art Typologie versucht und einem ‚dramatischen' Romantypus den breit dahinfließenden, mit Zuständlichem reich befrachteten Erzählroman entgegenhält, zählt er zu dieser letzteren Gattung die Schöpfungen Immermanns, Freytags, Fontanes, „aber auch Thomas Manns ‚Buddenbrooks'" (S. 93/94). — Heinrich Spiero — Geschichte des deutschen Romans, Berlin 1950 — spricht dem Romancier Mann eine besondere Art des „skeptischen Realismus" zu, den niemand sonst „so hoch hinaufgeführt" habe wie er: „Alles: Farbe, Geruch und unwägbare Schwingungen werden mit letzter Einfühlung gegeben . . ." (S. 532).

[16]) So vertritt Alfred Biese — Deutsche Literaturgeschichte Bd. 3, München [10]1917 — die Ansicht, es sei die „stets eigenartige, im einzelnen geradezu verblüffend scharf realistische Darstellungsart des Dichters" (S. 636), die das Interesse an den „Buddenbrooks" nicht erlahmen lasse.

[17]) Die wirkliche Welt. Realistische Erzähler der Weltliteratur. Eine Anthologie von Hermann Kesten, o. O. 1962. Thomas Mann ist darin mit der Erzählung „Der kleine Herr Friedemann" vertreten.

[18]) So ergibt sich für Herman Meyer — Das Zitat in der Erzählkunst. Zur Geschichte und Poetik des europäischen Romans, Stuttgart 1961 — aus der Analyse Mann'scher Zitierkunst „ein allmählicher Übergang von bloßer Realistik zur symbolischen Steigerung des Realistischen und schließlich zur rein ideellen Symbolik" (211). Vgl. ferner Fritz Martini, Das Wagnis der Sprache, Stuttgart 1954, S. 217; Wolfgang Kockjoy, Der deutsche Kaufmannsroman. Versuch einer kultur- und geistesgeschichtlichen genetischen Darstellung, Straßburg 1932, S. 159; Rudolf Steffens, Die Redeweise als Mittel der Charakterisierungskunst bei Thomas Mann, Diss. Bonn 1950, S. 169; Wilhelm Waldstein, Thomas Mann als Erzähler, Salzburg 1954, S. 195/96 u. 198.

[19]) Käte Hamburger, Der Epiker Thomas Mann. In: Orbis litterarum XIII, 1958, S. 7-14.

epische Menschenwelt Thomas Manns, „so ‚realistisch' sie im einzelnen gestaltet ist", sei „doch nicht bloß um ihrer selbst ... willen geschaffen ... schon indem sie Mimesis ist, ist die epische Wirklichkeit ... Schein, Fiktion und kann eben darum die Wirklichkeit selbst, die ihr Stoff ist, in eine andere Seinsweise, die Seinsweise des Symbols erheben" (S. 11/12). Und es sei diese Arbeitsweise, dieser realistische Symbolismus oder symbolische Realismus, „was Thomas Manns monumentales episches Werk auf einen Sonderplatz stellt" (S. 12/13). — Als anregend erweist sich der mythologische Deutungsversuch der „Buddenbrooks" durch Herbert Singer[20], insofern er die Vorstellung der Fortentwicklung vom ‚bloß' realistischen Jugendwerk zum Symbolgeflecht der folgenden Romane aufgibt zugunsten eines Nebeneinanders verschiedener Darbietungsweisen, wobei das Changieren naturalistischer und mythologisch-symbolischer Stilzüge schon auf die „Buddenbrooks" zutreffe. Und doch ist das Verhältnis von Sein und Sinn zureichend gekennzeichnet erst als Gegen-, nicht als Nebeneinander. Daß das konkret einzelne in der Wiederholung, als symbolisches Formelwort viel von seinem prallen Wirklichkeitscharakter verliert, ist bisher einzig von Helmut Koopmann[21] erkannt worden. Es wird sich uns ergeben, daß man von Symbolismus allenfalls und nur darum sprechen kann, weil es an ‚Realismus' fehlt, weil überwuchernde Bedeutung den Realitätsgehalt der Dinge zersetzt (s. S. 114/15).

Von keiner Seite wird der ‚Realismus' Thomas Manns hartnäckiger verteidigt als aus dem Lager marxistisch orientierter Literaturwissenschaft. Auch sie glaubt, Werk und Ruhm dieses Dichters für sich beanspruchen zu können selbst für den Fall, daß unter Realismus nun (einseitig) Wiedergabe gesellschaftlicher Wirklichkeit verstanden wird. Zwar handeln die „Buddenbrooks" das Problem der Dekadenz ab, aber die künstlerischen Mittel, mit denen dies geschieht, sie waren — so Paul Rilla[22] — keineswegs dekadent, „sie rekapitulierten mit vollendeter Meisterschaft die realistische Kunst des europäischen Gesellschaftsromans ..." (S. 229). Untergang des Bürgertums als gesellschaftlicher Prozeß (s. S. 230), auch diese Art, den Dichter wörtlich zu nehmen, wird seiner Kunst nicht gerecht, in der Adel, Bürgertum und Volk niemals nur soziologische Größen waren. Wie muß ihr Schöpfer, dessen (eingestandenermaßen) einzige sozial-politische Attacke dem Schulbetrieb galt (s. Betr 270), überrascht gewesen sein, als man allen Ernstes daranging, ihm die Aura eines Gesellschaftskritikers anzudichten! Zu leicht

[20]) Herbert Singer, Helena und der Senator. Versuch einer mythologischen Deutung von Thomas Manns „Buddenbrooks". Stuttgarter Zeitung vom 13. 4. 1963.

[21]) Helmut Koopmann, Die Entwicklung des ‚intellektualen Romans' bei Thomas Mann, Bonn 1962, vgl. bes. S. 61.

[22]) Paul Rilla, Thomas Mann und sein Zeitalter. Essays, Berlin 1955.

und geläufig war ihm allzeit das Bekenntnis vom Munde gegangen, er habe die Entwicklung zum Bourgeois wohl ein wenig verschlafen (s. Betr 130) und Entbürgerlichung höchstens in Richtung auf den Künstler (s. AuN 313/14), den klassenlos-überklassenmäßigen Menschen schlechthin erlebt und gestaltet.

Nun muß selbst radikal marxistische Betrachtungsweise da, wo der Mensch nicht als soziales, sondern einzig als metaphysisches Wesen konzipiert und verstanden ist (s. Betr 240; 132), auf beträchtliche Hindernisse stoßen. Angesichts dieses Dilemmas ringt Georg Lukács[23] sich die gewundensten Erklärungen ab, des Autors eklatante Gleichgültigkeit gesellschaftlichen Tatbeständen gegenüber zu vernebeln; um am Ende, aller dialektischen Versiertheit zum Trotz, eingestehen zu müssen, daß sozialer Hintergrund, wenn überhaupt, so nur höchst indirekt und verschlüsselt in Thomas Manns Werk faßbar sei. — Unmöglich, die Namen derer zu nennen, die dem großen Lehrmeister und Theoretiker auf diesem Wege gefolgt sind[24]. Inge Diersen[25] gibt den Mann'schen Aus- und Aufflug von bürgerlichem Grund in (klassenrein) künstlerische Höhen zu, meint aber, die Diskussion der Dekadenz müsse, „wenn ... realistisch geführt ..., [umgekehrt] zu einer Auseinandersetzung mit der bürgerlichen Entwicklung im 19. Jahrhundert werden ..." (S. 20). Kein Umweg, der der Schreiberin zu weit wäre, solange er nur irgend Aussicht bietet, Sozial-Klassenmäßiges zutage zu fördern. Das schamhaft vorgebrachte Bekenntnis, ein Kunstwerk sei natürlich keine Illustrierung ökonomischer Vorgänge, wird entwertet durch die nachfolgende Behauptung, dem Rahmen, dem sozialen Bereich, darin ein Geschehen angesiedelt sei, komme immerhin maßgebliche Bedeutung zu (s. S. 22). Und so werden denn alle privaten Konflikte, die des Konsuls, Tonys, des Senators zurückgeführt auf historische Entwicklungen, auf Widersprüche innerhalb der kapitalistischen Klasse, in den „Buddenbrooks" repräsentiert durch die Handelsbourgeoisie (s. S. 26). Sofern die innerseelische Problematik der frühen Prosa „eine umfassende soziale und historische Konkretisierung" erfährt (S. 19), bedeuten die „Buddenbrooks" der Verfasserin den Durchbruch zum Realismus (s. S. 20).

---

23) Georg Lukács, Der letzte große Vertreter des kritischen Realismus. In: Sinn und Form 7, 1955, S. 665-68.

24) zuletzt Hans Jürgen Geerdts, Klassisch-realistische Wiederholungen im Schaffen Thomas Manns. In: Weimarer Beiträge. Zeitschrift für deutsche Literaturgeschichte 1962, S. 711-26.

25) Inge Diersen, Untersuchungen zu Thomas Mann. Die Bedeutung der Künstlerdarstellung für die Entwicklung des Realismus in seinem erzählerischen Werk, Berlin 1959; wiederholt in: Inge Diersen, Thomas Manns ‚Buddenbrooks'. In: Weimarer Beiträge 3, 1957, S. 58-86.

Was uns angesichts derart überwältigender Einmütigkeit[26], der selbst erbittertste ideologische Gegnerschaft nichts anhaben kann, ermuntert zu zweifeln, ist die ärgerliche Reaktion der jeweils betroffenen Wirklichkeit. Sie war am heftigsten bei dem angeblich realistischsten Werk: Im Falle der „Buddenbrooks" wuchs die Empörung der Heimatstadt sich aus zum öffentlichen Skandal, und schrille Töne der Entrüstung begleiteten von nun an das Erscheinen aller größeren Werke: „Königliche Hoheit" zog eine Beschwerde aus Hofkreisen nach sich, der „Zauberberg" brachte die Ärzteschaft in Harnisch. Wenn späterhin Proteste ausblieben, so nur deshalb, weil der Dichter nun auf historische Gestalten zurückgriff, die Welt der Lebenden verließ und in entlegenere Zeiten auswich. Selbst dann aber nahm man noch Anstoß. Man fand, der Autor des ‚Friedrich'-Essays habe den Preußenkönig naturalistisch schlecht gemacht (s. Betr 180); man hätte das gleiche an Thomas Manns Umgang mit biblischen Gestalten (Jaakob) oder angesichts der Porträtierung Schillers oder Goethes aussetzen können. Und wenn schon die Mißhandelten nicht mehr am Leben waren, es gab Verehrer, die für sie einstehen konnten, Wagnerfreunde etwa, die sich gegen die herabstimmenden Tendenzen in „Leiden und Größe Richard Wagners" leidenschaftlich zur Wehr setzten.

Das Heftige dieser Reaktion, ihr wiederholtes Auftreten weckten zuerst unseren Verdacht, es möchte mit der Objektivität des betrachtenden Künstlers nicht zum besten bestellt sein. Diesem Verdacht wird auf den folgenden Blättern nachgegangen mit dem Ziel, das Bild vom Realisten Thomas Mann entsprechend den tatsächlichen Gegebenheiten zu revidieren. Dabei lag der Ausgangspunkt nahe. Wenn mit den „Buddenbrooks" der relativ ‚realistischste' unter den Romanen Thomas Manns in den Mittelpunkt eines solchen Versuchs gestellt wurde, so darum, weil die hier zu gewärtigenden Ergebnisse am ehesten und mit größter Berechtigung auf das Gesamtwerk übertragen werden dürfen. Sollte es gelingen, Thomas Manns angeblichen Realismus in diesem exemplarischen Falle in Zweifel zu ziehen, dürfte dies Kennwort für ihn allgemein und grundsätzlich hinfällig werden.

Wenn im folgenden auf eine grundsätzliche theoretische Erörterung verzichtet[27] und statt dessen versucht wird, das Wirklichkeitsverhältnis des

---

[26]) an der die schillernde Vieldeutigkeit dieses Terminus naturgemäß ebensolchen Anteil hat wie seine gelegentlich unkritische Anwendung; vgl. dazu die WDR-Sendung des 3. Programms vom 20. 12. 1965 mit dem Titel: Literatur in der Diskussion. Das Wiener Gespräch über unser Jahrhundert und seinen Roman. Referate, Diskussionen, Berichte; zusammengestellt und kommentiert von Claus Behncke, in deren Verlauf alle Seiten ihren Anspruch auf realistisches Arbeiten anmeldeten und vom Realismusbegriff kaum mehr blieb als das freche Aperçu Ladislav Mnackos: ‚Realistisch ist also alles, was nicht gelogen ist'.

[27]) Die bisherigen Bemühungen der Realismusforschung von Adolf Stern bis

Dichters vom Objekt, von der Dichtung her zu analysieren, so ist doch zumindest ein grober Definitionsversuch vorab vonnöten: Danach verstehen wir unter Realismus weniger eine Epochenbezeichnung als vielmehr einen Stilbegriff, wobei realistischer Stil eine unbefangene und unvoreingenommene Bejahung der Welt der alltäglichen Erfahrung voraussetzt, eine Haltung, die vor allen Dingen keine Steigerung zuläßt in Richtung auf einen so photographisch exakten wie unkünstlerischen ‚Überrealismus'. Dagegen kann der direkte, problemlose Zugang zu den Dingen verstellt sein durch seelisch bedingte oder weltanschaulich verwurzelte Störungen, die auf erzählerischer Ebene unweigerlich zu Einseitigkeiten der Auswahl und Verzerrungen der Darbietung führen, die realistisch zu nennen nicht gestattet ist, für die wir vielmehr, einer von Richard Alewyn mehrfach[28] erläuterten Terminologie folgend, die Bezeichnungen Naturalismus[29] oder

---

Georg Lukács finden sich verzeichnet bei Richard Brinkmann, a. a. O. S. 1-82; neuerdings auch — mit Berücksichtigung des internationalen Aspektes — bei René Wellek, Der Realismusbegriff in der Literaturwissenschaft. In: Grundbegriffe der Literaturkritik, Stuttgart 1965, S. 161-82.

[28]) zuerst in ZfdPh 56, 1931, S. 39/40. Wiederholt in: Johann Beer und der Roman des 17. Jahrhunderts, Halle 1931. Das Realismus-Kapitel daraus jetzt überarbeitet unter dem Titel „Realismus und Naturalismus" in: Deutsche Barockforschung. Dokumentation einer Epoche, Hamburg/Berlin ²1966 (Neue Wissenschaftliche Bibliothek 7), S. 358-71. Die vorliegende Arbeit verdankt ihre Anregung zu gleichen Teilen dem Berliner Realismus-Seminar Prof. Dr. Richard Alewyns vom Sommer 1957 wie einer Übung zu Thomas Manns Erzählungen, gehalten von Dr. Alfred Anger im Wintersemester 1957/58.

[29]) Leider wird dieser Terminus in der Forschung noch immer allzu sorglos entweder synonym oder bekräftigend im Sinne eines ‚gesteigerten' Realismus gebraucht. Etwa, wenn Ernst Alker — Geschichte der deutschen Literatur von Goethes Tod bis zur Gegenwart, Bd. 2, Stuttgart 1949 — dem Personal der frühen Novellen „realistische Umrißzeichnungen" nachsagt und dann bezüglich der „Buddenbrooks" fortfährt: „Mit künstlerischen Mitteln, denen des Naturalismus nah verwandt, wurde ... die von lebendigen Gestalten wimmelnde ... Roman-Chronik einer Lübecker Patrizierfamilie gegeben ..." (S. 343). — Zwar setzt in der jüngsten Behandlung, die den „Buddenbrooks" zuteil geworden ist, Eberhard Lämmert — Thomas Mann. Buddenbrooks. In: Der deutsche Roman II, hrsg. v. Benno von Wiese, Düsseldorf 1963, S. 190-233 — den ‚Realismus' in Anführungszeichen (224), glaubt aber, der Autor sei „in der Darbietung der empirischen Außenwelt so genau, so naturalistisch wie möglich" verfahren (219). In ähnlicher Weise haben sich festgelegt: Jutta Bohncke, Thomas Manns Romantechnik, Diss. Tübingen 1950, S. 103 f; Louis Erlacher, Untersuchungen zur Romantechnik Thomas Manns, Diss. Basel 1932, S. 5; Hans Armin Peter, Thomas Mann und seine epische Charakterisierungskunst, Diss. Bern 1929, S. 129; Karl Smikalla, Die Stellung Thomas Manns zur Romantik, Diss. Würzburg 1953, S. 7; Rudolf Steffens, Die Redeweise als Mittel der Charakterisierungskunst bei Thomas Mann, Diss. Bonn 1950, S. 23.

Idealismus[30] vorschlagen. Störungen solcher Art können zu allen Zeiten auftreten, in der Dichtung des ausgehenden Mittelalters (Neidhart) ebenso wie im Barock (Grimmelshausen) oder — bislang letztmalig — in der Ära des sogenannten Naturalismus. Was bei diesem Akt der Umbenennung zur Debatte steht, ist mehr als unfruchtbar terminologisches Gezänk. Es geht darum, die Behauptung vom angeblichen Realismus des Dichters zu widerlegen, nicht, um ein Schlagwort durch ein anderes zu ersetzen, sondern in der Gewißheit, daß die Klärung des Verhältnisses zur Realität den Schlüssel liefert zum Geheimnis Thomas Manns.

Ist Thomas Mann kein Realist, so erst recht kein weltfremder Träumer. Das Gegenteil eines sachbezogenen Realisten ist nicht unbedingt der Phantast. Vielmehr gibt es neben der Möglichkeit direkter, unkomplizierter Aufnahme viele Weisen der Auseinandersetzung mit der uns umgebenden Welt. Außer der, ihr zu entfliehen in ein Traumreich eigener Gesetzlichkeit jene, sie insgeheim umzugestalten, leise Veränderungen an ihr vorzunehmen. Die folgenden Überlegungen sind dem Aufspüren solcher zum Teil unmerklicher Verzeichnungen gewidmet, wollen an verschiedenen Medien Formen des Arrangements aufzeigen.

---

[30]) Idealismus insofern, als diese Haltung die Diskrepanz festhält zwischen dem, was ist, und dem, was sein sollte, und von dieser ‚sentimentalischen' Position aus zu einer Verurteilung der tatsächlichen Verhältnisse kommt. — Idealismus dieser Spielart ist in seiner stilisierenden Einseitigkeit nichts anderes als die genaue Umkehrung jener naturalistischen Haltung. Er unterscheidet sich von dem (auf Erhöhung der Realität abzielenden) Idealismus Schillerscher Prägung in eben der Weise, wie Naturalismus und Realismus voneinander verschieden sind.

ERSTER TEIL

UNTERSUCHUNG DER BESCHREIBUNGSPRINZIPIEN DES AUTORS

A. FORMEN DES ARRANGEMENTS

I. Das Bauprinzip des Kontrastes

a) Binnenraum

Und somit fangen wir an:
„Der runde Tisch mit den dünnen, geraden und leicht mit Gold ornamentierten Beinen stand nicht vor dem Sofa, sondern an der entgegengesetzten Wand, dem kleinen Harmonium gegenüber, auf dessen Deckel ein Flötenbehälter lag. Außer den regelmäßig an den Wänden verteilten, steifen Armstühlen gab es nur noch einen kleinen Nähtisch am Fenster und, dem Sofa gegenüber, einen zerbrechlichen Luxus-Sekretär, bedeckt mit Nippes.

Durch eine Glastür, den Fenstern gegenüber, blickte man in das Halbdunkel einer Säulenhalle hinaus, während sich linker Hand vom Eintretenden die hohe, weiße Flügeltür zum Speisesaale befand. An der anderen Wand aber knisterte, in einer halbkreisförmigen Nische und hinter einer kunstvoll durchbrochenen Tür aus blankem Schmiedeeisen, der Ofen" (B 12/13).

Die vorliegende Textprobe ist dem Eingangskapitel der „Buddenbrooks" entnommen. Es ist das früheste und zugleich ausführlichste Beispiel aus einer stattlichen Reihe vergleichbarer Beschreibungen. Und es handelt sich um das alte Familienhaus der Buddenbrooks in der Mengstraße, wir befinden uns im ‚Landschaftszimmer'.

Was uns nun interessiert, ist zunächst weniger das Was — Anlage und Einrichtung des Elternhauses —, das für Thomas Mann gegeben und bei dessen Beschreibung er ‚Realist' genug war, sich Freiheiten nicht herauszunehmen; interessant ist vielmehr das Wie[31], die besondere Art, in der, was wir zu Gesicht bekommen, beschrieben ist. Nach einem ersten orientierenden Rundblick — wir registrieren wenige und relativ kleine Möbel in einem großen Raum — wird unser Augenmerk auf Tisch und Sofa gelenkt. Beide stehen einander schräg gegenüber, d. h. wir fixieren im Blick auf diese Möbelgruppe je einen Punkt der seitlichen Abgrenzungen des Raumes. Vom Tisch aus geht unser Blick hinüber zum Harmonium. Damit überbrücken wir die Breite des Saales auf kürzestem Wege. Noch einmal ge-

[31]) Wie sehr der Künstler in Bezug auf dieses Wie frei ist, lehrt die einfache Überlegung, daß ein anderer — Fontane etwa — den gleichen Tatbestand mit Sicherheit ganz anders dargestellt hätte.

schieht dies im Hinweis auf Sofa und Sekretär gegenüber. Die Erwähnung der regelmäßig verteilten Armstühle sowie des Nähtischs am Fenster läßt den Blick des Beobachters von der Eingangstür aus an den übrigen Wänden entlanggleiten. Dem Erzähler folgend, wechseln wir daraufhin den Standort, indem wir uns von der Tür zur Fensterseite hinüber begeben und von dort auf den Ausgang zur Säulenhalle zurückschauen, so die beiden Frontseiten des Zimmers erneut miteinander in Beziehung setzend. Schließlich beziehen wir unsere Ausgangsstellung an der Tür und fassen im Blick auf den Eingang zum Speisesaal und den Ofen vis à vis noch einmal beide Seitenwände ins Auge, wobei mit dem Zusatz „linker Hand“ (bzw. „An der anderen Wand“ B 13) die Blickrichtung nun absolut bestimmt ist.

Der Sinn dieses Vorgehens scheint einleuchtend. Indem der Erzähler die Kopfseiten des Raumes zweimal, die übrigen Wände allein dreimal auf kürzestem Wege, dazu einmal in Richtung der Diagonalen miteinander verbindet, erwächst dem Leser allmählich ein Gefühl für räumliche Dimensionen. Erwecken von Raumgefühl als erklärte Absicht dieser und ähnlich angelegter Schilderungen? Wir könnten uns bei dieser Erklärung beruhigen, würde nicht die gleiche Technik auch da noch beibehalten[32], wo allein aus Gründen der Ökonomie ein derartiger Effekt unmöglich erzielt werden kann. Was aber liegt dieser so beharrlich verfolgten Eigenart letztlich zugrunde?

Das scheinbar planlose Hin- und Herspringen von Punkt zu Punkt vermag Möbel und Wandflächen weniger zueinander in Beziehung zu setzen als vielmehr räumliche Abstände zwischen ihnen aufzureißen. Sehr deutlich wird dies in den Angaben, die sich auf den Standort des Tisches beziehen. Ehe wir erfahren, wo er steht — dem Sofa gegenüber — wissen wir, wo er nicht zu suchen ist, nämlich in dessen unmittelbarer Nähe. Im Vergleich von möglicher Nähe und tatsächlicher Entfernung nimmt der Abstand sich zuletzt um so eindrucksvoller aus, zumal das ‚Gegenüber‘ in schräger Richtung zu denken ist, wir den Raum folglich in der Diagonalen, d. h. aber in seiner größtmöglichen Weite durchmessen. Ferner ist zu beachten, daß Breite wie Länge des Zimmers statt in mehrmaligem, nur nach einer Seite zielendem Hinüber in stets gegenläufiger Bewegung durchmessen wird. Auch dies hat nicht Überbrückung und Verbindung, sondern Bewußtmachen der Abstände, räumliches Auseinanderrücken zur Folge. Anstatt das Neben- und Miteinander zu beschreiben, wird die Weite des Raumes genutzt, um in ständigem Hin und Her die verschiedensten Teile der Einrichtung zu berühren und über große Entfernungen hinweg miteinander zu konfrontieren. In der beständigen Suche nach einem Gegenüber erschöpft sich nahezu das gesamte Interesse des Erzählers.

---

[32]) s. B 23; 40; 41; 191; 205; 735.

Man darf dies Ergebnis getrost verallgemeinern, da, wie schon angedeutet, nahezu alle Raumbeschreibungen mehr oder minder deutlich nach dem gleichen Prinzip angelegt sind. Die Frage ist, ob dies Verfahren auch noch gilt für den Fall, daß wir den Begriff ‚Raumdarstellung' weiter fassen und die Außenwelt, Stadt- und Landschaftsschilderung mit einbeziehen. Nun bringt die Aufforderung, eine zur Klärung dieser Frage geeignete Textstelle beizubringen, den Leser Thomas Manns in einige Verlegenheit, deshalb, weil ein solcher Text, zumindest für die „Buddenbrooks", nicht existiert. Es bleibt nichts übrig, als auf andere Teile seines Werkes auszuweichen, wobei wir eine Partie aus der Erzählung „Herr und Hund" vorschlagen.

b) Natur

Held dieser Geschichte ist der Hund Bauschan. Ihn „in seiner Pracht und in seinem Elemente" zu zeigen, „nämlich auf der Jagd", wird der Leser im Kapitel „Das Revier" „mit dem Schauplatz dieser Freuden", einem flußnah gelegenen Waldstück, des näheren bekanntgemacht (Erz 560). Bezeichnend ist nun die Art, in der diese bewaldete Region beschrieben wird: „Von einem Wald im üblichen Wortverstande — so einem Saal mit Moos- und Streugrund und ungefähr gleichstarken Baumsäulen, kann keinesfalls die Rede sein. Die Bäume unsres Reviers sind ganz verschiedenen Alters[33] und Umfanges; es gibt unter ihnen riesige Urväter des Weiden- und Pappelgeschlechtes ... und ... eine Legion von dünnen Stämmchen, wilde Baumschulen einer Natursaat von jungen Eschen, Birken und Erlen ..." (Erz 563/64). Da findet sich die Birke „als silbernes Stengelchen mit wenigen einzeln stehenden Blättchen zur Krone; als lieblich herangewachsene, adrett geformte Jungfrau ..., und ebensowohl in wahrhaft elefantenhaftem Wuchs ..." (Erz 564/65), kennt die Gegend die Esche „als hundertjährigen Riesen wie auch als weichen Schößling ..." (Erz 562; vgl. 561). — Kleinblättrig ist die Mehrzahl der Baumarten „bei oft gigantischen Ausmaßen der Baumgestalten ...". Inmitten zierlichen Blattwerks sticht das Laub der Ulme hervor, die „ihr geräumiges, wie mit der Säge gezacktes ... Blatt der Sonne hinbreitet ..." (Erz 562). Endlich sind die Bäume geschieden nach Standort[34], Form[35] und Tempo (s. Erz 562) des Wachstums.

---

[33]) Auch die Gruppe der zehn- und fünfzehnjährigen Stämme wirkt angesichts solcher Altersunterschiede — es ist von hundertjährigen Exemplaren wie von einjährigen Schößlingen die Rede — kaum ausgleichend.

[34]) Die Erle tritt „an vertieften Stellen" zu kleinen Hainen zusammen — einzelne Fichten stehen „an mehreren Stellen den östlichen Hang hinauf ..." (Erz 563).

[35]) Mit ihren „krummfingerig ausholenden, besenhaft bezweigten", der Erde zugeneigten Ästen (Erz 564) steht die Weide in direktem Kontrast zur welschen Pappel,

Gleich dem Baumwuchs hat der Boden „mit dem eines Waldes fast gar keine Ähnlichkeit". Er „hebt und senkt sich beständig" (Erz 565), ist abwechselnd karg und üppig, trocken und feucht, reine Kies-, Lehm- oder Sandgrube, „auf deren Grunde nichts als ein paar Weidentriebe und ein wenig trockener Salbei gedeihen" oder Schlucht, „angefüllt mit Holunder-, Liguster-, Jasmin- und Faulbaumgebüsch, so daß an qualmigen Junitagen die Brust den Duft kaum zu bergen weiß" (Erz 566). Ein „hochwucherndes Gras" gedeiht darauf, das einmal „trockenen, scharfkantigen, dünenmäßigen Charakter annimmt . . ., anderwärts aber weich[36], dick und strotzend . . . gegen die Wurzelknollen der Bäume heranwogt" (Erz 565).

Hin und her wechselt der Blick des Erzählers zwischen dem kärglichen Dickicht des Bodens (s. Erz 566) und den Wipfeln der Baumriesen, hinauf an Waldreben und wildem Hopfen, die das Wachstum ihrer Wirte beengen, und abwärts wieder an den Stämmen des Birkbaums, „dessen Rinde nur hoch oben noch Spuren der glatten Weiße zeigt, weiter unten aber zur groben, kohligen, rissigen Borke geworden ist . . ." (Erz 565).

Alt und Jung, Groß und Klein, überhöhender Baumriese und kriechendes Blattwerk, mächtiger Stamm und mageres Stengelchen, zierliches und geräumiges Laub, steiler Wuchs und herabhängendes Gezweig, wo immer man hinschaut, es ist das Aufrechnen von Stück und Gegenstück, der Kontrast zum gänzlich anders Gearteten, mit dessen Hilfe Baum und Strauch, die ganze Landschaft zwischen Hang und Fluß beschrieben wird.

Bestätigung also des früher Erkannten. — Und das Personal, das sich in dieser Szenerie vor unsern Augen bewegt? Wenden wir uns, diesem Einwand zu begegnen, einen Augenblick lang von der Umwelt ab dem eigentlichen Vorzugsgegenstand des Dichters, dem Menschen und seiner Darstellung zu.

c) Menschendarstellung

Wie verfährt Thomas Mann bei Beschreibung des menschlichen Antlitzes? Wenn Christian am Nachmittag des Einweihungsfestes von der Schule heimkommt und das Landschaftszimmer betritt, ist er „ein Bürschchen von sieben Jahren, das schon jetzt in beinahe lächerlicher Weise seinem Vater ähnlich war. Es waren die gleichen, ziemlich kleinen, runden und tiefliegenden Augen, die gleiche stark hervorspringende und gebogene Nase war schon erkenntlich . . ." (B 17). Diese „runden, tiefliegenden Augen über der

---

die „aufgereiht ragt in ihrer sterilen Männlichkeit" (Erz 562). Entsprechend sind die oben erwähnten „Urväter des Weiden- und Pappelgeschlechtes" als extreme Gegenbilder zu begreifen.

[36]) s. dagegen die Brennesselstauden Erz 565.

allzu großen Nase“ (B 37), der Erzähler verfolgt sie mit um so wachsenderem Interesse, je mehr mit den Jahren der Abstand Augapfel — Nasenspitze zunimmt (s. B 85; 283; 309). Am Ende, Christian ist mittlerweile nahe Vierzig, die anfangs noch kindliche Fülle der Wangen längst abstoßender Magerkeit gewichen, liegen eben diese unruhigen Augen „tiefer als jemals in ihren Höhlen. Gewaltiger aber auch und knochiger als jemals sprang seine große, gehöckerte Nase zwischen den ... fahlen Wangen hervor ...“ (B 458). Eingefallene Augen — vortretendes Jochbein, hohle Wangen — ragende Nase, wieder sind aus zahllosen Einzelheiten die Extreme: Kleines und Großes, Verborgenes und in die Augen Springendes ausgewählt und — natürlich mit der Absicht vergleichenden Messens — zusammengefügt zu einer schroffen, tiefzerklüfteten Gesichtslandschaft.

Je größer die Dimensionen, um so leichter ist es, zu Antithesen zu kommen, die sich im Bereich des Meßbaren halten. Hier bietet der Rumpf, insbesondere der Leib der vollentwickelten Frau die günstigsten Ansatzpunkte. Man kann den weiblichen Torso vereinfacht wiedergeben durch ein auf der Basis ruhendes Dreieck, eine Stilisierung, der Sita, Heldin aus Thomas Manns indischer Legende, mit „süßesten Kinderschultern und wonnig geschwungenen Hüften ..., die eine geräumige Bauchfläche ergaben ...“ (Erz 725), beachtlich nahekommt[37]. Überzeugender noch wird die Angleichung an das geometrische Muster in der Rückansicht: „Das Allereindrucksvollste ... bei alldem war ... die Verbindung dieses großartigen Hinterteils mit der Schmalheit und Gertenschmiegsamkeit des Elfenrückens, hervorgebracht und ermöglicht durch den anderen Gegensatz zwischen dem preisgesangwürdig ausladenden Schwung der Hüften und der ziersamen Eingezogenheit der Taillengegend darüber“ (Erz 726. vgl. J 1517)[38]. In der dritten Dimension verwandelt sich jene barocke Partie der Figur in ein prangend ausladendes Hinterteil, eindrucksvollstes Gegenstück zugleich zu dem Vordrang jugendlich starrer Brüste (s. Erz 725).

Kopf, Rumpf und Gliedmaßen machen das Ganze der menschlichen Erscheinung aus, die Stimmigkeit der Teile untereinander ihre Harmonie. Gehen wir mit der Elle an die Mann'schen Geschöpfe heran, so ergibt sich für sie weit eher eine Disproportion der Teile. Nichts ist stimmig in sich selbst. Um nur an eins der bekanntesten Beispiele zu erinnern: Breit und bürgerlich, wenn auch fein gegliedert, sind die Hände Christians wie überhaupt aller Buddenbrooks (s. B 46; 206; 439). Sie widersprechen damit der

[37]) Dem Ideal der männlichen Figur, dem auf die Spitze gestellten Dreieck, entspricht am ehesten der Hans Hansen-Typ mit breiten Schultern und schmalen Hüften s. Erz 272; 331. J 750. F 225.

[38]) Anders als früher verläuft die Blickrichtung bei dieser Perspektive von unten nach oben, das Auge nimmt die schmalste Zone des Leibes unmittelbar nach der üppigsten wahr.

bei Thomas Mann gängigen Typologie, nach der weiße Hände klein, schmal und feingliedrig, rote dagegen groß, grob und plump ausfallen.

Gleich ob Auge oder Nase, Mund oder Stirn, Kinn oder Wange, keiner dieser Bausteine ist klein genug, daß er nicht in sich noch einmal gespalten und widersprüchlich erschiene. Da ist eine Stirn glatt in der unteren Hälfte, aber ausgebuchtet weiter oben (s. J 65), eine Nase lang, aber eingedrückt (s. J 591), breitspitz in einem andern Fall (s. J 738), d. h. mit einem Sattel versehen, dessen Schmalheit die breiten Nüstern desto auffallender macht (s. J 1414). Da sind Münder, die blaß und dennoch durchscheinend, Bärte, die trotz Überlänge dünn und schütter wirken (s. B 293. J 68).

Nichts will mit anderem zusammenpassen: Ein fülliger Oberarm nicht mit einem kindlichen Handgelenk (s. KH 215. Erz 340), pralle Oberschenkel nicht mit den unteren, wo diese „fast hühnerartig mager" erscheinen (J 1415). Wie oft sieht man es Armen und Beinen nicht an, daß sie ein und derselben Person gehören? Mut-em-enets Schultern werden als „schmal, ja kindlich-rührend" beschrieben, „und die Arme daran hatten an Fülle stark eingebüßt, sie waren dünn fast geworden. Ganz anders stand es mit den Schenkeln, die, wiederum in einem, man möchte sagen, unerlaubten Gegensatz zu den oberen Extremitäten, sich über Gebühr stark und blühend entwickelt hatten ..." (J 1159).

Werden mehrere Details zugleich ins Auge gefaßt, dann vornehmlich solche, die mit gegenläufigen Akzenten, Richtungsanzeigern gleichsam versehen sind und darum den Eindruck heftigen Auseinanderstrebens machen. An Permaneders Barthaar läßt sich diese Erscheinung beobachten, steht doch „Die ‚Fliege', die der fremde Herr zwischen Kinn und Unterlippe trug, ... im Gegensatze zum Schnurrbart [dem spärlichen, fransenartig den Mund überhängenden Schnurrbart] ein wenig borstig empor" (B 337). Mimische Eigentümlichkeiten bewirken den nämlichen Effekt: Aufrecht, scheinbar unbeteiligt sitzt Lebrecht Kröger inmitten der bedrohten Bürgerschaftsversammlung „mit halb geschlossenen Augen, die Mundwinkel, über denen die kurzen Spitzen seines weißen Schnurrbartes senkrecht emporstarrten, vornehm und geringschätzig gesenkt" (B 192; vgl. 73).

Allein in den „Buddenbrooks" laufen eine Menge Leute herum mit zu großem Kopf bei zu kleinem Körper: die von Tony so gehänselte Schirmmadame (s. B 67), der Doktor Klaaßen (s. B 179), Pastor Tiburtius (s. B 293), nicht zuletzt Thomas Buddenbrook, und auch der umgekehrte Fall, kleiner Kopf auf gewaltigem Rumpf, ist keineswegs eine Rarität (s. Erz 169. Z 360; 470. J 807).

So wenig wie Kopf und Körper scheinen Rumpf und Glieder füreinander geschaffen. Zwar hat Direktor Stürzli die Körperfülle eines Rhinozeros (s. Krull 169), dessen ungeachtet sind seine Hände „erstaunlich klein und zierlich im Verhältnis zu seiner Gesamtmasse ..." (Krull 170. vgl. J 807;

1029); andererseits hat die Natur gerade leibarme Geschöpfe, wie den Kellner Mager (s. LW 10) oder den Schriftsteller Spinell (s. Erz 223) mit verschwenderisch umfangreichen Extremitäten bedacht.

Kein Wunder, wenn bei so heterogenem Material[39] dessen eine Hälfte sich zuletzt um einen neuen Mittelpunkt organisiert und eigene, selbständige Gestalt gewinnt. Wo der Mensch er selbst und zugleich auch schon sein Gegenteil ist, bedarf es wenig, diesen heimlichen Widerpart aus sich herauszustellen und im Fleische wandeln zu lassen. Da der Dichter auf diese Weise mehr und größere Möglichkeiten des Gegenüberstellens gewinnt[40], läßt er seine Figuren gern paarweise, gelegentlich auch zu dritt (in der Gruppierung 2:1 oder 1:2, s. B. 65;76) auftreten, wobei blutsmäßige Verbundenheit nur ein Hinweis ist auf die ursprüngliche Einheit ‚im Fleische'. Allein die „Buddenbrooks" kennen eine große Zahl von Geschwisterpaaren. Verdoppelt kehrt die zweigliedrige Konstellation wieder in den vier Nachkommen des Konsuls, die sich zu je einem Bruder- und Schwesternpaar ordnen. Eltern und Großeltern bilden zusammen noch einmal eine Vierergruppe, deren einzelne Glieder sich nach Alter und Geschlecht, Geschmack und Gesinnung zu immer neuen Paarungen zusammenfügen und wechselseitig konfrontieren lassen.

Unter einer größeren Anzahl von Menschen werden Gegensätze der Erscheinung, des Temperaments, der gesellschaftlichen Stellung (s. B 23/24) usw. an Hand räumlicher Entsprechungen (rechts — links, auf der einen — der anderen Seite), mit Hilfe der Placierung um Tafel oder Couchtisch kenntlich gemacht. So hat Tony in Sesemis Pension ihren Platz zwischen der „blonden und stämmigen" Armgard von Schilling und der so morbiden wie rätselhaften Erscheinung Gerda Arnoldsens, so gewahrt man dem „weißen, schönen, ein wenig hochmütigen Gesicht" dieses Mädchens „gegenüber" eine „Französin, die aussah wie eine Negerin und ungeheure goldene Ohrringe trug" (B 90)[41].

---

39) Nicht gesagt ist damit, daß der Erzähler immer und in jedem Falle die ganze Skala der hier aufgezeigten Möglichkeiten durchgeht. Er wird sich einmal darauf beschränken, Unstimmigkeiten der Gesichtsbildung hervorzuheben, ein andermal gegenteilige figürliche Charakteristika zusammenstellen oder gar die Antinomien im Bereich des Ästhetischen bzw. Symbolischen suchen.

40) Von daher erklärt sich u. a. auch die nach Aussehen und Seelenlage zumeist extreme Ungleichheit der Ehepaare.

41) Als antithetisch gebaut erweisen sich endlich ganze szenische Prospekte, die Schilderung des Lebens und Treibens in der Breiten Straße etwa, unmittelbar vor dem Rathausportal (s. B 699/700) oder die ganz ähnlich angelegte Eingangsszene zu „Tonio Kröger" (s. Erz 271). Beide sind — bei aller Fülle konkreter Details — einzig, d. h. einseitig mittels Antithesen beschrieben und insgesamt wieder Teil eines Kontrastverhältnisses (betriebsames Leben — Einsamkeit des Helden).

Wir brechen an dieser Stelle ab, nicht, weil das Material erschöpft wäre[42], sondern um die Geduld des Lesers nicht länger zu strapazieren. Worum es uns zu tun war, ist auch ohnedies klar geworden: Wo immer wir die Sonde ansetzen am Werk Thomas Manns, überall begegnet uns jenes Gestaltungsprinzip, das im Durchmessen räumlicher Distanzen ebenso Genüge findet wie in der Konfrontation von Part und Widerpart und das da hört auf den Namen Antithese oder Kontrast.

Nicht nur der stoffliche Teil seines Werkes ist in dieser Weise polar organisiert. Bis in die feinsten Verästelungen des Stils hinein läßt sich des Erzählers Vorliebe für antithetische Zuspitzungen verfolgen[43]. Gern wird da Widersprüchlichstes auf knappstem Raum, in der Figur des Oxymorons, zusammengezwängt. Wir erinnern an die Beschreibung der Natur als eines kärglichen Dickichts (s. Erz 566), an das Schlußwort aus „Königliche Hoheit", demzufolge Hoheit und Liebe sich zu strengem Glück (s. KH 382) vereinen, an die „‚kalten Ekstasen'" künstlerischen Schaffens (Erz 295), aus denen „pulsender Gedanke" und „genaues Gefühl" hervorgehen (Erz 492), an den „Heroismus ... der Schwäche", der so bezeichnend sei für modernes Künstlertum (Erz 453) und endlich, um die wohl bekannteste aller Formeln zu nennen, an die Sehnsucht des Geistbeladenen nach den „‚Wonnen der Gewöhnlichkeit'" (Erz 303). Ob Binnenraum, Landschaft oder Personenbeschreibung, in allen Medien ist der Wille zum Kontrast lebendig, auf allen Ebenen (Sprachstil, kompositorischer Aufbau[44], begriffliches Denken s. S. 99) feiert er Triumphe.

In so spannungsreicher Umgebung wächst der Ortsbestimmung ‚gegenüber' ungeahnte Bedeutung zu, kommt doch in ihr über die bloß räumliche Zuordnung hinaus oft genug ein Wesensgegensatz zum Ausdruck. Selbst

---

[42]) Unberücksichtigt bleiben aus den Bereichen Mimik und Gestik die Kapitel „Mischausdrücke" und „gebrochene Bewegungen", ferner das ganze weite Gebiet des äußeren Habitus.

[43]) In den Josephsgeschichten ist die Vielzahl der Stilebenen genutzt zu komischen Kontrasten, wenn archaischer und moderner Sprachstand, hoch verfeinerte und derb redensartliche Diktion unvermittelt aufeinanderprallen. — Es ist die Banalität des Mitgeteilten, daran der anspruchsvoll prätentiöse Memoirenton des „Krull" ironische Brechung erfährt.

[44]) Hier wären vor allem Kapitelübergänge und Parallelhandlungen zu untersuchen, wozu Ansätze vorliegen bei Eberhard Lämmert, Thomas Mann. Buddenbrooks. In: Der deutsche Roman II, hrsg. v. Benno von Wiese, Düsseldorf 1963, S. 190-233, vgl. bes. S. 206. Der Hinweis auf den Aufbau des Verfalls, die Spannung zwischen Vitalität und Fruchtbarkeit der Hagenströms — Infirmität und schließlicher Sterilität der Familie Buddenbrook, die Erinnerung an das Zugleich von Festesglanz und Geschäftsverlust (s. Kap. VIII, 5) mag genügen, um erkennen zu lassen, daß mit dem Prinzip des Kontrastes auch das Baugesetz des Romans gegeben ist.

der Kopula ,und' kann in diesem Stil antithetischer Charakter zuwachsen, indem sie noch das Fernste und Fremdeste zueinanderzwingt und „einander entgegensetzt, was sie verbindet" (AdG 160). Hinter solcher Diktion steht ein Erzähler, für den der Geist „,von Hause aus dualistisch'" ist, der mit einer seiner Figuren sagen kann: „,Der Dualismus, die Antithese, das ist das bewegende, das leidenschaftliche..., das geistreiche Prinzip'" (Z 532), ein Erzähler, der in umfassender Weise ,Weltentzweiung' betreibt (s. Z 536), denn: „,Die Welt feindlich gespalten sehen, das ist Geist'" (Z 532).

II. Die Technik des Auslassens und Verschweigens

Bleibt die Frage, was wir mit diesem Ergebnis gewonnen haben auf dem Wege zu unserem Ziel, die These vom Realismus Thomas Manns zu widerlegen. Zunächst den Anstoß zu der Überlegung, daß die zu schildernde Wirklichkeit zwar gelegentlich, wenn auch keineswegs durchgängig antithetisch gegliedert sein kann; daraus abgeleitet die Vermutung, der Kontrast werde, zum ausschließlichen Darstellungsprinzip erhoben, notwendig einseitig und somit ein Hemmnis sein, das Stück Wirklichkeit, den Stoff, an dem sich der Dichter versucht, voll und sachgerecht zu erfassen.

Wie weit diese Unvollständigkeit, das Desinteresse an allem geht, was nicht Extrem und mithin ,Gegenüber' von etwas ist, soll ein erneuter Blick auf den Erstlingsroman verdeutlichen. Gibt es einen Leser von „Buddenbrooks", der, nachdem er das Buch gelesen, mit dem Bilde Lübecks im allgemeinen und dem der Mengstraße im besonderen nicht aufs Innigste vertraut zu sein glaubt? Kaum denkbar, denn was sollte ihn zwischen Buchdeckeln, die abwechselnd Prospekte der Hansestadt oder Ansichten des Mengstraßenhauses zeigen, anderes erwarten als eine ausführliche und getreue Schilderung eben dieser Lokalitäten, dieses Milieus? So die geläufige[45], vom Verlag und seinen Illustratoren offensichtlich genährte Vorstellung, von der nun freilich gesagt werden muß, daß sie so falsch wie weit verbreitet ist. Eine kühne Behauptung, doch leicht nachprüfbar für den, der nach Lübeck fährt, wo er angesichts des originalen ,Buddenbrook-Hauses',

[45]) Die Genauigkeit der Orts- und Zeitangaben wird für Jutta Bohncke — Thomas Manns Romantechnik, Diss. Tübingen 1950 — „unterstützt durch psychologische Beobachtungen, durch minutiöse Schilderung der Gesten, Kleider, Redewendungen und typischen Angewohnheiten der Personen, durch sorgsame Ausarbeitung des ,Milieus', durch Verwendung von Dialekten..." (40). — Daß Thomas Mann auch den bewohnten Raum, der in seinen Romanen eine Rolle spielt, aufs genaueste beschreibt, behauptet Anthony Riley, Die Erzählkunst im Alterswerk von Thomas Mann mit besonderer Berücksichtigung der „Bekenntnisse des Hochstaplers Felix Krull", Diss. Tübingen 1958, vgl. bes. S. 209/10; 214 u. 34.

beim Vergleich zwischen Dichtung und Wirklichkeit, konstatieren müßte, wie sehr die Technik der Wiedergabe auf den Gegenstand selbst verändernd zurückwirkt.

Sehen wir uns diese Veränderungen im einzelnen an. Man erinnert sich, das Haus, das Buddenbrooks zu Anfang des Romans beziehen, ist deutlich in drei Geschosse gegliedert. Schon die flüchtigste Umschau genügt, den Charakter des jeweiligen Stockwerks auszumachen. Küche und Wirtschaftsräume, Bureaus und Kontore, Räume also, in denen Arbeit und Alltag zu Hause sind, sind im Parterre, zu ebener Erde untergebracht. Das zweite Obergeschoß beherbergt Schlafgemächer, Toilette- und Ankleidezimmer sowie Zimmer für die Kinder, d. h. Räume vorwiegend privaten Charakters. In Höhe des ersten Stocks aber, der Beletage, in die die große Haupttreppe einmündet, liegen ausschließlich Repräsentationsräume.

Auskünfte, wie ein Realist sie nicht besser geben könnte, wäre nicht der Umstand, daß wir über Aufteilung und Raumverhältnisse der einzelnen Etagen sehr ungleich unterrichtet werden. Wieviele Zimmer umfaßt das zweite Stockwerk? Wieviele Kontorräume gibt es im Parterre? Wir wissen es nicht, auch nicht nach zwei Führungen durch das Haus. Denn wenn Konsul Johann Buddenbrook bei Gelegenheit des Einweihungsfestes den Gästen voller Stolz das jüngst erworbene Besitztum vorführt, bleiben oben wie unten die Türen verschlossen (s. B 41). Und der spätere Rundgang ist zwar in wünschenswerter Weise ausführlich, instruktiv aber nur für Hermann Hagenström, den möglichen Käufer, und Gosch, den beteiligten Makler. Der Senator, der nun den Cicerone macht, führt sie „treppauf, treppab und zeigte ihnen die Zimmer der zweiten Etage sowie diejenigen, die am Korridor des ersten Stockwerks gelegen waren, und die Parterreräumlichkeiten, ja selbst Küche und Keller. Was die Büros betraf, so nahm man Abstand davon, einzutreten . . .“ (B 627). Für den Leser, der mit weniger handfesten Interessen gekommen ist, bleiben dies alles leere Vokabeln, mit denen er keinerlei Anschauung verbindet, ungeachtet der Tatsache, daß zwischen Einweihung und Verkauf immerhin fast sechshundert Buchseiten liegen.

Es sind jedesmal die gleichen Bezirke, Alltag und Intimsphäre, die bei den Führungen sträflich vernachlässigt werden, wobei man das Schweigen im letztgenannten Fall noch als taktvolle Nachsicht auslegen könnte. Um so merkwürdiger erscheint der Umstand, daß der Erzähler Küche und Kontorräume des Parterres mit der gleichen Konsequenz meidet, mit der er die Schlafzimmer im zweiten Stock zu umgehen versteht. Wissen wir doch, daß nirgends härtere Arbeit geleistet wird als in den Kontoren der großen Handelshäuser. Konsul Johann Buddenbrook kennt nur das eine Ziel, das Ansehen der Firma zu mehren, und noch Thomas' ganze Energie und Schaffenskraft gilt der Wahrung und Sicherung des materiellen Wohlstands der Familie. Tägliche mühevolle Arbeit ist die Grundlage des luxuriösen Lebenszuschnitts seines Hauses, der am Tag errungene oder verteidigte Erfolg die Voraussetzung für den Glanz abendlicher Feste. Um so mehr muß es überraschen, daß dies Geschlecht von Kaufleuten niemals bei der Arbeit geschildert wird. Natürlich betreten wir hin und wieder eines der Kontore, aber es ergeht uns dabei nicht anders als beim Aufenthalt in den Zimmern des zweiten Obergeschosses: Von der Einrichtung wird kaum das genannt, was als Requisit für den Handlungsablauf unentbehrlich ist; im übrigen bewegen wir uns wie in einer Art Nebel, dessen Dichte kaum den Ausblick auf die allernächste Umgebung verstattet.

Mit den Räumen zu ebener Erde fällt der ganze Bereich der Arbeit für die Beschreibung aus. Damit ist die Zimmerflucht der Beletage nicht nur Mittelpunkt und Kernstück des Hauses, sie ist zugleich das einzige, was wir von der weitläufigen Anlage zu Gesicht bekommen, anders gewendet: Die Häuser in Mengstraße und Fischergrube bestehen für uns einzig und allein aus einer Reihe festlich-repräsentativer Gemächer; nach einem erneuten Schrumpfungsprozeß, diesmal in Richtung der Horizontalen, bleiben von dem Stammhaus der Buddenbrooks schließlich Säulenhalle, Landschaftszimmer und Eßsaal für die Beschreibung übrig.

III. Der Vergleich als Mittel kontrastierender Aufbereitung

a) Der repräsentative Binnenraum — Kernstück des Patrizierhauses

Diesen innersten Kreis des Hauses nun auch inhaltlich näher zu bestimmen, kehren wir zu unserem Ausgangspunkt, dem Landschaftszimmer, zurück — und sind überrascht von der ungewöhnlichen Weite des Raumes, in der die Möbel sich fast zu verlieren scheinen (s. B 12). Derselbe Eindruck wiederholt sich bei einem Blick in das Eßzimmer nebenan (s. B 39), das seiner Größe entsprechend zu Recht die Bezeichnung ‚Saal' verdient (s. B 13; 20; 22 u. a.). Zusammen mit dem Landschaftszimmer nimmt es — wie in der Fischergrube Salon und Speisezimmer — die ganze Frontbreite des Hauses ein[46].

---

[46]) Großzügig und weitläufig ist die Anlage des ganzen Hauses. Wir entsinnen uns der weiten, hallenden Diele, der imponierend breiten Treppe, die von dort in die Etagen hinaufführt, des geräumigen Vorplatzes in Höhe des ersten Stocks (s. B 40. vgl. Erz 107), der Säulenhalle, deren Dämmer man durchschreiten muß, um durch eine der mächtigen Türen in die Gesellschaftsräume zu gelangen. Dabei macht das eigentliche Wohnhaus flächenmäßig erst den kleineren Teil des ungewöhnlich

Verloren an die Weite des Saales, wird der Blick durch eine Vielzahl die Vertikale betonender Linien unwillkürlich in die Höhe gezogen. Von der Straßenseite her fällt Tageslicht durch schmale, deckenhohe Fenster[47] ins Innere des Landschaftszimmers. Linker Hand führt eine „hohe, weiße Flügeltür“ zum Speisesaal (B 13), an der anderen Wand knistert hinter einem hohen, schmiedeeisernen Gitter der Ofen (s. B 185). Im Eßsaal werden wir auf die hochlehnigen, schweren Stühle (s. B 32; vgl. 418; 489), die hohen, vergoldeten Kandelaber in jedem Winkel des Raumes, endlich auf die hohen, silbernen und mit langen, weißen Kerzen besteckten Tischleuchten (s. B 22) aufmerksam gemacht. Die Decken sind hier so hoch, daß lange Metallstangen nötig werden, um die „vielarmigen, dicht mit hohen weißen Kerzen besteckten ... Kronleuchter in der Mitte der ganzen Weite schweben zu lassen“ (KH 58/59)[48]. Und wenn wir uns den Gestalten zuwenden, die in dieser Umgebung heimisch sind, der hohen, distinguierten Erscheinung Lebrecht Krögers etwa (s. B 192; 24) oder Gerda Buddenbrooks in ihrer hohen, schlanken Vornehmheit (s. B 668; 303), so will es scheinen, als seien in ihnen die hohen, weißen Götterfiguren der Tapeten (s. B 51) zu festlichem Leben erwacht.

Bei aller Kostbarkeit der Teppiche[49], allem Glanz parkettierter Böden (s. B 512)[50] ist die Dekoration der Wandflächen[51] das eigentlich Bemerkenswerte dieser Salons. Durch sie kann Stil, Stimmung und Atmosphäre eines Raumes so weitgehend bestimmt werden, daß er, wie im Falle des ‚Land-

umfangreichen Grundstücks (s. B 615; 188; vgl. 62; 259) aus, auf dem außer einer Anzahl von Nebengebäuden und verbindenden Höfen am Ende auch noch ein Stadtgarten Platz hat. Die Weitläufigkeit der Anlage erschließt sich am ehesten in der Bewegung: „‚Alle Achtung! Diese Weitläufigkeit, diese Noblesse ...‘“ (B 23), läßt Weinhändler Köppen sich bewundernd vernehmen, als der Hausherr die Gäste nach dem Diner ein wenig mit dem jüngst erworbenen Besitztum vertraut macht. Und als man — nach Passieren von Hof und Garten — schließlich im Billardsaal des rückwärtigen Gebäudes angelangt ist, wirft er sich „erschöpft auf einen der steifen Stühle, die an den Wänden des weiten ... Raumes standen. / ‚Ich sehe fürs erste zu!‘“ ruft er und „‚Hole mich der Teufel, was ist das für eine Reise durch Euer Haus, Buddenbrook!‘“ (B 41)

[47]) s. dazu B 41; 489; 639/40; 681; 708.

[48]) Andererseits sind die Deckenleuchten immer noch so weit vom Boden entfernt, daß ein langer Kerzenlöscher nötig ist, die Lichter zu erreichen (s. B 49).

[49]) Vgl. B 12 u. 303; 223; 415; 515; 776.Erz 11; 94; 175; 382; 635. KH 299. Z 557; 819. Krull 94/95; 198; 384.

[50]) s. B 507; 451; 485; 489; 716/17. Vgl. KH 14. Krull 198.

[51]) So findet man die Sockel mit edlem Holz getäfelt, die Flächen darüber seidenbespannt oder mit damastartigen Tapeten dekoriert (s. B 310), Tapeten, deren kostbare, wirkbildähnliche Muster (s. B 12. vgl. Erz 383) dem Beschauer uneingeschränkte Bewunderung abnötigen (s. B 105; 339/40; 626).

schaftszimmers', geradezu nach ihr — und nicht etwa nach seiner Bestimmung — benannt ist[52].

Dazu sind die Wände reichlich mit Bildern geschmückt[53]. Gleich im Eßsaal über dem massigen Büfett, dem Landschaftszimmer gegenüber, hängt ein umfangreiches Gemälde, einen italienischen Golf darstellend (s. B 23); in Thomas' späterem Haus in der Fischergrube kommt schon der Flur mit seinen Reliefs nach Thorwaldsen einer Bildergalerie gleich (s. B 442).
Die Pracht getäfelter und seidenbespannter Wände kehrt wieder in den Stuckverzierungen luxuriöser Plafonds (s. B 485), wo von weiß umschnörkelten Mittelpunkten die großen Kristallüster herniederschweben (s. KH 143). Sie setzt sich fort in der von Säulen getragenen Vorhalle, wo auf schlanken Schäften in weißem Stuck die Deckenflächen ruhen (s. dazu Krull 235), im Treppenhaus, wo der Widerschein bemalten Stucks das Auge des Betrachters blendet (s. B 509).

Die Ausstattung der Gesellschaftsräume ist so kostbar wie schön. Das Mobiliar ist kostbar schon auf Grund des verwendeten Materials, der ausgesucht edlen Hölzer, von denen Nußbaum und Kirsche, Mahagoni, Ebenholz und Palisander sich besonderer Wertschätzung erfreuen[54]. — Die Polster der Fauteuils wie der hochlehnigen Sofas sind mit schweren und teuren Stoffen bezogen. Seide, Samt und Damast werden hier am häufigsten genannt[55]. Sie kehren wieder in den Dekorationen der Fenster (s. B 12) und den Faltenwürfen der Portieren[56].

Das einzelne Möbel gewinnt an Wert durch die Sorgfalt und den Reichtum der Verarbeitung. Stühle und Tischchen, Etageren und Schränke sind mit Schnitzwerk reich verziert[57] oder schimmern im Glanz polierter Hölzer (s. B 212; 503. Z 819. Krull 94/95) und blanker Messingbeschläge.

Nichts könnte mehr das Entzücken des Betrachters hervorrufen als das Zusammenwirken von Farbe, Linie und Form, der Einklang von Wohlgeschmack und Schönheit, kurz, der Adel des Stils. Wir werden noch (s. S. 111) Gelegenheit nehmen, diesen Stil historisch zu bestimmen und in seiner

---

[52]) Von den Tapisserien sind ferner die Bezeichnungen „Speisetempel" (B 316) und „Saal der zwölf Monate" (KH 114) abgeleitet. — Eine andere Möglichkeit ist die Benennung vornehmer Gemächer nach der Farbe des Dekorationsstoffes („Silbersaal" KH 58, ‚gelbes' Zimmer KH 184) oder dem meistverwendeten Material („Marmorsaal" KH 114).

[53]) s. B 60; 464; 477; 730. Erz 94; 635. KH 143/44. Krull 95; (324); 379.

[54]) Nußholz s. B 212; 310; 542; (499). Kirschholz s. Z 819. Krull 198. Mahagoni s. B 311; 572; 708; 731. Erz 11; 78; 157; 175. Z 30; 556/57; 957. Palisander s. KH 163. Z 32. Ebenholz s. KH 298.

[55]) Seide s. B 205. Z 819. Samt s. B (411). Krull 198. Damast s. B 23. Erz 107.

[56]) s. B 110; 205; 213; 221; 310; 349; 464; 489; 503.

[57]) s. B 40; 310; 488; (499). Erz 11. Krull 384.

Eigenart näher zu beschreiben. Hier gilt es vorab lediglich zwei Merkmale hervorzuheben: Es wurde bemerkt, daß die Weite des Landschaftszimmers in keinem rechten Verhältnis steht zu Zahl und Größe der Möbel. Dieser Umstand ist mit Hinweis auf die Abmessungen des Raumes erst zur Hälfte erklärt, er liegt ebensosehr in der Zierlichkeit des Mobiliars begründet. Sehen wir uns daraufhin erneut im Landschaftszimmer um. Das Epitheton ‚klein' wird dort außer dem Harmonium noch dem Nähtisch (s. B 12/13) zuerteilt. Wir dürfen auch diese Beobachtung generalisieren. Ein Rundgang durch die herrschaftlichen Häuser des Romans zeigt, daß bei Beschreibung des Mobiliars immer wieder dies Merkmal des Kleinen[58] hervorgehoben wird. Die Möbel sind durchweg schmal (s. B 731) und klein gelegentlich bis zur Winzigkeit (s. B 212)[59]. Nirgendwo fehlen die Tischchen, Schränkchen (s. Krull 324) oder schmalen Pulte (s. Z 137). Häufig gebraucht der Erzähler an Stelle von Diminutivformen das Adjektiv ‚zierlich'[60] zur Beschreibung des gleichen Sachverhalts. So wird der schon zitierte kleine Nähtisch des Landschaftszimmers an anderer Stelle zierlich genannt (s. B 79). Und später finden wir die Einrichtung dort ergänzt durch einen „kleinen Behälter, einen rohrgeflochtenen Korb, einen zierlichen kleinen Ständer" (B 391), in dem die Konsulin ihre Handarbeiten aufbewahrt.

Von den Eigenschaften des Kleinen und Zierlichen ist ein weiteres Moment abhängig: Wir meinen die Gebrechlichkeit des Inventars. Der zerbrechliche Luxussekretär des Landschaftszimmers (s. B 13) läßt sich mehr als einmal unter der Ausstattung vergleichbarer Interieurs nachweisen (s. KH 144. Erz 371); der Tisch dort (s. B 12) ist nur ein Beispiel für viele ähnliche dünnbeinige Tischchen (s. Krull 82), Etageren (s. KH 179) und Zierkommoden (s. Krull 324).

Es leuchtet ein, daß es um die praktische Verwendbarkeit solcher Möbel nicht zum besten bestellt sein kann. So finden sich auf Tischplatten und Etageren denn auch weder Spuren häufiger Beanspruchung noch eigentlich Gebrauchsgegenstände. Statt dessen sind sie bedeckt mit zahllosen Kleinig-

---

[58]) Kleine Möbel finden sich B 12/13; 212; 391; 12 u. 557. Erz 101; 371. Krull 99. Sie sind mit Hilfe von Diminutivformen beschrieben KH 45; 114; 144; 163; 233; 254; 344. Z 957. Krull 138; 198; 231; 236; 324; 384.

[59]) Freilich gibt es im Unterschied dazu auch das große, massige, massive Möbelstück, bei dem der Eindruck des Prächtigen eben durch Materialverschwendung hervorgerufen wird (s. B 23; 220; 311; 404; 489). Truhe und Schränke auf der Diele sind von solchen Ausmaßen, daß sie nur dort — und nicht in den Zimmern — aufgestellt werden können (s. B 40). — Wie hier die Weite des Raumes im Gegensatz steht zur Zierlichkeit des Mobiliars, kann umgekehrt auch das Mißverhältnis zwischen wuchtigen Möbeln und räumlicher Enge zu gelegentlichen Kontrasten ausgenutzt werden (s. Krull 359. B 229).

[60]) s. B 79; 391; 542; 557. KH 26; (298).

keiten: bunten Rokokonippes (s. B 13), milden Porzellanen in allerlei Tiergestalt, schöngeformten Tonwaren, erzenen kleinen Statuen ... (s. Krull 95).

Die meisten der Gesellschaftsräume sind geschmückt mit Kaminen im Geschmack des französischen Kaiserreichs (s. KH 163)[61]. Als wir das Landschaftszimmer betraten, prasselte dort, „in einer halbkreisförmigen Nische und hinter einer kunstvoll durchbrochenen Tür aus blankem Schmiedeeisen, der Ofen“ (B 13; vgl. 41) und erfüllte den Raum mit sanfter, wohltuender Wärme. Im Halbkreis von Sesseln umgeben, bilden diese Kamine einen der Anziehungspunkte der Salons. Noch einmal bietet sich hier Gelegenheit zu Aufwand und Prachtentfaltung. So ist die Feuerstelle durchweg mit Marmor umkleidet, und ebensowenig fehlen die feierliche Stutzuhr, die schön geformten orientalischen Vasen oder die silbernen oder goldenen Armleuchter auf der Kaminplatte vor dem hohen Wandspiegel (s. B 489. KH 239; 298. Krull 384).

Gälte es, die Atmosphäre dieser Umgebung auf eine knappe Formel zu bringen, so böte sich am ehesten eine verneinend umschreibende Bestimmung an: die der Unsachlichkeit und Unzweckmäßigkeit. Die Größenverhältnisse der Gesellschaftsräume sind, unter dem Gesichtspunkt der Nützlichkeit und Wohnlichkeit betrachtet, in überflüssiger, ja unsinniger Weise weitläufig. Das Haus insgesamt ist so groß, daß es beinahe schon fatal ist (s. B 80). Allein um es halbwegs sauber und instand zu halten, ist ein täglicher Aufwand an Zeit und Personal erforderlich, der in keinem Verhältnis steht zur praktischen Nutzbarkeit des Ganzen.

Nächst der Kostbarkeit des Materials, Zierlichkeit des Geschmacks und Zerbrechlichkeit seiner Formen trägt das Arrangement entscheidend dazu bei, die einzelnen Stücke des Mobiliars der praktischen Nutzung zu entziehen: Wenn wir eingangs des Romans in den Eßsaal des Mengstraßenhauses eingeführt werden, ist die Gesellschaft mit der Placierung um die Tafel soeben fertig geworden (s. B 22). Mit zeremoniöser Umständlichkeit weiß man die dargebotenen Genüsse zu würdigen. Gedulden wir uns, bis die Teller abgegessen, die Servietten zusammengelegt und das Zeichen zum Aufbruch gegeben ist. Da man sich erhebt, stehen behende Lohndiener bereit, die Stühle hinter den Bewegung Suchenden wegzuziehen und beiseite zu schaffen (vgl. dazu Z 31). Wir überlassen ihren ordnenden Händen das Feld und folgen der angeregt plaudernden Gesellschaft hinüber ins Landschaftszimmer. Wenn wir Stunden später — der Konsul hat inzwischen die letzten Gäste verabschiedet — zurückkehren, bietet der Saal ein anderes

[61]) Vgl. B 489. Erz 175; 635. KH 231; 239; 298. Krull 94; 384.

Bild; Die Stühle sind nun an ihren eigentlichen Platz gerückt. Hochlehnig und ernst stehen sie an den Wänden (s. B 47), dort, wo auch die großmächtigen Sofas aufgestellt sind. Eine ganz ähnliche Anordnung läßt das Mobiliar des Landschaftszimmers erkennen. Auch dort ist die Verbindung Tisch — Stuhl aufgehoben, und erneut finden die steifen Armstühle sich in regelmäßigen Abständen an den Wänden verteilt. Entsprechend bleiben auch Sofa und Rundtisch nicht in einer Gruppe vereinigt. Vielmehr hat man beide an entgegengesetzten Wänden aufgestellt und so durch die ganze Breite des Raumes voneinander getrennt (s. B 12). Sehr viel später erst, als das gesellschaftliche Leben des Hauses erloschen ist und die Konsulin allein und zurückgezogen in der Mengstraße lebt, hören wir, daß das Sofa nun „nicht mehr wie in alter Zeit unabhängig und abgesondert vom Tische" dasteht (B 554), dieser vielmehr davorgerückt (s. dazu KH 298) und — wie aus andern Beispielen ersichtlich — mit Sitzgelegenheiten behaglich umstellt ist (s. Krull 324. Erz 94. KH 144).

Das gleiche förmliche Arrangement wiederholt sich ausnahmslos in den Sälen der übrigen Häuser[62]. Erreicht wird durch diese Trennung zusammengehöriger Möbelgruppen eine weitgehende Entsachlichung des einzelnen Möbelstücks. Die Stühle sind nun nicht mehr in erster Linie Sitzgelegenheiten, sondern vor allem Prunk- und Schaustücke, kaum anders als die Nippes und Porzellane. Im Schmuck ihres Schnitzwerks, der vergoldeten Rahmen und Wirkbildbezüge (s. KH 239) paradieren sie vor dem Hintergrund kostbarer Tapeten, während der Tisch unterdes einsam die Mitte des Zimmers hält (s. Z 576), unnütz und ohne Stühle dastehend, „bestimmt und geeignet höchstens dazu, ... als Halt und Stützpunkt zu dienen ..." (KH 59).

Es ist der Gedanke hoher Unsachlichkeit, der als atmosphärisches Merkmal fast greifbar über den Repräsentationsräumen liegt. Ihr negativer Aspekt ist die Unbehaglichkeit dieser Aufenthalte, ihre positive Seite die Befreiung von aller Zweckdienlichkeit, die Erhebung über das Nützliche, die schöne Förmlichkeit[63].

Das ästhetische Urteil wird sogleich ergänzt und bekräftigt durch ein geschmackliches: Danach ist alles sachlich Überflüssige ebenso vornehm wie schön. ‚Vornehm' war eine Vielzahl von Details der bislang beschriebenen Umgebung, die Weitläufigkeit der Salonperspektiven (s. AdG 555. B 259) ebenso wie die Höhe der Plafonds. Vornehm waren die Säulenaufbauten, angefangen bei den Karyatiden zu Seiten des Treppenaufgangs über die Säulen des Treppenhauses (s. B 507 u. 442) und der Vorhalle bis hin zu den Tapeten des Eßsaales, wo aus himmelblauem Hintergrund

[62]) s. B 12; 41; 47; 310; 489. KH 59; 179; 239. Z 576.

[63]) So könnte man überall dort, wo bisher von Unsachlichkeit die Rede war, diesen Terminus durch das Synonym ‚Schönheit' ersetzen.

„zwischen schlanken Säulen" Götterstatuen fast plastisch hervortreten (B 22). Vornehm war letztlich jeder Gegenstand der Ausstattung, das einzelne Möbel (s. Krull 94), die Palmen (s. B 213), die ganze Welt des schönen Überflusses. In eben dem Maße, wie das Außer- und Übersachliche bestimmend hervortritt, ist die Luft solcher Häuser erfüllt von dem Geiste hoher Vornehmheit.

Wir lernen das Ästhetische wie das Geschmackliche weitgehend im Zusammenhang gesellschaftlich-geselligen Lebens kennen. So geht die Einrichtung der Gesellschaftsräume zwar beständig über den Rahmen des notwendig Nützlichen hinaus, aber nur, um sich in einem außernützlichen Sinne als um so notwendiger zu erweisen.

Das Mobiliar besteht vorwiegend aus Zier-, Prunk- und Luxusmöbeln. Jedes dieser Stücke ist „so kostbar und schön, daß es sich anspruchsvoll über seinen dienenden Zweck" erhebt (Erz 392) und in strenger und leerer Pracht sich selbstgenügsam darstellt (s. KH 60). In besonderem Maße gilt dies für alle die Gegenstände des Schönen, Gemälde, Nippes, Porzellane... Ihrer praktischen Nutzbarkeit nach unerheblich, befriedigen sie feinere Bedürfnisse, werden sie zu Objekten „einer höheren und gebildeten Augenlust..." (Krull 95). Durch ihre kostbare Schönheit beschäftigen sie den Betrachter, fordern sie seine Aufmerksamkeit und Bewunderung heraus.

Auf nichts anderes aber ist es abgesehen. So weisen denn nahezu alle Ausstattungsstücke in ihrer Pracht und Schönheit über sich selbst hinaus. In verschiedenem Grade, versteht sich, aber wir sahen, daß selbst so zweckgebundene Möbel wie Tisch und Stuhl eher Schaustücke abgeben als Gelegenheit zum Sitzen oder Hantieren bieten können. Ihre prunkvolle Aufmachung ist darauf berechnet, den ursprünglichen Zweck vergessen zu machen, freilich nur, um die Gedanken des bewundernden Gastes auf sich selbst — und weiter auf die Person, den Besitzer all dieser Herrlichkeiten zu lenken. Mit anderen Worten: Die Einrichtung steht in all ihren Teilen im Dienste der Repräsentation. Und wenn auch dies gewiß noch ein Zweck ist, so doch auf weniger direkte und jedenfalls höhere Art als die Zweckbestimmungen sonst.

Dem Gedanken der Repräsentation ist weiter die gesamte Anlage des Hauses unterstellt. Zwar fehlt die cour d'honneur mit ihrer Auffahrt für die Gäste[64], doch haben die vornehmen Häuser ähnlich den Schloßbauten in der Giebelfassade eine ausgeprägte Schauseite. Wirkt die Front des Mengstraßenhauses, ohne Freitreppenaufgang, ohne Säulenportal, betont nur durch zwei zu Seiten der Eingangstür postierte Öllampen vergleichsweise

[64]) Nur das Kröger'sche Besitztum kennt eine mit Kastanien besetzte Auffahrt, die unmittelbar an die Stufen der großen Freitreppe heranführt.

unscheinbar, so ist der Eingang des pompösen Stadthauses in der Fischergrube markiert von Sandstein-Karyatiden, die in Höhe des ersten Stocks den Erker tragen (s. B 440)[65].

Der Besucher dort durchschreitet einen kühlen, mit steinernen Bildwerken geschmückten Flur, passiert den prächtigen Windfang (s. B 442. vgl. Krull 150) und wird auf dem geräumigen Vorplatz, am Fuße der Haupttreppe, wo ein aufrechter Braunbär mit einer Visitenkartenschale seinen Platz hat (s. B 505), von dem Bedienten empfangen.

Hier öffnet sich das kolossale Treppenhaus den bewundernden Blicken des Ankömmlings, dies Treppenhaus, „das im ersten Stockwerk von der Fortsetzung des gußeisernen Treppengeländers gebildet ward, in der Höhe der zweiten Etage aber zu einer weiten Säulengalerie ... wurde, während von der schwindelnden Höhe des ‚Einfallenden Lichtes' ein mächtiger, goldblanker Lüster herniederschwebte ...“ (B 442). Eine breite, gewaltige[66], zumeist mit schweren Läufern[67] belegte Treppe führt in flachem, bequemem Aufstieg zur Beletage empor. Dort oben aber, ihr zu Häupten, empfängt der Hausherr den Besucher, um ihn, der geblendet steht durch die helle und offene Pracht der Umgebung, einzuführen in die Räume der Repräsentation.

Es ist das Fest, bei welchem Anlaß das Bedürfnis nach Repräsentation, nach Besuchern und Bewunderern am ehesten Befriedigung findet. Flur, Vorplatz und Treppenhaus werden dann zum festlich geschmückten Rahmen für den Einzug der Gäste, der Weg von der Straße in die Salons und Säle zu einem von Lohndienern gesäumten Festweg (s. B 507).

Durch den Anblick des glänzenden Treppenhauses ist der Gast vorbereitet auf die Pracht der Repräsentationsgemächer. Sie, die alltags meist leer und einsam daliegen, von dem kleinen Kreis der Familie nur unzureichend belebt, zeigen sich nun in ihrer eigentlichen und wahren Bestimmung: würdige Kulisse zu sein einer festlich gestimmten und geschmückten Gesellschaft. Der Prunk der Dekorationen setzt sich alsdann fort in der Erlesenheit der Garderoben. Wo sonst die wenigen Möbel verloren stehen in der Weite der Säle, bewegt sich jetzt der Reigen der Gäste. Unter ihren prüfenden, beifälligen oder neiderfüllten Blicken beginnen Dinge und Einrichtung zu reden, ihre Rede aber geht zum Lobe des Gastgebers.

Nicht der Ball, das große Diner steht im Mittelpunkt der Festlichkeit. Gleich zu Beginn des Romans, anläßlich der Neuerwerbung des Hauses

---

[65]) Vgl. B 428. KH 46; 231. Z 30. Krull 344; 379.

[66]) s. dazu B 40; 310. Erz 107; 312. KH 50; 163; 231. Krull 231/32.

[67]) s. B 310. Erz 94; 380. KH (116); 231; 253. Krull 231.

in der Mengstraße, werden wir Zeugen eines solchen solennen Festmahls[68]. In festlichem Gewand prangt die langausgezogene Tafel inmitten des Saales. Der starke, blitzend weiße und scharfgebügelte Damast[69] ist „bedeckt mit... so durchsichtigem Porzellan, daß es hie und da wie Perlmutter schimmerte" (B 205)[70]. Silberne Armleuchter, Schalen und Aufsätze mit Konfekt[71], kristallene Vasen (s. Krull 99) oder Spitzgläser mit Orchideen (s. Erz 383. KH 344. Krull 236) sind in ebenmäßiger Anordnung verteilt. Neben glänzenden Bestecken[72] stehen mehrerlei Gläser, liegen Servietten bereit, groß „wie kleine Tischtücher", die später, nach Gebrauch, zusammengerollt und in silberne Ringe gesteckt werden (Z 31. vgl. B 108).

Das Mahl hat mit einigen leichteren Vorgerichten begonnen. Durch den offenen Schacht der Winde werden die Speisen aus der Küche heraufbefördert[73]. Folgmädchen, von der Dame des Hauses bei ihren Hantierungen überwacht, oder geschulte Lohndiener reichen sie um den Tisch. Mehrfach werden die Meißener Teller mit Goldrand gewechselt. Es ist ein sorgfältig zusammengestelltes, umfangreiches Menü, eine Folge von Fisch- und Fleischgerichten nebst diversen Nachspeisen. Ein ziegelroter, panierter Schinken erscheint, „geräuchert, gekocht, nebst brauner, säuerlicher Chalottensauce und solchen Mengen von Gemüsen, daß alle aus einer einzigen Schüssel sich hätten sättigen können" (B 29). In den Pausen, die man seinen Kinnladen gönnt, Pausen, die belebt und ausgefüllt sind von Gesprächen, widmet man sich in aller Behaglichkeit den Weinen. Ein Blick auf die vornehmen Etiketten versichert uns, daß es nur die besten und teuersten Sorten sind, die hier kredenzt werden[74].

Langsam brennen die Kerzen auf den Armleuchtern herunter. Der Wachsgeruch, den sie ausströmen (s. B 31), vermischt sich allmählich mit dem „dichten, süßen und schweren Dunst" feiner Speisen, Parfüms und Weine (B 317). Indes sitzt man unverdrossen „auf hochlehnigen, schweren

---

[68]) Kürzeren Schilderungen derartiger Schlemmereien — mitunter auf die bloße Erwähnung des Faktums reduziert — begegnet man bei fortschreitender Lektüre auf Schritt und Tritt (s. B 94; 171; 317; 341/42; 363/64; 409; 462; 463; 558 ff; 630). Am Ende haben wir alle Festtage, die der Kalender aufzuweisen hat, als Gelegenheiten zu üppigen Diners zu denken. Noch die Donnerstage, an denen regelmäßig jede zweite Woche die Familie zusammenkommt oder die in späteren Jahren von der Konsulin veranstalteten „Jerusalemsabende" sind im Grunde nur Variationen solcher ‚Abende in Lukull'.

[69]) s. B 205. Erz 383. KH 144; 344. Krull 94; 235/36.

[70]) Vgl. B 96; 464. Erz 224. KH 144; 343. Krull 94.

[71]) s. B 211; 317; 409. KH 144. Krull 324. AdG 555.

[72]) s. B 26 u. 32; 464. Krull 94; 236.

[73]) Diese Beobachtung gilt nur für das Stadthaus Thomas Buddenbrooks. In der Mengstraße sind Eßsaal und Küche lediglich durch ein Sprachrohr miteinander verbunden (s. B 26).

[74]) s. B 26; 34; 317; 341; 563; 64. Z 283.

Stühlen", speist „mit schwerem Silbergerät schwere, gute Sachen", trinkt „schwere, gute Weine" dazu und unterhält sich aufs beste (B 32).

Eine solche Gesellschaft, die am späten Nachmittag beginnt, pflegt sich über Stunden hinzuziehen. Sie schließt zuletzt mit einer Partie Whist oder Billard nebst „ein paar Ohren voll Musik..." (B 317). An der Börse aber spricht man noch nach Tagen in den lobendsten Ausdrücken davon, und eben dies war durchweg die Absicht des Einladenden. Denn auch das Essen ist hier über den Stand der bloßen Nahrungsaufnahme hinaus zu gesellschaftlich repräsentativer Bedeutung erhoben und eines der Mittel, mit denen man sich Ansehen und Geltung unter den Mitbürgern verschafft. Die Üppigkeit der Tafel, die Anzahl der Gänge, die Auswahl der Speisen und Weine ist noch einmal ein Gradmesser, daran die soziale Stellung des Gastgebers sich bemißt.

Die Zeit des Festes ist der späte Nachmittag und Abend. Kaum sind die schweren Vorhänge vor die dämmernden Scheiben gezogen, da beginnen die Räume der Beletage sich prächtig zu erhellen. Bald liegt die ganze Zimmerflucht im Schein der Kerzen oder dem starken Licht der Gasflammen. Und während dort drinnen die Lichter erglühen und die Gemächer nach der nüchternen Helle des Tages zu neuem, schönerem Leben erwecken, beginnt draußen in der Stadt das vornehme Leben sich zu regen, ist die reiche Welt in Equipagen und Karossen unterwegs, um Visiten zu machen und Einladungen zu befolgen.

Flur und Treppenhaus, alle Winkel der Salons sind nun übertaghell erleuchtet, daß der eintretende Gast geblendet steht in dem „ungeheuren Licht", der „weißen Helligkeit" (Krull 93), die die Umgebung ringsumher ins beinahe Unwirkliche und Märchenhafte verzaubert, ihr idealische Glanzlichter verleiht. Denn die Lichterfülle wird aufgenommen von den spiegelnden Flächen der Böden, den Vergoldungen der Möbel und Wände, den wasserklaren Tiefen der Spiegel; sie bricht sich in dem blitzend weißen Damast der Tafel, spiegelt auf Kristall und Silbergerät, schimmert in Porzellan und Gläsern. Das wohl eindrucksvollste Beispiel für die magische Wirkung künstlichen Lichtes bietet die zweite Hälfte des Romans mit der Beschreibung des weihnachtlich geschmückten und festlich erleuchteten Eßsaals im Hause der Konsulin. Nach der Andacht in der Säulenhalle zieht man dort „mit geblendeten Augen und einem Lächeln auf dem Gesicht durch die weitgeöffnete hohe Flügeltür direkt in den Himmel hinein. / Der ganze Saal... leuchtete und glitzerte von unzähligen kleinen Flammen, und das Himmelblau der Tapete mit ihren weißen Götterstatuen ließ den großen Raum noch heller erscheinen. Die Flämmchen der Kerzen, die dort hinten zwischen den dunkelrot verhängten Fenstern den gewaltigen Tannenbaum bedeckten, ... flimmerten in der allgemeinen Lichtflut wie ferne

Sterne. Denn auf der weißgedeckten Tafel ... setzte sich eine Reihe kleinerer, mit Konfekt behängter Bäume fort, die ebenfalls von brennenden Wachslichtchen erstrahlten. Und es brannten die Gasarme, die aus den Wänden hervorkamen, und es brannten die dicken Kerzen auf den vergoldeten Kandelabern in allen vier Winkeln" (B 555/56). Es scheint, als hätte es dieser abendlichen Illumination, der Verklärung künstlichen Lichtes (s. KH 114. Erz 413. Krull 41; 299)[75] noch bedurft, damit die Vision von Reichtum und festlicher Pracht sich erfülle und vollende.

b) Der alltägliche Binnenraum — Kern des Dutzendwohnhauses: Gegenüberstellung und Vergleich

Nun gut, der Erzähler schildert nur einen Teil des Hauses, die Beletage, er beleuchtet nur eine, die festliche Seite des Lebens seiner Bewohner. Man kann diese Auswahl merkwürdig finden, zumal bei einem Geschlecht von Kaufleuten, als in Freiheit getroffene künstlerische Entscheidung muß man sie gelten lassen. Mit dieser Konzession wären wir um keinen Schritt weitergekommen in unserer Untersuchung, wenn — und das ist die Bedingung — der eben geschilderte Wirklichkeitsausschnitt absichtslos, um seiner selbst willen beschrieben wäre. In diesem Falle müßte die Kulisse jeweils breit und in behaglicher Manier ausgemalt sein. Statt dessen gleichen die bisher behandelten Raumbeschreibungen allesamt flüchtigen, mit grobem Stift und wenig Strichen hingeworfenen Skizzen. Für sich allein betrachtet, müßten sie, nach Art fragmentarischer Entwürfe, in ihren Voraussetzungen und Besonderheiten weithin unverständlich bleiben. Sie werden einsichtig erst in dem Augenblick, da man sie begreift als etwas Unvollständiges, der Ergänzung Bedürftiges, wobei das Ganze — wieder einmal — ein antithetisches Spannungsverhältnis ergibt.

Demnach haben wir den Rahmen, in dem die Geschehnisse unseres Romans sich abspielen, bislang nur unzureichend gekennzeichnet. Neben die

---

[75]) Diese verklärende Wirkung macht sich besonders der alternde Senator zunutze. Um seine wachsende körperliche Hinfälligkeit und innere Mutlosigkeit vor der Umwelt zu verbergen, beginnt Thomas in der Zeit nach Mißlingen des Pöppenrader Handels in auffälliger Weise das Licht zu suchen. So finden wir ihn abends nie anders als am Mitteltisch seines Wohnzimmers (s. B 467 u. 483) direkt unter dem Lichtkegel der Deckenbeleuchtung sitzend. Wie ein Schauspieler bei seinen Aktionen der Unterstützung durch Licht und Entfernung bedarf, ist auch er angewiesen auf Helligkeit und Distanz, um seine schwierige Rolle, die Rolle des erfolgreichen Geschäftsmannes, halbwegs überzeugend spielen zu können (s. B 488; 638).

Reihe vornehmer Gemächer tritt eine Gruppe von Räumen, die im einzelnen zwar weniger einläßlich geschildert, deren charakteristische Merkmale jedoch deutlich auszumachen sind. Es fällt nicht leicht, aus der Sphäre festlichen Glanzes in diese neue Umgebung hinabzusteigen. Der Leser mag sich dabei vorkommen wie jener Fischer im Märchen, der sich nach Jahren traumhaft herrlichen Lebens in königlichen Palästen am Ende allzu plötzlich in seiner bescheidenen Hütte wiederfand.

Die Andersartigkeit der Verhältnisse ist vollkommen. Räumlich bewegen wir uns von der Mitte weg den Randbezirken der Stadt zu, sozial gesehen verlassen wir die vornehmen Gegenden zugunsten bescheidenerer Stadtviertel. Hier finden sich die kleinen, einfachen Häuser, von denen wir eines anläßlich des Ferienaufenthalts Tonys in Travemünde näher kennenlernen, zu Dutzenden nebeneinander. Hier wohnen alle diejenigen, für die es ein unzukömmlicher Luxus wäre, ein ganzes Haus allein zu beanspruchen, in schlichten Mietshäusern beisammen.

Wenn wir aus den sich anbietenden Beispielen[76] das Travemünder Anwesen der Schwarzkopfs herausgreifen, so deshalb, weil es vom Erzähler selbst am ausdrücklichsten mit dem Stammhaus der Buddenbrooks in Vergleich gesetzt wird. Was beim Betreten der Villa des Lotsenkommandeurs sogleich auffällt, ist die veränderte horizontale Aufgliederung des Ganzen. Der Bau ist, im Unterschied zu Tonys Elternhaus und den meisten Patrizierhäusern, lediglich zweigeschossig. So liegen neben Küche und Bureau nun auch Wohn- und Eßzimmer im Erdgeschoß (s. B 130), während oben, in dem ziemlich hoch gelegenen Stockwerk, nur Schlafzimmer untergebracht sind. Es fehlt die Beletage[77], das Kernstück der bisher betrachteten Häuser. Das Leben spielt sich nun vorwiegend zu ebener Erde ab.

Da Wohn- und Eßzimmer sich mit Wirtschaftsräumen und Bureaus in einem Geschoß zusammendrängen, bleiben die Dimensionen der einzelnen Räume notwendig bescheiden. So erweist sich das Bureau des Lotsenkommandeurs als eine „ziemlich kleine Stube“ (B 156), und Tony bekommt für die Dauer ihres Aufenthalts ein kleines reinliches Zimmer im ersten Stock angewiesen (s. B 129). Hatten die Repräsentationsräume der Beletage eher Sälen geglichen, so lassen sich die Größenverhältnisse dieser Zimmer am treffendsten mit Hilfe der Diminutivformen ‚Stübchen‘, ‚Zimmerchen‘,

[76]) Zu nennen wären hier: das Haus in der Fischergrube mit dem winzigen Blumenladen zu ebener Erde, die Wohnung des Zahnarztes Brecht in der Mühlenstraße, das Haus, das im Erdgeschoß die Bier- und Tanzwirtschaft der Witwe Suerkringel beherbergt, sowie Permaneders Münchner Anwesen.

[77]) In den mehrstöckigen Mietshäusern ist die erste Etage baulich nicht von den übrigen Geschossen unterschieden. Beschrieben werden vorwiegend die Räumlichkeiten des Parterres oder des obersten, in unmittelbarer Nähe des Dachbodens gelegenen Geschosses, selten die in Höhe des ersten Stocks.

‚Kämmerlein' umschreiben (s. Erz 204. Z 137; 576; 839). Schien es dort, als würden die Möbel sich in der Weite des Raumes verlieren, so wirken sie in der neuen Umgebung eher zu groß und gewichtig (s. Krull 359). So kann man kaum noch von intimen Verhältnissen, man muß von Kleinheit und Enge sprechen[78].

Die Zimmer sind ebenso niedrig (s. B 538. Erz 157. Z 557. Krull 106) wie klein, und es ist die geringe Höhe, die die Enge so recht fühlbar werden läßt. Die Türen sind mitunter geradezu lächerlich niedrig (s. B 366; 191; 536), so daß man versucht ist, den Raum dahinter in gebückter Haltung zu betreten. Wo der Blick sonst hinaufging zur Höhe der Plafonds, stößt er sich jetzt an dem Hindernis tief herabgezogener Decken.

Bestachen die Luxusmöbel durch Zierlichkeit der Formen, waren sie fein, ja zerbrechlich gearbeitet, so sind die Einrichtungsstücke nun ungewohnt plump (s. B 125. Z 576), ungefüge und vierschrötig (s. Erz 157). Wenn so der Eindruck entstehen konnte, als seien sie im Verhältnis zu ihrer Umgebung allzu groß und gewichtig, dann liegt dies wieder nur zum Teil in der Enge der Räume begründet; es entspricht dem andererseits die tatsächliche Größe jedes einzelnen Möbels. Denn die Zimmer sind nun ohne jede Zierlichkeit, vielmehr mit einem Höchstmaß an Zweckmäßigkeit und Sachlichkeit eingerichtet. Was wir zu Gesicht bekommen, sind ohne Ausnahme Gebrauchsmöbel, und sie sind allein praktischen Bedürfnissen angepaßt, d. h. schwer (s. B 538), robust und vor allem groß (s. B 53; 156). Ein Sekretär dient nun wirklich in erster Linie zur Erledigung von Schreibarbeiten, ein Stuhl ist zu nichts weiter gedacht als zum Sitzen, ein Tisch gibt weniger eine Haltungsstütze ab denn einen Arbeitsplatz[79], und ein Ofen erfüllt vor allem die Funktion, den Raum, in dem er aufgestellt ist, zu heizen. So sind die Zimmer nicht mit Marmorkaminen geschmückt, hinter deren

[78]) s. B 129; 156; 174. Erz 19; 143; 157; 364. Z 92; 137; 576. Krull 89. Der Enge der einzelnen Räume entsprechen die geringen Ausmaße des Hauses (s. B 124). Mit seinem bescheidenen Korridor, über den man mit zwei Schritten die anspruchslose schmale Treppe erreicht (s. B 130), ist das Schwarzkopf'sche Besitztum weit eher ein ‚Häuschen' denn eigentlich ein Haus zu nennen. — Das Merkmal des Kleinen gilt ebenso für die Mietshäuser, durchweg schmale Gebäude bescheidenen Ausmaßes (s. Z 545; 555 u. 56). An Stelle der breiten Durchfahrten, wie wir sie von den großen Handelshäusern her gewohnt sind, findet sich im Erdgeschoß nun höchstens ein Kramladen, ein Detailgeschäft mit schmalbrüstig kleinem Schaufensterchen. Schon die Haustüren sind so schmal, daß niemand Geräumigkeit und Weitläufigkeit dahinter vermutet. Die hallende Diele, der weite Vorplatz von einst sind zu engen Korridoren zusammengeschrumpft (s. B 190/91. Z 556), das ehemals kolossale Treppenhaus hat sich zum schmalen Schacht verengt.

[79]) s. den mit Papieren bedeckten Tisch im Bureau des Lotsenkommandeurs B 156. vgl. Erz 292. Krull 38.

Gitterwerk falsche Kohlen liegen (s. B 489), sondern „entstellt von eisernen Öfen mit langen Rohren" (Erz 621)[80].

War die Ausstattung des Lebens zuvor reich, vielfach und überladen (s. Erz 392), so ist der vorherrschende Eindruck nun der erbärmlicher Nacktheit und Kahlheit. Nackt sind die Böden mit ihren schadhaften Dielen, nackt die Wände mit ihren bloß geweißten, untapezierten Kalkflächen[81]. Kahl und rissig erscheinen die tiefen Decken, an denen das nackte Gebälk hervortritt, kahl die Fensterhöhlen, und noch die aus rohen Brettern gefertigten Türen, die rohen Tische und schmucklosen Schränke wirken auf irgendeine Weise unfertig.

Es fehlen die schweren, farbenglühenden Teppiche, die Tapisserien und Seidenbespannungen der Wände, die reichen Faltenwürfe der Fensterbehänge und Portieren. Es fehlen die Kristallüster der Decken[82], der Bildschmuck der Wände, die weichen Polster der Stühle, Sessel und Sofas, die ganze Üppigkeit der Farben und Formen, die künstlerischen Kleinodien aller Art. Wenn sonst Reichtum und Pracht, Wohlgeschmack und Schönheit aufgeboten waren, dem Eintretenden Bewunderung abzunötigen, wenn luxuriöse Üppigkeit und sinnverwirrende Fülle den nackten Grundriß der Säle zu verdecken suchten, so spielt das Leben sich jetzt in öden und bis zum Trübsinn freudlosen Räumen ab, in einer Umgebung, die in ihrer ganzen unsinnlichen Dürftigkeit nur einem Gedanken unterstellt ist: dem Gedanken nüchterner Zweckmäßigkeit.

Denn das ist die treffendste Formel, diese Welt ohne Fest, diese Welt der Arbeit und des Alltags zu charakterisieren. Sachlichste Einfachheit, der Gedanke praktischer Nutzbarkeit bestimmt die Physiognomie der Räume im Hause Schwarzkopf. Dies wird am ehesten deutlich, sobald wir der Dekoration der Wandflächen nähere Aufmerksamkeit widmen: Für die Repräsentationsräume hatte es nicht genügt, die Wände mit edlen Hölzern zu verkleiden und mit Seidenstoffen zu bespannen. Man hatte seinen Ehrgeiz dareingesetzt, die Beletage durch den Ankauf wertvoller Gemälde zu bereichern. Diese Bilder waren einfach ein Teil der Dekoration, zweckfreie Gebilde, höchstens der Repräsentation dienend, und man liebte sie eben um ihrer schönen Nutzlosigkeit willen. — In Tonys Ferienunterkunft fehlen nicht allein die Tapeten, es fehlen ebenso die Bilder an den Wänden. Statt dessen sind die nackten Wandflächen im Bureau des alten Schwarzkopf mit ein paar Landkarten verhängt (s. B 156). Wenn dies ein Schmuck sein

---

[80]) Vgl. (B 501). Erz 228. Z 137. Krull 39; 137.

[81]) s. B 156; 191; 735/36; 736. Erz 43; 157; 292; 363; 371. Krull 69; 82.

[82]) s. dagegen die schäbige Beleuchtung, die Krull im Schlafsaal des Pariser Hotels vorfindet und die einzig in einer „nackt und bloß" von der Decke herabhängenden Birne besteht (Krull 155).

soll, so jedenfalls ein recht nüchterner und ernüchternder[83]. Beide Karten, insbesondere die der Ostsee, deuten (wie das von der Decke herabhängende Schiff) hin auf den Arbeitsbereich des Hausherrn. Sie unterstehen einem deutlich erkennbaren Zweck, der Orientierung im Raum, auf den Lotsenkommandeur angewandt, dem Zurechtfinden speziell auf See.

Zweckmäßigkeit ist über den einzelnen Raum hinaus auch sonst für die Anlage schlicht alltäglicher Häuser bestimmend. Da sie ausschließlich privaten anstatt repräsentativen Bedürfnissen dienen, verfügen sie nicht wie die vornehmen Bauten über eine ausgesprochene Schauseite, sondern zeigen ein eher bescheidenes und unauffälliges Äußere. Es sind Häuser wie andere mehr, in trüben, schmutzigen Farben gehalten, Häuser, die sich in nichts von den Nachbargebäuden rechts und links unterscheiden[84].

An Stelle der „alten, mit unsinniger Raumverschwendung gebauten Patrizierhäuser" (B 424) finden wir hier praktisch ausgenutzte Raumverhältnisse. Vorplatz und Treppenhaus, nun nicht mehr zum Empfang der Gäste gedacht, sind wie die Wohnräume auf ein Minimum des früheren Umfangs reduziert. Waren die Treppen einst breit und bequem im Aufstieg — flache Stufen und zwischenzeitige Absätze suchten das Emporsteigen in jeder Weise zu erleichtern — so sind sie nun eng, steil und unbequem zugleich (s. Erz 141. Z 555). So, wie sie schnurgerade, ohne Absatz und Biegung in die Geschosse hinaufführen, sehen sie leiterartigen Stiegen verzweifelt ähnlich (s. Z 575). Man kann es Tony nicht verdenken, wenn sie sich beim Betreten des Hauses, das Permaneder in München zu ihrer beider Wohnung bestimmt hat, über die Treppe mokiert, die, just hinter der Haustür beginnend, „wie eine Himmelsleiter" schnurstracks in den ersten Stock führt (B 368/69). Solche Treppen waren in ihrem Elternhaus und in den Häusern vornehmer Familien allenfalls für das Gesinde bestimmt (s. B 40; 511). Die Treppenanlage, einst willkommener Anlaß zur Schaustellung glänzenden Überflusses, hier ist sie nichts weiter als die nüchterne Lösung des technischen Problems der Überwindung des Höhenunterschiedes zwischen zwei Geschossen.

Wie früher wird auch jetzt nicht versäumt, das beherrschende Prinzip der Nützlichkeit und Zweckmäßigkeit ausdrücklich zu bewerten (s. Erz 229). Und wenn man früher schon Gelegenheit hätte nehmen können, sich über die Eindeutigkeit der Wertungen zu verwundern, so muß die Vehemenz,

---

[83]) Karten und Globen sind uns aus der Beschreibung von Schul- und Arbeitszimmern mehrfach bekannt (s. B 735/36. KH 16). Sie bringen jeweils einen nüchtern sachlichen Zug in ihre Umgebung.

[84]) s. B 190; 702. Erz 141; 155; 362. Krull 181.

mit der hier ge- oder besser verurteilt wird, allerdings in Erstaunen setzen. Denn so wenig jedes einzelne Teil dieser Umgebung einen Vergleich mit den Ausstattungsstücken repräsentativen Lebens aushält, so wenig kann die nüchterne, sachliche Sphäre insgesamt neben der Welt festlichen Glanzes bestehen. Erschienen die Repräsentationsräume in ihrer hohen Unsachlichkeit vornehm und schön, so werden die alltäglichen vier Wände ihrer massiven und nackten Sachlichkeit wegen als gemein und unschön gebrandmarkt. Und so wären die Begriffe Sachlichkeit, Nützlichkeit und Zweckmäßigkeit nun ebenso oft mit negativen Vorzeichen zu versehen, wie aller Unsachlichkeit zuvor ein positiver Akzent beigelegt werden durfte.

Es scheint, als wollten sich die Anlässe zu Feiern und Festlichkeiten nur im Bereich repräsentativen Daseins einstellen. Die Umgebung, die wir hier zu kennzeichnen suchen, ist beherrscht von dem glanzlosen Einerlei des Alltags.

Gleichzeitig mit dem Fest entfallen auch die massiven Mahlzeiten. Die Festtafel, einst mit mehr als bürgerlicher Eleganz gedeckt (s. LW 358), ist zum bescheidenen Eßtisch geworden, um den sich nun lediglich die Mitglieder der Familie zusammenfinden. Die ausgedehnten Speisenfolgen von einst sind auf ein einfaches Gericht beschränkt (s. B 131). Was das Gedeck anbetrifft, so hat Tony gleich bei der ersten Mahlzeit im Hause Schwarzkopf Gelegenheit zu bemerken, daß die Tassen hier ungewohnt plump sind „im Vergleich mit dem zierlichen alten Porzellan zu Hause . . ." (B 125). Es fehlen die glänzenden Bestecke und zerbrechlichen Gläser, die kristallenen Vasen und silbernen Leuchter.

Etwas anderes noch ist bemerkenswert. Der Wert eines jeden Dinges erhöht sich entsprechend seiner Seltenheit, und diese wieder wächst (zumindest in Zeiten mäßigen Verkehrs) mit zunehmender Entfernung vom Herstellungsort. So wird bei Beschreibung von Tonys Elternhaus nie vergessen, die Herkunft der Einrichtungsgegenstände zu erwähnen. Die köstlichen Porzellane sind durchweg aus Meißen (s. B 26; 311), die Toiletteeinrichtungen der Mutter stammen aus Paris (s. B 91), Spitzen bezieht man aus Holland, Wäsche aus Hamburg, Tuche aus England usw. Dagegen ist das Gedeck des Travemünder Frühstückstisches sicherlich am Ort erworben. Ja, es finden sich darunter Dinge, die nicht einmal vom Krämer nebenan beschafft, sondern im Hause selbst gefertigt sind, wie der bootförmige Brotkorb, der selbstgebackenes Korinthenbrot enthält und von der kleinen Meta eigenhändig mit einer „Borte von Perlenstickerei" verziert worden ist (B 126). Zwar mag dies für Tony ungewohnt und somit von einigem Reiz sein, über den Wert oder Unwert solcher Dinge kann für uns kein Zweifel bestehen.

Wenn Tony nach Travemünde kommt, muß sie erfahren, daß der Tageslauf der Leute, in deren Obhut sie sich begeben hat, von dem ihrigen gründlich verschieden ist und daß die Mahlzeiten darin kaum mehr sind als kurze Unterbrechungen des Tagewerks zum Zwecke der Nahrungsaufnahme. So kommt sie am Morgen nach ihrer Ankunft nur deshalb noch rechtzeitig zum Kaffee, weil man ihretwegen gezögert hat, den Frühstückstisch sofort abzuräumen.

Der Lebensrhythmus dieser ‚einfachen' Leute ist dem natürlichen Tagesablauf angepaßt. Aufgang und Untergang der Sonne sind die Markierungen, innerhalb deren sich das Leben abspielt. Während die Räume der Beletage erst am Abend zu festlichem Leben erwachen, geht man hier seiner Beschäftigung nach, solange es heller Tag ist. Nie sehen wir diese Räume anders als im nüchtern rücksichtslosen Schein des Tages. Und wie im abendlichen Glanz der Lichter eine Welt von Sonntag und Feierernst sich spiegelte, steht der Tag mit seinen Pflichten wieder stellvertretend für eine Welt der Arbeit und des Alltags.

Ziehen wir das Fazit aus dem bisher Vorgelegten: Ausgehend jeweils von einem einzigen Beispiel haben wir zwei Gruppen von Binnenräumen kennengelernt, die nach Dimensionen, Dekoration und Ausstattung in äußerstem Kontrast zueinander stehen. Hinab bis zu den geringsten Einzelheiten, den unscheinbarsten Details und aufwärts bis zu Stil, Stimmung und Atmosphäre des Ganzen ist jede dieser Gruppen das genaue Gegenbild, eine Art spiegelbildlicher Umkehrung der anderen.

So in der Welt des Romans. Die Wirklichkeit will es anders. Daß sie sich am Ende ordnet in Weiß und Schwarz, Schön und Häßlich, dazu bedarf es angesichts der Alltagswelt derselben Schweigetechnik, die früheren Orts zu verklärenden Überwertungen führte. Nicht genug damit, daß die Zimmerflucht der Beletage für das Travemünder Anwesen auf ein einziges Wohn- und Eßzimmer zusammengeschrumpft ist, wird selbst dies bescheidene Relikt festlicher Atmosphäre — ins Parterre verlegt — stillschweigend übergangen. Es ist der Arbeitsraum, also jener Bezirk, der bei Schilderung vornehmer Häuser sorglich ausgeklammert war, der das Gesicht des Parterres bestimmt und auf diesem Wege zu einer Art Symbol der Alltagswelt gesteigert wird.

Hier wird nun auch der Sinn dieses Arrangements verständlich: Das Bild der Festwelt muß um so reiner werden, je sorgfältiger alle Berührungspunkte, alle Spuren der Arbeit getilgt sind. Arbeit bedeutet Berührung mit der Wirklichkeit, die befleckt und beschmutzt. Ihr ist man enthoben in die Räume der Beletage, einen erhöhten Lebensraum, aus ihr findet man sich versetzt in staubfreie, wirklichkeitsreine Gegend, die „kein schriller Laut und keine irdische Berührung" erreicht (Erz 237), in eine Luft, die gewissermaßen frei ist von irdischen Zusätzen. — Umgekehrt treten die negativen Seiten der Alltagswelt um so schärfer hervor, je konsequenter alle Halbtöne retuschiert, alle Anzeichen festlichen Lebens ignoriert werden. In dieser Absicht ist der Erzähler, der eben noch alles tat, seinen Lesern die Vorstellung permanenten Festes, ewigen Sonntags zu suggerieren, gleich darauf bemüht, den Alltag als Quell aller Mühsal und Plackerei hinzustellen, den Niederungen des Daseins ein möglichst freudloses Ansehen zu verleihen.

Mit derart einseitigen Verzeichnungen hat der Autor erreicht, worum es ihm offenbar zu tun war: Distanz zu schaffen auch da, wo ein Nebeneinander zu erwarten gewesen wäre, äußerste Gegensätze aufzuzeigen selbst dort, wo echte Kontrastierung zunächst unmöglich schien. Die Auswirkungen dieser Arbeitsweise sind auf Schritt und Tritt zu spüren, zumal, wenn man bedenkt, daß beide Raumarten letztlich nur Repräsentanten größerer Einheiten sind, ganzer Lebensbereiche, deren Grenzverlauf freilich bislang nur andeutungsweise klar geworden ist.

Aus dem Bemühen um eindeutige Markierungen geht die total ungleiche Ausdehnung beider Zonen eindrucksvoll hervor. Während der repräsentative Bereich, schließen wir die Gartenanlagen mit ein, über den Umkreis der Patrizierhäuser und vornehmen Villen hinaus nicht entscheidend erweitert werden kann, erstreckt sich jenseits davon die weite Zone alltäglicher Wirklichkeit, von der der niedere Binnenraum erst den kleinsten Teil ausmacht. Inmitten dieser trostlosen Weite gleichen die Bezirke festlichen Lebens verstreuten Enklaven, verbunden einzig durch eine Art bewegten und bewegbaren Raumes, eine Gruppe vornehmer Gefährte, in denen man die Alltagswelt durchqueren kann, ohne sich ihrer Berührung auszusetzen.

c) Räumliches Aneinanderrücken beider Welten

Wo alle Übergänge eliminiert sind, ist die Welt auch im räumlichen Sinne um eben diese mittlere und gemäßigte Zone zusammengeschrumpft. Ein Gang durch die Straßen der Stadt führt nicht allmählich vom Feudalen über das Bürgerliche ins Volkstümliche hinab, vielmehr stehen die Extreme sich durch den Ausfall alles Mittleren unmittelbar und in harter Fügung gegenüber. Von den rückwärtigen Gebäuden der Mengstraße geht der Blick hinaus auf graue, häßliche Höfe (s. B 41. vgl. Krull 89), die prächtige Fassade des Neubaus in der Fischergrube wirft ihre Schatten ausgerechnet auf das bescheidenste Mietshaus der Nachbarschaft, jenes schmale Ding mit kleinem Blumenladen im Erdgeschoß (s. B 435; 441). — Wiederholt prallen die Bezirke des Volkstümlichen und Feudalen in „Königliche Hoheit“ aufeinander. Dem Schlosse, darin Klaus Heinrich einige Knabenjahre verlebt, „schräg gegenüber“ ist „ein Wirtshaus, ein Bier- und Kaffeegarten ... gelegen“, der an Sommertagen von Scharen festlich gekleideter Kleinbürger aus der Hauptstadt besucht wird (KH 79. vgl. B 356). Nach seiner Mündigsprechung bewohnt der Prinz das Schlößchen ‚Eremitage‘. Auf einer kleinen Anhöhe gelegen, ist es nach rückwärts umgeben von einem arg verwilderten Parkgrund, der „durch Hecke und Zaun gegen wüste, mit Schutt bedeckte Vorstadtwiesen abgegrenzt war“ (KH 140; vgl. 288; Krull 106). Gelegentlich markiert ein Flußlauf die Grenze zwischen hüben und drüben (s. B 125 u. 132; KH 176; 49), Lebensstrom und in dieser Bedeutung die gegensätzliche Szenerie ins Große und Grundsätzliche erhebend.

Derart harte, direkte Gegenüberstellung fördert die grundsätzliche Verschiedenheit beider Welten mit letzter Entschiedenheit zutage. Denken wir nur einen Augenblick lang an das Wohnversteck des Jesuiten Naphta. Der besseren Tarnung wegen und um seiner Vorliebe für Aufwand und Luxus ungestört nachgehen zu können, hat er sich in eines der unscheinbarsten und schäbigsten Mietshäuser des Ortes eingenistet. Keiner der Passanten würde hinter dieser Fassade eine prächtig ausgestattete Wohnung repräsentativen Zuschnitts vermuten. Am wenigsten die beiden Vettern, die bei ihrem Antrittsbesuch aufs höchste überrascht sind „durch den Luxus des zweifenstrigen Arbeitszimmers ..., ja geblendet durch Überraschung; denn die Dürftigkeit des Häuschens, seiner Treppe, seines armseligen Korridors ließ dergleichen nicht entfernt erwarten und verlieh der Eleganz von Naphtas Einrichtung durch Kontrastwirkung etwas Märchenhaftes, was sie an und für sich kaum besaß ...“ (Z 556).

d) Provozieren von Vergleichungen: Der Vergleich als Mittel der Verdeutlichung von Gegensätzen

Es ist der Vergleich, zu dem dieses knappe Nebeneinander herausfordert und in dem sich die gegensätzliche Struktur ebenso wie die insgeheime Abhängigkeit beider Lebenskreise voneinander offenbart.

Es war das Ineinander von Luxus und Ärmlichkeit, das der Eleganz von Naphtas Einrichtung jenen märchenhaften Glanz verlieh, den sie in weniger ungemäßer Umgebung, d. h. bei fehlender Vergleichsmöglichkeit, gar nicht besäße. Umgekehrt ist das Schwarzkopf'sche Häuschen, allein und für sich betrachtet, keineswegs so schäbig, wie der Erzähler es wahrhaben will. Erst in dem Augenblick, da Tony zu Besuch kommt und die neue Umgebung mit der ihr vertrauten Umwelt vergleicht, beginnen die Akzente sich zu verschieben. Gemessen an den Dimensionen ihres Elternhauses ist das Travemünder Anwesen allerdings eine Kate (s. dazu B 445), mutet umgekehrt das Lübecker Patrizierhaus an wie ein Palast. Als man sie dann zum Kaffee bittet, hat sie Gelegenheit zu bemerken, daß die Tassen hier ungewohnt plump sind „im Vergleich mit dem zierlichen alten Porzellan zu Hause ..." (B 125). Bei allem Bewußtsein ihrer Vornehmheit bringt Tony doch die Bereitschaft mit, sich einzuleben. Was darum ihrer Aufmerksamkeit entgeht, weil sie verliebt ist und romantisch veranlagt dazu, Grünlichs Visite bringt es an den Tag. Als Mortens Rivale ist er mit der Absicht gekommen, zu taxieren, und so mißt er, was er sieht, mit den Maßstäben jener höheren Sphäre, die Tony zu verlassen im Begriff stand. Indem „seine Augen mit ungeheurer Aufmerksamkeit von einem Punkt des Zimmers auf einen anderen und dann zum Fenster sprangen" (B 157), entdecken sie den untapezierten Kalk der Wände ebenso wie den Schmutz der gelbgerauchten Gardinen oder die schlechte Verarbeitung des rohen Tisches, lesen sie die Spuren häufiger Beanspruchung ab an dem zersprungenen Wachstuch des Sofas (s. B 156). Man könnte lange fortfahren in dieser Aufrechnung, ohne daß sich etwas anderes ergäbe als dies: Die Welt des Alltags ist schäbig nicht so sehr wegen ihres Soseins als durch dasjenige, was sie nicht ist, was ihr im Vergleich mit der festlichen Sphäre abgeht. Der Vergleich wird, indem er Gegensätze bewußt macht, Abstände ins Märchenhafte vergrößert, zu einem Mittel kontrastierender Aufbereitung. Er kann, falls er allzu unzukömmliche Maßstäbe an die Hand liefert, zuletzt geradezu tödlich wirken (s. LW 145).

1. Verharren der Alltagswelt im Vergleichszustand

Im Vergleich lebt namentlich die Alltagswelt. Während die im Zeichen des Festtags stehende Zone die Norm, den Maßstab abgibt, an dem alles gemessen wird, ist sie der eigentliche Gegenstand, fast möchte man sagen, das Opfer des Vergleichs. Scheint es doch, als liege in der Vergleichung ihre einzige Funktion, als erschöpfe sich ihr ganzes Sein darin, kontrastierende Folie zu sein zu den Szenen der schönen Welt. Kaum ist Tony bei den Schwarzkopfs eingetroffen, als die Hausfrau sich wegen der Einfachheit des Gästezimmers (s. B 126), der unzulänglichen Schlafgelegenheit — die Matratze ist mit Seegras gefüllt — oder der kärglichen Mahlzeiten (s. B 131) unentwegt entschuldigen zu müssen glaubt. Nicht ganz zu Unrecht, denn mit Tonys Augen gesehen ist das Holzgeländer des Treppenaufgangs nicht bloß schlicht, sondern ‚undurchbrochen', sind die Türen nicht einfach schmal, sondern ‚flügellos', die Böden nicht blank, sondern „ohne Läufer ..." (Krull 155). Und wie hier wird der Alltagsmensch[85] und seine

[85]) Sich vergleichend erkennt er das Häßliche seiner äußern Erscheinung ebenso wie die Niedrigkeit seiner Gesinnungen und die Not und Bedrängnis seiner Exi-

Umwelt niemals sonst für sich betrachtet und nach seinem Eigenwert erkannt, vielmehr stets gesehen im Hinblick auf ein festlich-vorbildhaftes Gegenüber. Mensch und Raum verlieren darüber zuletzt jedes Eigengewicht, jede Eigenwürde. Sie verharren nur mehr im Zustand des Vergleichs, in uneigentlicher Position.

2. Der normative Charakter der Festwelt — ihre erhebende Wirkung auf den Alltagsmenschen

In der Berührung mit hohen Daseinsformen wird der gemeine Alltagsmensch seine totale Unzulänglichkeit schmerzlich gewahr. Aus der Erkenntnis eigener Fehlerhaftigkeit erwächst ein Verlangen nach Erhebung und Läuterung, das — nach Thomas Mann — in aller niederen Menschenart tief verwurzelt ist (s. KH 321; 68; ferner 23; 44). Ein solches auf die eigene Erbauung abzielendes Verehrungsbedürfnis kann in aristokratisch regierten Gemeinwesen leichteste und gründlichste Befriedigung finden, ist es doch der Rang, die adlige Abkunft, die „eine Verherrlichung der Wirklichkeit" bedeuten (KH 54). So steigt in „Königliche Hoheit" die festliche Gestalt des Prinzen Klaus Heinrich auf zum erhöhten Wunschbild der Menge (s. KH 134), sind es die Mitglieder der herzoglichen Familie, deren Anblick „Glück, Herzenserhebung und Lebehochs" bewirkt, wo immer sie sich den „sehnsüchtigen Blicken bedrückter Alltagsmenschen" darstellen (KH 135).

Noch in der Welt der „Buddenbrooks" mit ihrer veränderten sozialen Ordnung ist diesem Bedürfnis Rechnung getragen, fehlt es nicht an festlichen Wesen, „mit denen sich zu beschäftigen ... eine Verschönerung der Gedanken und Erhebung über den Wochentag" zur Folge hat (KH 54). Da beschert zunächst der Besuch des Theaters die Begegnung mit Königen und Helden. In prunkhaftem, festlich geschmücktem Saal (s. Erz 341. Krull 32/33) schart man sich am Abend zu „Erbauung und Erhebung nach dem Alltag" zusammen (Erz 340). Schönheit und festliche Würde des Ortes öffnen den Sinn für die großen, erhabenen Vorgänge auf der Bühne. Dort, an erhöhtem Ort, unterstützt von Licht, Musik und Entfernung (s. Krull 41), agieren die Helden der Tragödien und Komödien, „dem Volke zum Traum, der geldherrschaftlichen Welt zum schmeichelnden Spiegel" (AdG 555. vgl. KH 91/92). Als Felix den Vater zum erstenmal nach Wiesbaden ins Theater begleiten darf, erscheint ihm „dieser feierlich gegliederte Raum ... als eine Kirche des Vergnügens, als eine Stätte, wo erbauungsbedürftige Menschen, im Schatten versammelt gegenüber einer Sphäre der

---

stenz. Das daraus resultierende Bewußtsein eigenen Unwertes ist in den wortreichen Erklärungen lebendig, mit denen Frau Schwarzkopf sich Tony gegenüber entschuldigt, trotz der Anwesenheit des Gastes ihrer gewohnten Arbeit nachgehen zu müssen (s. B 131).

Klarheit und der Vollendung, mit offenem Munde zu den Idealen ihres Herzens emporblickten“ (Krull 33). Dies also ist, nach dem Willen des Dichters, das Theater: eine „Anstalt zur ... Erhebung des Volkes“ (RuA 56/57).

Dem Bühnenraum sind die repräsentativen Interieurs in vieler Hinsicht vergleichbar. Greifen wir aus der Reihe der Vergleichsmomente (festlich prunkvoller Rahmen; erhöhter, mit Hilfe künstlichen Lichtes verklärter Ort) nur die Aufstellung des Mobiliars, die Verteilung der Ausstattungsgegenstände heraus. Sie ist bestimmt durch Gleichmaß und eine parademäßige Ordnung, die mit erstaunlicher Konsequenz überall wiederkehrt. Die Öllampen, die die Eingangstür in der Mengstraße flankieren (s. B 45)[86], sind nur ein erster Hinweis darauf, was uns in dieser Hinsicht im Innern des Hauses erwartet. Wo in den Gängen des Alten Schlosses Lakaien „paarweise und theatralisch“ an den geöffneten Flügeltüren stehen (KH 114. vgl. Krull 380), finden sich hier steiflehnige Stühle symmetrisch zu Seiten der Türen aufgestellt. Paare mächtiger Sofas stehen einander gegenüber, getrennt durch die Weite des Raumes und in eine Reihe gerückt mit den „regelmäßig an den Wänden verteilten ... Armstühlen ...“ (B 12. vgl. Anm. 62). Während der Mahlzeiten bewährt das Prinzip parademäßiger Ordnung sich in der Symmetrie der Kerzen (s. KH 65), dem Arrangement der Gedecke, Gläser und Aufsätze, die „in ebenmäßiger Anordnung“ auf der Tafel verteilt sind (KH 144). Noch der Kaminraum läßt eine szenische Aufgliederung erkennen in der Verteilung der Vasen und Armleuchter, die die Marmorplatte rechts und links der Pendule zieren (s. B 489). Es ist dieses förmliche Gleichmaß der Anordnung (s. KH 60), diese szenenmäßige Symmetrie (s. KH 115), die den repräsentativen Salons alle Sachlichkeit entzieht (vgl. S. 26 ff) und ihnen weitgehend bühnenhaften Charakter verleiht (s. AuN 194).

Zugleich mit der äußeren Ähnlichkeit des Grundrisses, der genau kopierten Anordnung des Inventars ist etwas von der Luft des Theaters in die „Welt der symmetrisch aufgesteckten Kerzen“ überkommen (KH 66). Am Ende des Opernabends („Wälsungenblut“) steht draußen vor dem Portal der Wagen bereit, das Zwillingspaar aufzunehmen und in lautlos rollender Geschwindigkeit sanft und federnd über alle Unebenheiten des Bodens hinwegzutragen. Schweigend verharren Siegmund und Sieglind auf dieser abendlichen Heimfahrt, „abgeschlossen vom Alltag, noch ganz wie auf ihren Sammetstühlen gegenüber der Bühne und gleichsam noch in derselben Atmosphäre“ (Erz 406). Zurückgekehrt in die Räume des elterlichen Hauses, umfängt sie zugleich mit dem strengen und leeren Prunk (s. dazu

---

[86]) Vgl. die „in regelmäßigen Abständen mit Lorbeerbäumen gezierte Front“ des Schlößchens Eremitage (KH 140).

KH 60), der hohen Unbehaglichkeit, eine seltsam dumpfige „Bühnen- oder Kirchenatmosphäre" (KH 115), die der (just verlassenen) des Theaters aufs Haar gleichkommt.

So ist denn die erhebende Wirkung, soweit sie aus dem szenischen Aufbau der Bühne resultiert, auch den Repräsentationsräumen eigen. Sie bewährt sich überall da, wo eine Gestalt aus volkstümlichen Niederungen eintritt in diese ihr fremde Umgebung. Da bewundert Klothildens Vater, als er zu Tonys Hochzeit in Lübeck erscheint, „mit großen Augen das unerhört herrschaftliche Haus seines reichen Verwandten ..." (B 170)[87]. Alle Verschüchterung abgerechnet, die ihn beim Anblick solcher Pracht befällt, fühlt der gemeine Mann sein ganzes Wesen doch auch wieder auf seltsam feierliche Art gehoben. Ist es die ungewohnt dünne, reine, an irdischen Zusätzen arme Luft, die das Atmen erschwert und dem Fräulein Vermehren — Schulvorsteherin und Lehrerin Tonys — das Blut zu Kopfe treibt, daß sie „ein wenig schwitzend vor Verlegenheit" vor die Eltern ihres Zöglings hintritt? (B 66. vgl. KH 178) Ihrem Kollegen, den man bald darauf Christians wegen in die Mengstraße zitieren muß, ergeht es bei gleicher Gelegenheit nicht anders. Mit Anlegen des Festgewandes schon setzt seine Verwandlung ein (s. auch B 70). Und als Herr Stengel „in seiner Sonntagsperücke, mit seinen höchsten Vatermördern, die Weste von lanzenartig gespitzten Bleistiften starrend" (B 83/84) zur Visite erscheint, fühlt er sich alsbald in der nämlichen Weise befangen wie gesteigert. Während des Gesprächs, bei dem der Konsul zuvorkommend den Führer durch das Haus macht, erliegt er der entsachlichenden, d. h. erhöhenden Wirkung der Umgebung in einem Maße, daß er über der Suche nach feinerer Ausdrucksweise den eigentlichen Zweck seines Kommens zuletzt völlig aus den Augen verliert und — „‚infolgedessen'" (B 84) — „erhoben, gereinigt, mit blindem Blick und noch immer das Lächeln auf seinem geröteten Antlitz", nach Hause zurückkehrt (KH 179). In dieser Kulisse wird die Schar der Hausarmen, die sich am Weihnachtsabend in der Säulenhalle versammelt (s. B 549/50), zu schlichten Leuten, und in der Sonntagsschule der Konsulin (s. B 289) wandeln schmutzige Gassenkinder sich zu „züchtigen kleinen Mädchen ... im Sonntagsstaat, das Haar mit Wasser geglättet ..." (KH 168).

Für die hoheitsvollen Gestalten selbst sind die szenisch gegliederten Räume „strenge Stätten eines darstellerischen Kultes" (KH 115), wo man sich den Pflichten der Repräsentation unterzieht. War es die Preisgabe gerade des privaten Bezirks zugunsten einer umfassend öffentlichen Schaustellung, in der das Wesen repräsentativen Daseins beruht, so mag dieser

---

[87]) Vgl. dazu die Reaktion Annas beim Betreten des Fischergrubenhauses B 716/17.

Verzicht nunmehr wie ein Tribut erscheinen an die Schaulust der Menge. Wie die Spoelmanns den Sommer über die Teestunde draußen auf der Terrasse von ‚Delphinenort' abhalten, ebenso „öffentlich" und „wie auf einer Bühne" sich abspielend haben wir uns parallele Szenen aus dem Tagesablauf der Buddenbrooks zu denken. Hier wie dort fehlt es niemals an Publikum, das „aus einiger ehrerbietiger Entfernung" solches Schauspiel zu genießen weiß (KH 210. vgl. B 309). Entsprechend dem dringlichen und allgemeinen Bedürfnis nach Erhebung und Läuterung weitet sich der Begriff des Schauspiels, dehnt der Raum des Theaters sich aus auf den gesamten repräsentativen Lebensbereich. Vor dem Hintergrund von „Lebensgemeinheit" (AuN 511) erst werden Struktur und Bedeutung dieser Welt einsichtig. In ihrer Idealität ist sie nichts als die vollständige Umkehrung jener andern und damit ebenso verschieden wie abhängig von ihr[88].

IV. Entwertungen — Überwertungen

a) Abheben des Personals voneinander

1. Der (menschliche) Adel der Helden

Ihrer Umgebung entsprechend haben wir die Menschen in festliche und alltägliche Erscheinungen zu scheiden gesucht. Die Frage nach ihrer gesellschaftlich-sozialen Stellung indes ist geeignet, ernste Zweifel an der Echtheit und Schlüssigkeit aller bislang aufgewiesenen Antithetik aufkommen zu lassen. Läßt man die Namen Buddenbrook und Schwarzkopf als jeweils exemplarische Ausprägungen menschlicher Wesensart gelten, so ist die Auskunft ebenso unzweideutig wie ernüchternd: So wenig man die Travemünder Gastgeber Tonys auf der untersten Stufe der sozialen Pyramide ansiedeln kann, so wenig sind Tony und ihre Angehörigen an deren Spitze zu finden. Schlimmer noch: Beide Familien gehören ein und derselben Klasse, dem Bürgertum an.

Nun erweist sich der dritte Stand bei näherem Zusehen weit weniger einheitlich als zu befürchten stand. Dreifach gegliedert, läßt sich neben dem

[88]) Hohe wie niedere Menschenart, repräsentative wie alltägliche Interieurs offenbaren ihre verborgene Einheit eben im Augenblick äußerster Konfrontierung. Ist es doch gerade die Einseitigkeit jeder Welthälfte, die ihr Gegenstück herausfordert. Suchten wir früher auszuführen, wie weit jedem typischen Merkmal der einen ein vergleichbares der andern Seite entspricht, so dürfen wir nun hinzufügen, daß es sich bei allen antithetischen Zuordnungen statt um bloß konträre um komplementäre Gegensätze handelt, die jeweils der Zusammenfügung bedürfen, um ein geschlossenes Ganzes, eine vollständige, in sich ruhende Welt zu ergeben.

mittleren Bürgertum eine dünne Oberschicht sowie eine Vielzahl kleinbürgerlicher Lebensformen ausmachen. Aus der Oberschicht reichen Großbürgertums ragen noch einmal einige wenige Spitzen heraus, ein engster Kreis von regierungsfähigen Familien, das Patriziat, dessen Vertretern Sitz und Stimme im Senat zufällt. „... patriarchalisch-aristokratische Bürgerlichkeit als Lebensstimmung, Lebensgefühl“ hat Thomas Mann zuerst in den „Betrachtungen“ als sein „persönliches Erbe“ bezeichnet (131). Es ist das „Patrizisch-Bürgerliche“ der Frankfurter Atmosphäre, das ihm wohlvertraut erscheint und ihn in der Geburtsstadt Goethes sogleich „‚zu Hause‘“ sein läßt (AdG 90). — Von dieser Lebensstimmung ist vieles in das Lübeck unseres Romans eingegangen (s. AuN 292). Am Beispiel der Buddenbrooks, von denen wir insbesondere Thomas als „Mitregenten einer aristokratischen Stadtdemokratie“ kennenlernen (Betr 64), werden wir eingeführt in die Welt patrizischen Großbürgertums. Ja, man könnte behaupten, sie sei schon alles, sei das einzige, was uns — hier wie anderswo — an Umwelt, an sozialem Hintergrund des Näheren gezeigt werde.

Bleibt die Frage offen nach der sozialen Zugehörigkeit der Schwarzkopfs. Der Leser wird die Stellung des Lotsenkommandeurs (s. dazu B 124) noch am ehesten der des Maklers Gosch[89] oder des Tuchhändlers Benthien vergleichbar finden und ihn dem mittleren Bürgertum zurechnen, das in Lübeck durch eine breite Schicht kleiner Kaufleute vertreten ist. Anders der Erzähler. Er reduziert diese bürgerliche Mittelschicht auf eine Handvoll bloßer Namen[90] ohne jeden konkreten, irgendwie faßbaren Hintergrund. Wo der Lebensrahmen des Mittelstandes sichtbar wird, und er wird es eigentlich nur im Falle der Schwarzkopfs, ist das, was wir ausmachen können, eindeutig kleinbürgerliches Milieu.

Kleinbürgerliche Szenerie scheint für die „Buddenbrooks“ wie für Thomas Manns Werk überhaupt die einzige Alternative zu dem immer wieder aufgesuchten großbürgerlichen Milieu zu sein. Denn wie das mittlere Bürgertum, so fehlt auch bis auf wenige Namen die Welt des vierten Standes. Das Personal im Haushalt der Konsulin, die Arbeitsleute im Dienste der Firma, sie alle verhalten sich nicht wie Proletarier, sie sind klassenbewußt nicht einmal am Tage des Aufstandes. Das, was sich bei dieser Gelegenheit vor der Bürgerschaft zusammenrottet, ist keine anonyme, in sich geschlossene Masse, sondern eine bunt zusammengewürfelte Schar von Einzelindividuen, die allesamt in persönlicher Beziehung zu ihrer jeweiligen Herrschaft stehen. In einer patriarchalisch heilen Welt wie dieser gehören noch die Speicherarbeiter (oder die Hausarmen) zur Familie, sind ihnen, wie etwa Grobleben im Haus des Konsuls, bei festlichen Anlässen ganz

---

[89]) dessen künstlerische Ambitionen natürlich abgerechnet.

[90]) Zu Gosch und Benthien gesellen sich Sörensen, Lauritzen u. a.; auch der Name Gotthold Buddenbrooks wäre hier anzuführen.

bestimmte Rollen zugedacht; es unterscheidet sich die Funktion des ‚Proletariats' in keiner Weise von der des Kleinbürgertums.

So ist der vielfältige und komplizierte soziale Organismus der Stadt nur ungenau und vereinfacht wiedergegeben, um den Abstand zwischen festlicher und alltäglicher Menschheit auch auf sozialer Ebene deutlich zu machen.

Großbürgerliches Milieu im Hause Buddenbrook, kleinbürgerlicher Lebensrahmen bei den Schwarzkopfs in Travemünde, damit ist zwar die größtmögliche Distanz gewonnen, die sich innerhalb des bürgerlichen Bereichs ausschreiten läßt, nicht aber eine Standesgrenze im engeren Sinne überschritten. Indes dürfen wir bei der Bestimmung des sozialen Ortes, den das Lübecker Patriziat einnimmt, noch weiter (sprich ‚höher') ausgreifen. Das Stichwort ‚aristokratische Bürgerlichkeit' ist gefallen. Und aristokratisch ist das Großbürgertum in der Tat, das in Lübeck nicht weniger als im fernen Frankfurt. Gern zitiert Thomas Mann ein Wort Goethes, nach dem die Frankfurter Patrizier sich immer „‚dem Adel gleich'" gehalten hätten (AdG 203. vgl. NSt 27). Nicht anders sind die Lübecker Großkaufleute durchdrungen vom Bewußtsein ihrer edelbürgerlichen Geburt. Schon der alte Johann Buddenbrook weiß sich in eine bevorzugte soziale Stellung hineingeboren (s. dazu AdG 202), und seine Nachfahren werden in dieser Einschätzung von seiten der Umwelt geradezu ermuntert. Dem jungen Schwarzkopf gegenüber muß Tony ihre unverhohlene und umfassende Vorliebe für den Blutsadel[91] gelegentlich verteidigen. Bei einem solchen Wortgeplänkel entgegnet ihr der revolutionär gesinnte Morten: „‚Sie haben Sympathie für die Adligen ... soll ich Ihnen sagen warum? Weil Sie selbst eine Adlige sind! ... Ihr Vater ist ein großer Herr, und Sie sind eine Prinzeß. Ein Abgrund trennt Sie von uns anderen, die wir nicht zu Ihrem Kreise von herrschenden Familien gehören'" (B 145)[92].

Faktisch also ist die Erhebung der Buddenbrooks in den Adelsstand längst vollzogen, so weit, daß das Fehlen des Adelsdiploms kaum mehr als störend empfunden wird. Für unsere Betrachtung ist damit vieles gewonnen. Wir haben zum erstenmal die Schranke zwischen zwei Ständen übersprungen. Leider wissen wir in einer Zeit, die nur mehr die ökonomischen Unterschiede zwischen Arm und Reich kennt, so gut wie nicht mehr, was eigentlich das Überschreiten einer sozialen Grenze bedeutet. In den Jahr-

[91]) Vgl. des Senators Neigung zum „Superfeinen und Aristokratischen ..." (B 305).

[92]) Unter dem Personal eignet sich Ida Jungmann „mit ... ihren preußischen Rangbegriffen ... aufs beste für ihre Stellung in diesem Hause. Sie war eine Person von aristokratischen Grundsätzen, die haarscharf zwischen ersten und zweiten Kreisen ... unterschied, sie war stolz darauf, als ergebene Dienerin den ersten Kreisen anzugehören ..." (B 14/15).

zehnten unseres Romans indes kommt ein solcher Schritt noch immer dem Eintauchen in eine völlig andere Lebensform gleich[93].

Dennoch sind die beiden hier verglichenen Familien auch jetzt nicht durch den ganzen Abstand des sozialen Durchmessers voneinander geschieden. Alle Versuche, zu echten, überzeugenden Gegenpositionen zu kommen, bleiben so lange zum Scheitern verurteilt, wie unser Augenmerk ausschließlich auf die sozialen Verhältnisse gerichtet ist. Die Erlaubnis zum Dispens von dieser einseitigen Blickrichtung läßt sich bei Thomas Mann selbst einholen. In Bezug auf die „Buddenbrooks“ hat er rückblickend geäußert, es sei das „Seelisch-Menschliche“, nicht das „Soziologisch-Politische“ des Stoffes gewesen, was ihn habe produktiv werden lassen (Betr 132).

Losgelöst von seinem soziologischen Ursprung ist der Begriff ‚Adel‘ nun umfassender zu verstehen: als Bezeichnung für eine Reihe menschlicher Eigenschaften und Besonderheiten, als Ausdruck und Formel höheren Menschentums. Naturgemäß hat diese Verlagerung ins Übersozial-Menschliche, wie jede Begriffserweiterung, zugleich eine größere Unbestimmtheit unseres Terminus zur Folge. So läßt sein neuer Inhalt sich kaum noch klar definieren, höchstens annäherungsweise umschreiben: Adel ist gebunden an gewisse konstitutionelle Voraussetzungen (s. Betr 314); das körperlich Feine, Zarte[94], Zierliche rechnet dazu, eine substantielle Vornehmheit (s. AuN 457. AdG 169), die wiederum außersozial, menschlich verstanden sein will (s. AdG 203). — Der Zartheit des Körpers entspricht eine Empfindlichkeit der Seele und Sinne, so daß der Dichter geradezu von *„Seelenadel“* (Betr 355) sprechen kann. — Zuletzt ist diese „Erhöhung und Steigerung des Menschlichen“ (AdG 178), die wir mit dem Adelsbegriff umschreiben, „von Gnaden des *Geistes*“ (AdG 179). Ja, sie ist so sehr geistig[95] bestimmt, vom Bewußtsein her verstanden, daß die Formel ‚Adel des Geistes‘ fast schon tautologisch wird.

Machen wir uns daran, diesen übersozial menschlichen Adel innerhalb unseres Romans aufzusuchen. Die Geschichte der Buddenbrooks ist der Prozeß einer zunehmenden Bewußtwerdung und Vergeistigung. In Ansätzen bei dem Sohn des alten Johann Buddenbrook, dem ersten Konsul, spürbar, wird diese Entwicklung offenkundig in der dritten Generation, jener, aus der der erste der beiden Helden des Buches hervorgeht. In Thomas Buddenbrook ist die „Transzendenz“ des Bürgerlichen (AdG 122) er-

---

[93]) So hat die Mesalliance Gotthold Buddenbrooks zugleich mit dem Ausschluß aus der Familie seinen gesellschaftlichen Tod schlechthin zur Folge.

[94]) s. die „zarte Verfassung aller höheren Menschlichkeit ...“ (AdG 503).

[95]) Eben diese Geistigkeit ist es, die ihre Träger aus allem Bürgertum, allem Sozial-Klassenmäßigen herauswachsen läßt s. AdG 91; 122; 23; 25; 332. AuN 313/14.

reicht, ihm gebührt unter seinen Geschwistern am ehesten das Attribut ‚adlig'. Aber auch Christian hat durch seinen Bewußtheitsgrad teil an diesem Adel, und noch auf Tony ist, wenn nicht die Bewußtheit, so doch jenes unbedingte Vornehmheitsgefühl überkommen, das wir als eine der Ausdrucksformen des Aristokratismus anzusehen haben (s. AdG 609).

Die Krone als Abzeichen königlicher Wesensart

Es gibt in den „Buddenbrooks" eine Fülle mehr oder minder versteckter Hinweise, die die edelbürtige Abkunft dieser Generation bezeugen. Da ist als erstes das Moment des Königlichen. Wenn Hoffstede dem Konsul in einer der ersten Szenen des Romans berichtet, er habe Thomas und Christian unterwegs „‚in der Königstraße'" getroffen (B 17), so ist diese Mitteilung sicher mehr als nur zufällig. Jahre später, in dem Augenblick, da Thomas die Leitung der Geschäfte übernimmt, wird jene erste Anspielung erneuert, verdeckt allerdings durch den leichten Ton, in dem sie vorgebracht wird. Es ist Konsul Kröger, der im Gespräch über die Testamentsverfügungen seines Schwagers die gute Laune vertritt, „indem er von Thomas beständig als von ‚Seiner Hoheit dem nunmehr regierenden Fürsten' sprach. ‚Der Speicher-Grundbesitz bleibt der Tradition gemäß ohne weiteres bei der Krone', sagte er" (B 266). Daß diese humorige Anrede gar nicht so unsinnig ist, wie es zunächst den Anschein hat, lehrt ein Blick auf Thomas' weitere Laufbahn, die ihn als rechte Hand des Bürgermeisters zu einer Art ungekröntem Herrscher innerhalb seiner Vaterstadt aufsteigen läßt (s. B 373; 634). — In dem Bewußtsein, Konsul Buddenbrooks Tochter zu sein, geht die junge Demoiselle Buddenbrook in der Stadt „wie eine kleine Königin" umher (B 68; vgl. 110; 570)[96]. — Der Anblick der ungewöhnlichen, unalltäglichen Erscheinung Gerda Buddenbrooks inspiriert den phantasievollen Makler Gosch zu abenteuerlichen Plänen. Insgeheim verflucht er diese ganze mittelmäßige Welt, deren langweilige Gewohnheiten es ihm nicht verstatten, diese Frau „durch Mord, Verbrechen und blutige Listen auf einen Kaiserthron zu erhöhen" (B 427). — Wie in der nächsten Generation das Maß der Bewußtheit sich nochmals steigert, tritt auch das Merkmal des Königlichen entschiedener hervor. Hanno erscheint jetzt in der Rolle des königlichen Prinzen. In dem 1947 gedruckten Aufsatz „Zu einem Kapitel aus ‚Buddenbrooks'" nennt Thomas Mann ihn ausdrücklich einen „kleinen Verfallsprinzen ..." (AuN 568)[97].

---

[96]) Unterwegs nach Travemünde wirkt Tonys Haltung vornehm und „wie für die Equipage geschaffen" (B 121). Man fährt in der gleichen Kröger'schen Kalesche, der an anderer Stelle das Attribut ‚majestätisch' zuerkannt wird (s. B 120).

[97])Angewandt auf den jungen Hugo von Hofmannsthal taucht das Wort vom ‚geistesprinzlichen Knaben' bereits achtzehn Jahre früher auf (s. AuN 197).

Auch das äußere Symbol des Königlichen, die Krone, ist vorhanden, für Thomas bei seinem Antritt als Firmenchef (s. B 266) erstmals nachweisbar. Später, nach Ableben Onkel Gottholds, gehen „Amt und Titel des königlich niederländischen Konsulats ... an ihn über, und das gewölbte Schild mit Löwen, Wappen und Krone war nunmehr wieder an der Giebelfront in der Mengstraße zu sehen" (B 287). — In der Anordnung des Haares der Konsulin, das „auf der Höhe des Kopfes zu einer kleinen Krone gewunden ... war" (B 11), darf man sicher einen Hinweis auf das königlich vornehme Wesen dieser Frau erblicken (vgl. Erz 234/35. B 102).

Räumliche Erhöhung als Symbol hochsinniger Daseinsform

Ferner werden bestimmte räumliche Veranstaltungen getroffen, jene Erhöhung und Steigerung des Menschlichen sinnfällig zu machen. Stets sind die repräsentativen Interieurs in Höhe des ersten Stockwerks gelegen[98]. Dies ist zunächst der (historischen) Wirklichkeit abgesehen. Seit das Zeitalter des Barock die Gleichwertigkeit der Geschosse aufgab, bevorzugt man, ausgehend von den Schloßbauten der höfischen Sphäre, das erste Obergeschoß, eine Vorliebe, die sich von den Patrizierhäusern des alten Lübeck (das Mengstraßenhaus ist 1682 erbaut) bis auf die Mietshäuser unserer Eltern erhalten hat.

Daß man in den nachfolgenden Beispielen mehr sehen darf als nur die Reminiszenz an eine historische Erscheinung, geht aus der Art und Weise hervor, in der die vertikale Aufgliederung der Bauten vom Erzähler benutzt wird: Durch seine Mißheirat hat Gotthold Buddenbrook sich seiner gesellschaftlichen Vorrechte freiwillig begeben. Der Tod des alten Johann ist für ihn die letzte Chance, den Konsequenzen dieses Schrittes eventuell doch noch zu entgehen. So erscheint er schon am Morgen nach Hinscheiden des Vaters in der Mengstraße. Auf der Treppe zur Beletage begegnet ihm der Konsul. Die folgende Unterredung haben wir uns so vorzustellen, daß Gotthold einige Stufen tiefer stehend mit aufwärts gekehrtem Gesicht auf seinen Stiefbruder einredet, der abweisend an seinem erhöhten Standort verharrt. Wenn Johann seinem Bruder den Aufgang in die Beletage versperrt, wenn er ihn zwingt, auf der Treppe zu reden, ja zuletzt sogar eine Stufe zurückweicht, den Abstand zwischen sich und dem Anderen weiter vergrößernd, so ist damit nichts anderes gemeint, als daß Gotthold sich, auch im Urteil seines nächsten Verwandten, durch die Heirat des ‚Ladens' seiner Hoheit endgültig entäußert hat (s. B 75/76). — Einer ähnlichen

[98]) Falls die Häuser nur zweigeschossig angelegt sind, nimmt das Erdgeschoß die Repräsentationsräume auf. Doch liegen die schönen Zimmer auch jetzt nicht zu ebener Erde, sondern im Hochparterre, das sich deutlich einige Stufen über den flachen Erdboden erhebt (vgl. die Hamburger Villa B 178 oder das Kröger'sche Anwesen vorm Burgtor B 204).

Entscheidung steht Tony in Travemünde gegenüber. Wenig fehlte, und auch sie hätte um ihres persönlichen Glücks willen aller Würde und Hoheit entsagt. Ihre Rückkehr ist die Heimkunft einer beinah Verlorenen, der Weg aus den Niederungen des Alltags heim in den Bereich festlich erhöhten Lebens. Den Abstand zwischen beiden Sphären deutlich zu machen, dient der ausdrückliche Hinweis auf den Niveauunterschied zwischen draußen und drinnen, dort und hier. Während Tony über die Diele kommt, steht die Familie „zur Begrüßung droben auf dem Treppenabsatz versammelt ..." (B 164; s. das Ende Lebrecht Krögers B 204).

Wege und Aufenthalt hoheitsvoller Menschheit sind reich an solchen räumlichen Abstufungen. Da ist der Altan des Fischergrubenhauses, den man eigens für Hanno durch eine kleine Säulenestrade vom Vorplatz der zweiten Etage abgetrennt hat und von dem einige Stufen hinab auf den Korridor führen (s. B 452 u. 674); da sind die Terrassen, die die Gartenhäuser herausheben aus den umgebenden Beeten und Pflanzungen (s. B 443; 490).

Wir haben die Siedlung Lübeck nicht als plane Fläche, sondern als schiefe Ebene zu denken, abfallend zum Fluß, ansteigend zur oberen Stadt hin, wo die Straßen breiter (und heller) werden und die vornehmen Quartiere beginnen. Hier liegt das Stammhaus der Buddenbrooks. Wie später das Stadthaus des Senators, zählt es zu den Hochsitzen und Mittelpunkten der Stadt (s. dazu KH 311). Hinter seinen Mauern, in den Zimmerfluchten der Beletage, führt man hoch über den Niederungen des Alltags ein festlich erhöhtes Dasein. Den Göttern gleich, die sich weiß und stolz „auf ihren Sockeln" von dem himmelblauen Hintergrund der Tapete abheben (B 261), schreitet man im Bewußtsein hoher Vornehmheit wie auf Kothurnen einher. ‚Hoheit', ‚Erhöhung' sind hier durchaus wörtlich gemeint oder besser: räumliche Erhöhung, Aufenthalt an erhöhtem Ort wird zum sinnlichen Zeichen edler, hochsinniger Daseinsform.

Beides, das Moment des Königlichen wie des Hoheitsvollen kehrt, zur Formel zusammengezogen, im Titel von Thomas Manns nächstem Roman „Königliche Hoheit" wieder. Dort hat der Dichter das in den „Buddenbrooks" Angelegte konsequent weitergeführt. Mit Verlassen des biographischen Hintergrundes bot sich die Möglichkeit, den handelnden Figuren nicht nur faktisch, sondern sozusagen in aller Form die adlige Abkunft zuzugestehen. So ist das Geschehen der größeren Deutlichkeit des Gemeinten zuliebe in höfischen Umkreis verlegt. Dessen ungeachtet war man kurzsichtig genug, diese Transponierung so wörtlich zu nehmen, daß Thomas Mann sich schließlich veranlaßt sah, mit Nachdruck auf die Bedeutung hinzuweisen, die allein aus der Verkürzung des Titels, dem Fehlen jeden Artikels hervorgeht: jene „eigentümlich symbolische Ausweitung", der entsprechend, die der Adelsbegriff erfährt, sobald man ihm jeden sozialen Anstrich nimmt, ihn als Ausdruck höheren Menschseins begreift. Durch diesen Kunstgriff wurde, recht verstanden, aus dem Hofroman ein „allegorisches Märchen“, aus seinem Titel die „Formel für jede Außerordentlichkeit, jede Art melancholischen Sonderfalls, jede Distanziertheit von Leben und Wirklichkeit durch Form, Schein, Repräsentation ...“ (Nachlese 172).

2. Der menschliche Pöbel: Die Verfassung des Alltagsmenschen

Wenn wir früher die unterste Schicht der sozialen Pyramide, die Welt des vierten Standes im Werk Thomas Manns vermißten, so ist dies nur so lange richtig, wie man dabei nach proletarischer Masse sucht. Es ist das Volk, dem man statt dessen begegnet, und diese Unterscheidung zwischen ‚Masse‘ und ‚Volk‘ kommt der zwischen „sozialem und metaphysischem Leben“ gleich (Betr 240). Denn auch der Terminus Volk zielt, wie schon der Adelsbegriff, nicht zuerst auf soziale Verhältnisse; vielmehr meint die Bezeichnung ‚volkstümlich‘ erneut einen Kanon menschlich-seelischer Eigenschaften, die, wenn auch überindividuell, doch nicht standesmäßig gebunden sind. Volkstümlich ist alles Menschentum, das der Auszeichnung entbehrt, alle gewöhnliche, gemeine, niedere Menschenart. Volk, das meint — im Unterschied zur substantiellen Vornehmheit des königlichen Typs — geringe menschliche Substanz (s. Krull 78), menschliches Kroppzeug, im Jargon Felix Krulls zu sprechen (s. Krull 143), „‚Fabrikware der Natur‘“, wie Thomas Mann, ein Wort Schopenhauers aufgreifend, nicht minder abschätzig hinzufügt (LW 181).

Schon im Körperlichen ist dieser gemeine Menschenschlag das genaue Gegenteil seines vornehm-adligen Gegenübers. War jener sichtbar ausgezeichnet durch Zartheit der Gestalt und Feinheit der Glieder, so ist dieser seiner äußern Erscheinung nach grob, roh und ungeschlacht. Dem zierlichen, häufig ans Kindliche gemahnenden Wuchs hoheitsvoller Gestalten tritt ein ‚Kapitänstyp‘ mit breiten Schultern und großen Händen entgegen, wie wir ihn in den „Buddenbrooks“ mit all seiner Robustheit in der Person des Lotsenkommandeurs vor uns haben. — Weiter sind physische Roheit und Plumpheit sichere Zeichen für die Rauhheit und Unempfänglichkeit der Seele. — War es vor allem der Geist, der die Steigerung des Menschlichen bewirkte, so machen nun Dumpfsinn und mangelnde Bewußtheit sich als die empfindlichsten Schwächen gewöhnlicher Menschheit bemerkbar.

Eigenschaften und Gesinnungen höheren Menschentums zu verdeutlichen, hatten Adelsstand und höfische Welt die geeigneten Medien abgegeben. Auch jetzt wird eine soziale Gruppe herangezogen, um die negativen Aspekte gemeinen Menschseins sinnfällig zu machen. Es sind bäuerliche Lebensform und Szenerie, die wie jener feudale Hintergrund gleichnishaft verstanden sein wollen. Es ist die Figur des Bauern, darin die Wesenszüge des Volks sich nahezu rein verkörpern, ist seine Derbheit, Ungeschlachtheit und Erdnähe, was ihn zum Prototyp des niederen, dumpfen, mit gemeiner Lebenstüchtigkeit bedachten Alltagsmenschen werden läßt.

Zugleich mit der Ausweitung des Adelsbegriffs ist dieser Terminus tiefer verankert worden. Die Verlagerung vom Sozialen ins Metaphysische verleiht der Unterscheidung Adel — Volk, Adel — Pöbel ungleich größeres Gewicht. Ihr absoluter Vorrang vor allen sozialen und ökonomischen Differenzierungen wird da besonders deutlich, wo immer diese verschiedenen Ordnungsprinzipien sich überschneiden:
Wie wenig man seines angestammten Adels selbst in tiefster Armut, in größter wirtschaftlicher Notlage verlustig geht, zeigt das Beispiel des kleinen Grafen Mölln. Daß andererseits mit Geldbesitz und plötzlichem Reichtum nicht notwendig eine echte Steigerung des Menschlichen verknüpft sein muß, wird angesichts des eklatanten wirtschaftlichen Aufschwungs der Hagenströms offenbar[99]. Was die Gewohnheit des Reichtums in diesem Falle zeitigt, ist lediglich eine „oberflächliche Verfeinerung", das, was Felix Krull den „polierten Pöbel" nennt (Krull 259); was der Umgang mit Geld hier hervorbringt, jene Menschenart, die Spinell dann als plebejische Gourmands, als Bauern mit Geschmack (s. Erz 253) kennzeichnet und in der Gestalt Klöterjahns literarisch zur Strecke bringt. — Während seiner Dienstzeit als Kellner beschäftigt Krull sich im Anblick der Hotelgesellschaft angelegentlich mit dem Gedanken der Vertauschbarkeit: „Den Anzug, die Aufmachung gewechselt, hätten sehr vielfach die Bedienenden ebensogut Herrschaft sein und hätte so mancher von denen, welche ... in den tiefen Korbstühlen sich rekelten — den Kellner abgeben können. Es war der reine Zufall, daß es sich umgekehrt verhielt — der Zufall des Reichtums; denn eine Aristokratie des Geldes ist eine vertauschbare Zufallsaristokratie" (Krull 259).

So sehr echte Vornehmheit letztlich vom Gelde unabhängig bleibt, sie sollte doch nach Möglichkeit mit Geld verbunden sein, da es „materielle Sorglosigkeit" ist, die den Boden ausmacht, „auf dem höhere Menschlichkeit, nervöse Kultur gedeihen" (Betr 453). Wenn damit manches von einer möglichst vollkommenen „Übereinstimmung der persönlichen und der sozialen Rangordnung" abhängt (Betr 250), so ist es beruhigend, mit Felix Krull zu wissen, „daß Mensch und Umstände in einiger Zeit einen leidlichen Akkord eingehen ..." (Krull 156).

---

[99]) Vgl. das Beispiel des Seifensieders Unschlitt KH 162.

b) Unterscheidung des beiderseitigen Wohnstils: Der Stil der Einrichtung als Ausdruck menschlichen Wertes

1. Der fürstliche Stil der Repräsentationsgemächer: Das Haus als Palast und Tempel

Die „Wertveränderungen, Entwertungen und Überwertungen" (LW 66) erfassen nicht allein das Personal unserer Texte, sie sind für die Raumbeschreibungen gleichermaßen charakteristisch. Ein Vergleich des beiderseitigen Wohnstils etwa zeigt die nämlichen Tendenzen am Werk.

Vieles haben die Patrizierhäuser vom Charakter einstiger Schloßbauten übernommen. Schon ihren äußeren Dimensionen nach erinnern sie an die Raumverschwendung fürstlicher Paläste. Der Treppenaufgang zur Beletage, der das Beiwort des ‚Königlichen' namentlich in der Fischergrube verdiente (s. auch Krull 231/32), hat die prunkvollen Treppenhäuser barocker Schlösser zum Muster.

Die Dekoration der Gemächer ist dem gleichen Vorbild verpflichtet oder direkt aus den Prunksälen fürstlicher Paläste überkommen. Da zeigt der Speisesaal der Aarenholds über der Holztäfelung Gobelins mit Boiserien (s. Erz 382) und Schäfer-Idyllen aus dem achtzehnten Jahrhundert, die gleichen Szenen also, die uns von den Tapeten des Landschaftszimmers in der Mengstraße her vertraut sind. Eigens (und das heißt doch wohl: voller Stolz) wird die Herkunft dieses Wandschmucks erwähnt, wonach Täfelung wie Gobelins „vorzeiten ein französisches Schloß geschmückt hatten..." (Erz 383). Kindliche Freude ergreift den Helden der „Bekenntnisse" beim Anblick seines luxuriösen Lissabonner Appartements, der „hohen, in vergoldete Leisten eingefaßten Stukkatur-Felder, die ich immer der bürgerlichen Tapezierung so entschieden vorzog und die, zusammen mit den ebenfalls sehr hohen, weißen und mit Gold ornamentierten... Türen, dem Gemach ein ausgesprochen schloßmäßiges und fürstliches Ansehen verliehen" (Krull 323/24). Und wieder fühlen wir uns an die weiten und hohen stukkatierten Prunkgemächer in Mengstraße oder Fischergrube erinnert.

Auch die relativ sparsame Möblierung und die Gewohnheit, die einzelnen Räume statt nach ihrer Bestimmung nach Art der Dekoration zu benennen (vgl. S. 24/25), ist der höfischen Sphäre entlehnt. Ausgestattet mit Möbeln des nämlichen historischen Stils (Empire), mit Kandelabern, Kaminen und thronähnlichen Armstühlen, unterscheiden sich die Gesellschaftsräume bei Buddenbrooks[100] kaum noch von der Einrichtung fürstlicher Gemächer,

---

[100]) Vgl. KH 239, wo die luxuriöse Einrichtung des Spoelmann'schen Hauses in allen Stücken an die Repräsentationsräume des Alten Schlosses erinnert.

wie wir sie in der Welt Klaus Heinrichs oder aus Anlaß der Audienz beim König von Portugal (s. Krull 379) kennenlernen.

In palastähnlicher Umgebung führt man ein fürstliches Leben, ein Leben der Repräsentation. Mit einer fast unheimlich anmutenden Zähigkeit sind die ersten Familien der Stadt, und natürlich auch die Buddenbrooks, dem Willen zur Repräsentation verschworen. Nun ist ein solches Dasein zwar glanzvoll, aber darum nicht eben leicht[101], denn die Verpflichtung zu repräsentieren besteht den ganzen Tag und erfaßt den ganzen Menschen. Alles ist nun öffentlich[102]. Selbst die geheimnisvollsten Vorgänge menschlichen Lebens, Geburt und Tod, Ereignisse, die sich für unser Gefühl ganz in der Stille vollziehen sollten, werden alsbald ins Öffentliche gezogen und im Fest der Taufe und den Feierlichkeiten des Begräbnisses zur Schau gestellt (vgl. Hannos bzw. Klaus Heinrichs Taufe; Thomas' Begräbnis sowie die Vorgänge nach Ableben des alten Hans Lorenz Castorp).

Was unter diesen Umständen immer wieder zu kurz kommt, ist die private Seite, der intime Bereich. Freilich sind Intimität und Behaglichkeit bürgerliche Bedürfnisse. Höfische Welt kennt dieses Verlangen so wenig wie ein großbürgerlicher Lebensstil, dem es um möglichst vollständige Adaptierung dieses seines Vorbildes zu tun ist. Wie sehr der Erzähler den Geboten der Repräsentation Rechnung trägt, zeigt die ängstliche Sorgfalt, mit der er seinen Lesern den Zugang zu den Räumen des zweiten Stocks verwehrt. Wenn wir da, wo Schlafzimmer und Ankleidekabinette liegen und die Sphäre des Intimen beginnt, gleichsam mit verbundenen Augen umhertappen, dann besagt das nichts anderes, als daß wir die Zeit des Tages, die die Akteure dort verbringen, aus unserer Vorstellung wegzudenken haben, daß sie für uns erst zu existieren beginnen, sobald sie die Repräsentationsgemächer betreten[103].

---

[101]) Die Schwierigkeiten repräsentativer Lebensführung zu kennzeichnen, gebraucht Thomas Mann Vokabeln wie ‚Unerbittlichkeit' und ‚Strenge', nennt er die Repräsentationsräume „strenge Stätten eines darstellerischen Kultes" (KH 115), spricht er von dem hohen und angespannten Dienst, der in dieser Umgebung zu leisten sei (s. KH 60).

[102]) Unter den Frauen unseres Romans ist die Konsulin die repräsentative Erscheinung par exzellence, die Frau, die sich gehalten fühlt, noch den privatesten Bereich in eine repräsentative Szene zu verwandeln. Als der Konsul das Schlafzimmer des Zwischengeschosses betritt, empfängt ihn statt der Wöchnerin — die Geburt der kleinen Klara ist unmittelbar voraufgegangen — die große Dame „in einer eleganten Spitzenjacke, das rötliche Haar aufs beste frisiert ...". Wir beobachten, wie sie ihrem Gatten die schöne Hand entgegenstreckt, „an deren Gelenk auch jetzt ein goldenes Armband leise klirrte" (B 60).

[103]) So wenig wir uns die Akteure in privater Umgebung denken sollen, so wenig können und dürfen wir sie uns bei der Arbeit vorstellen. Übrig bleibt das Bild einer dem Behagen wie der Nützlichkeit gleichermaßen fremden Daseinsform (s. RuA 372).

„Sonntag und Feierernst" herrscht in diesen Höhen (KH 59), in den Räumen der Beletage beginnt die Welt des permanenten Festes. Höhere Menschenart ist immer zugleich festlichere, zum Festefeiern berufene Menschenart. Sie „versteht sich auf Lebensfeste; ... versteht sich sogar auf das Leben als Fest ..." (AdG 499). Der Sinn eines Festes aber ist, nach Thomas Manns Worten, „Wiederkehr als Vergegenwärtigung", seine Form „eine feierliche Handlung, die sich abspielt nach geprägtem Urbild", seine Wirkung die (mythische) Aufhebung der Zeit (AdG 518).

Was in den Festen unseres Romans wiederkehrt, ist die versunkene Epoche monarchischer Regentschaft. „Da es aber die Zeit der Könige nicht mehr ist, war er selbst ein König, und sein Leben war ein Fest, dekorativ, reich ..., von geschmackvollem Prunk, und es wußte sich königlichen Glanz zu erhalten ..." (AuN 410). Diese Worte aus der Gedächtnisrede auf Max Reinhardt, ließen sie sich nicht mit gleicher Berechtigung etwa auf die Gestalt des alten Lebrecht Kröger anwenden? Wie er beim Fest der Hauseinweihung am oberen Ende der Tafel thront, gewinnt er regelrecht herrscherliches Ansehen, wird das festlich geschmückte und erleuchtete Haus augenblicksweise zum königlichen Palast.

Noch eine weitere Identifikation ist verstattet: Die Mehrzahl der geschilderten Feste hat den Eßsaal des Mengstraßenhauses zum Rahmen. Hier, „im Kreise der weißen Götterfiguren" (B 463), „umgeben von den ruhevoll lächelnden Götterstatuen" (B 543)[104], findet man sich zu festlicher Tafelrunde zusammen[105]. Wenn im Schein der Kerzen die weißen und stolzen Figuren zwischen schlanken Säulen fast plastisch hervortreten, gewinnt es den Anschein, als würde der mythologische Reigen lebendig, als stiegen die gemalten Genien von ihren Sockeln herab, um sich unter die Tischgesellschaft zu mischen. Vergleiche in umgekehrter Richtung, ja die Gleichsetzung von Mensch und Bild werden mehrfach nahegelegt (s. B 51; 261). In solchen Augenblicken mythischer Identifikation weitet sich der Saal, der eben noch ein Königspalast schien, mit den Säulenreihen der Tapete zum Tempel (vgl. seine Bezeichnung als „Speisetempel" B 316).

2. Die Banalität bürgerlichen Wohnstils

Dieser Verklärung gegenüber muß der bürgerliche Wohnstil sich eine Reihe von Abwertungen gefallen lassen. Wo die bürgerlichen Tugenden der Nüchternheit und Sparsamkeit regieren, bleibt von aller verschwenderischen Fülle, allem Luxus der Ausstattung nichts zurück als dürre, nackteste

---

104) Vgl. B 94; 105; 555; 609.

105) Der himmelblaue Grundton der Tapete wie der Hinweis, daß dem kleinen Hanno der Weihnachtsabend dort „schnell wie im Himmelreiche" vergeht (B 563), lassen die Vorstellung elysischer Gefilde aufkommen.

Sachlichkeit und nüchternste Zweckbestimmung. Ein Auge freilich, das an höfischen Glanz gewöhnt war, wird an so verwandelter Umgebung wenig Reizvolles finden. Vielmehr muß die Einrichtung alltäglicher, schlicht bürgerlich möblierter Räume vergleichsweise nichtssagend und ‚banal' (s. Z 364) wirken[106].

V. Ausfall alles Mittleren und Gemäßigten

a) im Bereich des Menschlichen

Der Charakter einer sozialen Gruppe bestimmt sich weniger nach ihren extremen, ihren ersten und letzten Gliedern als an Hand ihrer mittleren und exemplarischen Vertreter. So vermissen wir bei Thomas Mann mit dem mittleren Bürgertum die Welt des dritten Standes überhaupt. Dessen Lebensrahmen zu zeigen, hätte sich im Verlauf des Romans genügend Anlaß geboten. Die wohl nächstliegende Gelegenheit war mit der Person Gotthold Buddenbrooks gegeben. Der erste Sohn Madame Antoinettes ist auch nach seiner Mißheirat keineswegs mittellos. Wohl führt er mit den Seinen nicht eben ein herrschaftliches Dasein, aber seine Verhältnisse sind bei aller Bescheidenheit doch nichts weniger als ärmlich. Trotzdem oder gerade deshalb würdigt der Erzähler seine Wohnung in der Breiten Straße kaum eines Wortes, bekommt man ihn oder seine Töchter höchstens in den Häusern ihrer reichen und mächtigen Verwandten zu Gesicht.

Außer der Scheidung zwischen vornehmer und geringer Substanz, zwischen ‚feudal' und ‚volkstümlich', ‚Adel' und ‚Pöbel' gibt es im Bereich des Menschlichen keine Antithesen von Belang. Deren Spuren freilich lassen sich überall im Werk Thomas Manns verfolgen. Wie er dies für Schopenhauer erkannt hat, tritt auch sein Aristokratismus „hundertfältig und bei jeder Gelegenheit" hervor (Betr 124). Seinen Gestalten ist der Glaube an die gottgewollte Verschiedenheit der Menschen eingeboren. Es gibt hierarchisch geordnete Lebenskreise, der Stand des Soldaten (s. Krull 126) oder des Klerikers gehören dazu, in denen der „Sinn für menschliche Rangordnung untrüglich und feiner als sonst ausgebildet ist (Krull 77).

Hierarchischen Stufungen kann man selbst außerhalb des Menschlichen, in Tier- und Pflanzenwelt begegnen. Unter den Tieren gilt der „edle Löwe" (AdG 558) als Königskatze[107] (im Unterschied zur gemeinen Hauskatze),

[106]) Vgl. Krull 356, wo die Bezeichnung ‚bürgerlich' — zumal der Vergleich zu ‚fürstlicher' Umgebung gezogen wird — erneut kaum anders als abwertend zu verstehen ist.

[107]) In dieser Bedeutung kann sein Emblem nächst der Krone zum Symbol des Königlichen werden (s. B 287; 452). Namentlich unter den Stilmöbeln (Empire

wird der Hirsch, dem das Geweih etwas „‚vom König des Waldes'" verleiht, gelegentlich einer gekrönten Kuh verglichen (Krull 345), der Adler als „‚Jupiters Vogel, der König seines Geschlechtes, der Leu der Lüfte!'" apostrophiert (Z 842). Endlich ließe sich unter den vom Dichter so sehr geschätzten Hunden eine Reihe edler Rassetiere dem Rudel gemeinster Dorfköter entgegenhalten, neuerlicher Beleg für den überall wirksamen Distanz-Kultus (s. Betr 473) des Erzählers.

b) Aufeinanderprallen heterogener Stiltendenzen im repräsentativen Arbeitsraum

Wie es im Bereich des Menschlichen nichts Mittleres gibt zwischen erlesener und gemeiner Substanz, Hoch- und Niedriggeborenen, läßt sich außer der Summe fürstlicher und banal bürgerlicher Gemächer keine dritte Gruppe nachweisen, die man als Übergang oder Bindeglied zwischen den Extremen ansprechen könnte. Somit war die Auswahl unsrer Beispiele alles andere als zufällig. Landschaftszimmer und Eßsaal auf der einen, das Bureau des Schwarzkopf'schen Häuschens auf der anderen Seite sind im Rahmen unseres Romans nur die deutlichsten Ausprägungen zweier Typen von Binnenräumen, denen wir immer und überall begegnen werden: des repräsentativ festlichen, luxuriösen und des gewöhnlich alltäglichen Binnenraums[108].

Da, wo der Erzähler nicht gehalten ist, die private und intime Sphäre seiner Figuren mit Stillschweigen zu umgehen, im „Zauberberg" oder „Felix Krull" etwa, wo wir eingeführt werden in die Schlaf- und Ankleidezimmer, die uns bislang verschlossen blieben, stoßen wir auf die gleiche Unterscheidung. Hier: luxuriöse Schlafgemächer, „parkettiert, mit großem Perserteppich, Kirschholzmöbeln, blitzendem Gerät auf dem Toilettetisch" und breiter, mit gestepptem Atlas bedeckter Messingbettstatt (Krull 198. vgl. Z 818/19); dort: spartanisch anmutende Gelasse ohne Licht und Luft, die außer schmalen und schmutzigen Betten, außer ein paar offenen Wandborten und schäbigen Waschgestellen keinerlei Bequemlichkeit auf-

---

als Stil einer monarchischen Zeit!) zählt das Motiv des Löwenkopfes zu den gebräuchlichsten Verzierungen (s. B 9. KH 69; 239 u. a.).

[108]) Erst aus solcher Typisierung leiteten wir das Recht ab, auch vereinzelten Beobachtungen allgemeine Gültigkeit beizulegen. — Bei aller Betonung gemeinsam-typischer Merkmale sollen gelegentliche Rangunterschiede hüben wie drüben keinesfalls geleugnet werden. So ist etwa bei den Großeltern Kröger „alles immer noch um zwei Grade prächtiger" als in Tonys Elternhaus (B 62), und auch die Einrichtung des Stadthauses des Senators wirkt vergleichsweise luxuriöser. Andererseits besteht ein Gefälle von der Ausstattung der Zimmer im Hause Schwarzkopf zu der jener ärmlichen Gelasse unter den Dächern, an den Hinterhöfen der großen Mietshäuser.

weisen und ihrer ganzen Physiognomie nach so sehr verschieden sind von jenen prächtigen Kabinetten, daß ein größerer Gegensatz schlechterdings nicht gedacht werden kann.

Wir lernen palastartige Hotels kennen (s. Krull 150; 323) und uns in schlechten Absteigequartieren aufhalten (s. Krull 89), und wenn wir gelegentlich das Hausinnere verlassen, dann nur, um mit den Akteuren in wunderbar vornehme Fuhrwerke, blitzblanke Viktorias, Phaetons und mit Seide ausgeschlagene Coupés (s. Krull 404; 129/30. Erz 397) zu steigen — oder uns einer jener plumpen, heranwackelnden Droschken anzuvertrauen, deren schäbige Kissen einen nachhaltigen Eindruck von der grausamen Pflasterung der Straße vermitteln (s. Krull 136).

Auf längeren Reisen rollt man „wohl installiert in einem spiegelgeschmückten, grau-plüschenen Halbcoupé erster Klasse“ (Krull 297. vgl. Erz 420) seinem Ziel entgegen — oder man fährt vierter Wagenklasse auf ratternden und stolpernden Rädern, in einem „aus mehreren ineinandergehenden Abteilen bestehenden Waggon ... mit gelben Holzbänken“ (Krull 142) als „Fahrtgenosse der Unerquicklichkeit ...“ (Krull 143; vgl. 105).

Einzig „Königliche Hoheit“ scheint in der antithetischen Zuordnung weniger konsequent zu sein, wohl darum, weil der Dichter, sobald er sich in Schlössern und unter Figuren bewegt, deren adlige Abkunft den deutlichsten Hinweis liefert auf die ihnen zugedachte substantielle Vornehmheit, am ehesten all das schildern darf, was zuvor um der Reinheit und Geschlossenheit des Milieus willen unterdrückt werden mußte. So gelingt uns, wenn nicht in die Kontore des Mengstraßenhauses, wenigstens ein Blick in das Arbeitszimmer des Alten Schlosses.

Wo es sich um den Arbeitsraum eines Fürsten handelt, wird bei aller Nüchternheit das repräsentative Moment niemals ganz fehlen. Um so eher müßte sich hier der Gedanke eines Ausgleichs zwischen diesen bislang unversöhnlichen Prinzipien realisieren lassen. Ob und wie weit die Gelegenheit dazu genutzt ist, mag die Sammlung und Vergleichung aller charakteristischen Details ergeben:
Seinen Dimensionen nach gehört das großherzogliche Kabinett in die Reihe der Repräsentationsgemächer. Dekoration (rotseidene, in vergoldete Leisten gefaßte Tapeten, weinrote Fenstervorhänge; roter Teppich; Deckenmalerei) und Teile der Ausstattung, darunter die großen, gesteppten Sofas, der Empire-Kamin, die deckenhohen, goldgerahmten Spiegel zu weißen Marmorkonsolen bestätigen diesen Eindruck.

Arbeitsmäßiges Gepräge erhält der kleine Saal an Hand von Schreibsekretär und Büchertisch. Mit ihnen dringt jener sachlich nüchterne Geist, den wir aus Schilderungen alltäglicher Räume kennen, ein in festlich prunkvolle Umgebung. Der frei im Raum stehende Sekretär erweist sich bei näherem Zusehen als eines jener schmalen, unbequemen Stehpulte, an denen zu arbeiten man nur so asketischen Naturen wie der des Literaten Settembrini zumuten möchte. Mit der Aufstellung des Tisches ist das Prinzip der Unsachlichkeit, soweit es die Anordnung des Mobiliars betrifft, durchbrochen. Vor eines der beiden Sofas gerückt, ergibt diese Zusammenstellung einen weiteren Arbeitsplatz. Der nüchtern weiße, dabei überaus häßlich ornamentierte Kachelofen kann seinen Zweck als Wärmespender nur erfüllen, indem er (anders als der gleichfalls vorhandene falsche Kamin) erneut gegen jene hohe Forderung verstößt. Im Widerstreit von Zweckdenken und Repräsentationsbedürfnis gewinnt der Saal abwechselnd nüchtern-unsinnliches oder luxuriös-üppiges Gepräge. Er wirkt damit in höchstem Grade uneinheitlich. Die ganze Unvereinbarkeit beider Tendenzen bricht auf im Blick auf die Marmorkonsolen, „von denen die rechte eine ziemlich lüsterne Alabastergruppe", die linke dagegen nüchternerweise „eine Wasserkaraffe und Medizingläser" trägt (KH 163. vgl. Z 576). In versteckterer Form kommt sie in der Stellung des schmächtigen Stehpults auf rotem Teppich, in der Erwähnung der roten Plüschdecke des Arbeitstisches zum Ausdruck.

Ferner rivalisieren in der Einrichtung des Saales zwei sehr unterschiedliche Stilarten miteinander. Während ein Teil der Möbel im geschichtlichen Stil des Schlosses gehalten ist, läßt die andere Hälfte entschieden neuzeitlichen Geschmack erkennen, d. h. diese Stücke sind weniger steif, streng und unwohnlich als das Empiremobiliar. Zugleich entspricht der ältere Stil ziemlich genau dem Ideal hoher Unsachlichkeit, wogegen der jüngere das luxuriöse Moment mit der Forderung nach Behagen und Wohnlichkeit zu verbinden weiß (s. KH 298). Die Antithesen historisch[109] — modern, steif — bequem, unsachlich — zweckmäßig, unwohnlich streng — traulich treffen aufeinander, wenn ausgerechnet vor dem falschen Kamin ein „Halbkreis von kleinen modern gesteppten Plüschsesseln ohne Armlehnen" angeordnet ist (KH 163).

Mochte es einen Augenblick scheinen, als könnten die bestimmenden Tendenzen beider Raumtypen hier verschmelzen und zu neuer Form vereinigt werden, so zeigt sich nur zu bald, daß diese Möglichkeit des Ausgleichs ungenutzt vertan worden ist. Im Gegenteil, der Erzähler nimmt die Gelegenheit zum Anlaß, Gegensätze, die er sonst an Hand mehrerer Beispiele getrennt entwickeln und mühsam aufeinander beziehen muß, einmal auf engstem Raum und in aller Schärfe aufeinander prallen zu lassen (vgl.

[109]) Diesen Akzent unterstreicht die Antike, die „von einem Pfeilertischchen herab ... mit toten Augen" ins Zimmer blickt (KH 163).

dazu Z 556/57). Zurück bleibt der Eindruck eines außerordentlich unwohnlichen[110] und widerspruchsvollen Raumes (s. KH 163)[111].

Der Wille zum Kontrast ist überall manifest, in der Beschreibung eines einzelnen Raumes ebenso wie in der Beschränkung und Pointierung der Interieurs auf zwei konträre Typen, in der Konzentration des Milieus auf zwei in aller Gegensätzlichkeit einander ausschließende, in ihrer Einseitigkeit sich bedingende Lebenskreise. Er offenbart sich am eindrucksvollsten angesichts einer Wirklichkeit, die dem Bedürfnis nach entschieden polarer Struktur nicht von vornherein entspricht und erst des Zurechtrückens und (antithetischen) Aufbereitens bedarf, um als Stoff ergriffen und gestaltet werden zu können.

Zusammenfassung: Die Tendenz zur Weltentzweiung und die einseitige (ästhetische) Beurteilung beider Welthälften

Es wäre in diesem Augenblick, da die Betrachtung der Außenwelt noch aussteht, verfrüht, nach den Wurzeln und der Bedeutung dieses Extremismus zu fragen. Was freilich den ‚Realisten' Thomas Mann schon längst hätte verdächtig machen sollen, ist die Bewertung seiner Hemisphären, genauer gesagt, die Abwertung der Alltagswirklichkeit. Das Urteil ‚häßlich', einst ihrer massiven Sachlichkeit wegen gefällt (vgl. S. 38), es darf künftig noch sehr viel allgemeinere Gültigkeit beanspruchen. Wo immer Wirklichkeit nichts ist als sie selbst, wo sie sich unverhüllt zu erkennen gibt, da erscheint sie unschön[112].

Verräterisch ist schon die Bezeichnung ihres eigentlichen Zustandes als ‚Nacktheit' und ‚Blöße', was mit logischer Konsequenz ein Bedeckt- oder

---

[110]) Parademäßige Anordnung und Schadhaftigkeit des Prunks (zersprungene Deckenmalerei, zugige Fensterfront) wirken in derselben Richtung.

[111]) Wie für den Binnenraum scheint im Bereich der Natur alles Mittlere und Gemäßigte zugunsten extremer Ausprägungen ausgeschlossen zu sein. Und Bauschans Jagdrevier, die Waldregion am Fluß, ist sie nicht Mitte, der Lage sowohl wie der Sache nach, Verbindungsstück zwischen Fluß und Hang, Landstrichen also, in denen man die Großformen des Meeres und des Gebirges in nuce wiedererkennen kann? Die ländliche Idylle indes, der gemäßigte Landstrich, auch er fand sich, wie wir sahen (vgl. S. 15/16), zersetzt und gespalten in eine Unzahl antithetischer Entsprechungen. Wie mit dem repräsentativen Arbeitszimmer keineswegs das Mittelglied gefunden war zwischen Fest- und Alltagsraum, so wenig darf man die kleine, die ‚normale' Natur als das Mittlere ansprechen zwischen den Extremen. Von aller scheinbaren Mitte bleibt wiederum nichts als ein schmaler Grat zwischen unvereinbaren Gegensätzen, alles Gemäßigte verflüchtigt sich erneut unter dem Zwang zu räumlichem und geistigem Auseinanderrücken.

[112]) Wir werden die ästhetische Verurteilung zu vertiefen und durch ein moralisches Verdikt (s. S. 122/23) zu ergänzen haben.

Verhülltwerden zur Bedingung macht. Den nackten Grundriß[113] zu verdecken, ist in den repräsentativen Interieurs die ganze Pracht der Dekoration aufgeboten. Im beständigen Überspielen öder Sachlichkeit, in der Ausstattung mit einer Vielzahl von schönen Dingen gewinnen sie jenen Grad ästhetischer Vollkommenheit, die ihr alltägliches Pendant so sehr vermissen läßt. Tonys Eltern bewohnen erklärtermaßen „das schönste alte Haus der Stadt" (B 90), und ebenso wird der spätere Neubau des Senators als „das schönste Wohnhaus weit und breit" bezeichnet (B 440). — Ähnlichen Versuchen verschönernden Korrigierens begegnen wir außerhalb geschlossener Räume. Wohin Klaus Heinrich kommt, überall „auf den Stätten seiner Berufsübung" herrscht „eine ebenmäßige, bestandlose Ausstattung, eine falsche und herzerhebende Verkleidung der Wirklichkeit aus Pappe und vergoldetem Holz, aus Kranzgewinden, Lampions, Draperien und Fahnentüchern ... hingezaubert für eine schöne Stunde, und er selbst stand im Mittelpunkte des Schaugepränges auf einem Teppich, der den nackten Erdboden bedeckte, zwischen zweifarbig bemalten Masten, um die sich Girlanden schlangen ..." (KH 169)[114].

Hinter allem Verschönerungskult, der hier getrieben wird, verbirgt sich das stumme Eingeständnis der einen Tatsache, daß die Welt es nötig hat, verschönt und erhoben zu werden, ein Faktum, dessen Bewußtsein, wie wir sahen, jenes volkstümliche Bedürfnis nach Erhebung entsprang. Das Theater als Institution, dies Verlangen zu sättigen, erscheint nun vornehmlich als Stätte idealischer Vollendung und reiner Schönheit[115].

Umgeben von bühnenmäßiger Idealität und Schönheit leben die Helden unseres Romans. Verblüffend ist jedesmal die Konsequenz und Zähigkeit, mit der die häßliche Seite des Lebens gemieden oder ignoriert wird. Alles Unschöne ist aus ihrem Gesichtskreis verbannt, jedes gemeine Wort verpönt (s. B 397)[116]. Sofern es häßliche Dinge gibt auf Erden, und es gibt deren eine ganze Menge, ist man ängstlich bemüht, sie totzuschweigen. „,Man

---

[113]) Vgl. Nacktheit und Kahlheit der Zone jenseits des Festbereichs B 135; 655. KH 169.

[114]) Auch die Menschen Thomas Manns können verschönernder Mittel wie Parfüms, Puder, Schminke nicht entraten, vgl. etwa Thomas Buddenbrooks Bemühen um jugendfrisches Aussehen, das mit den Jahren etwas vom Maskemachen eines Schauspielers annimmt B 637. Unwillkürlich hat man Krulls Begegnung mit dem abgeschminkten Schauspieler-Sänger Müller-Rosé vor Augen. In der Enge der Garderobe, da Licht und Entfernung fehlen, Fett und Schminke abgenommen, das Individuum des schönen Scheins entkleidet ist, bleibt von dem bezwingenden Herzensbrecher Rosé nur der abscheuliche, ekelerregende Müller zurück. Der Blick hinter die Kulissen ins Antlitz der Wirklichkeit beschert uns einen Anblick „von unvergeßlicher Widerlichkeit ..." (Krull 38. vgl. B 170).

[115]) s. B 729/30; 738. Erz 109 f; 340. Krull 33; 40 f. AdG 555.

[116]) Vgl. das gänzlich Ungehörige und Stilwidrige, das Rede und Gebaren des Hopfenhändlers in die Räume des Mengstraßenhauses bringen B 343/44; 347.

vertuscht es. Man braucht nichts davon zu wissen'" (B 284). Es ließe sich zeigen, wie diese Lebensmaxime der Konsulin, die mit einem ‚assez', einer flüchtigen Bewegung der Hand die häßlichen Züge des Daseins von sich abweist, anfangs von Gerda, später von Hanno getreulich übernommen wird (vgl. deren Verhalten B 550; 552). Wo die Berührung mit der häßlichen Alltagswelt unvermeidlich ist, im Geschäftsleben etwa, da entschädigt man sich „für seine auf dem Kontorbock seßhaft verbrachten Tage" an festlicher Tafel „mit schweren Weinen und schweren Gerichten..." (B 324)[117].

Die Vermutung liegt nahe, daß solche abwehrende Haltung einer geheimen Schwäche entspringt, der Unfähigkeit nämlich, den Anblick ungeschminkter Wirklichkeit ohne Schaden zu bestehen (s. B 729/730). Die Welt kann am Ende nur mehr im Zustand ästhetischer Verklärung ertragen werden. So gesehen bedeuten die schönen Zimmer Refugien, in die man sich zurückzieht vor der in rohem, unverschöntem Zustand als häßlich empfundenen Wirklichkeit.

Die Frage ist, ob der Autor in diesem Punkte wesentlich anders reagiert als seine Geschöpfe. Ist nicht auch ihm ein „so durstiger wie verletzlicher Schönheitssinn" zu eigen? (Krull 143) Hat er nicht vom Dichtertum, von der Kunst allgemein behauptet, sie sei „Harm von Natur, Produkt der Sensibilität, des Leidens am Groben, Schweren, Rohen, Häßlichen der Welt...?" (Nachlese 222) Wir möchten meinen, daß das Verhältnis zur Wirklichkeit, das aus solcher Äußerung spricht, zu heikel, der Schönheitssinn, der hier vorausgesetzt wird, zu empfindlich ist, um realistisch genannt werden zu können.

[117]) Gleichfalls als „Entschädigung und Belohnung" für die zahnärztlichen Torturen erhält Hanno die Erlaubnis zu einem ersten Theaterbesuch (B 553; vgl. 728).

B. TENDENZEN DER STOFFAUSWAHL

I. Bevorzugen ‚starker' Wirklichkeit

a) Das ‚Pathologische' der Stoffwahl

Bezeichnend ist (nächst der Art der Behandlung) die Auswahl der Stoffe und Themen, daran sich Thomas Manns Produktivität entzündet. Er hat nicht den geschäftlichen Alltag gezeigt und nicht den privaten, die Ehe, oder höchstens Zerrbilder davon (s. Tonys Hamburger und Münchner Eskapaden). Erst wo das Zusammenleben zweier Menschen problematisch wird, wie mit den Jahren bei Thomas und Gerda, erwacht sein Interesse (s. B 667 ff). — Nichts ist für die hoheitsvollen Gestalten schwerer, als auf angemessene Art glücklich zu werden (s. KH 148). Das Bemühen darum führt zu Mesalliancen (Gotthold Buddenbrook) oder endet im Verzicht, in Einsamkeit[118] und innerer Leere. Liebe — man begegnet ihr in Thomas Manns Werk einzig als Sehnsucht oder als Ausschweifung. Statt der legalen rücken verbotene, pervertierte Beziehungen in den Vordergrund: die Liebe zur kranken Frau (Castorp — Madame Chauchat), das Verlangen zum Partner des eigenen Geschlechts („Tod in Venedig"), inzestuöses Begehren („Wälsungenblut", „Der Erwählte").

„Buddenbrooks", des Dichters Anfang, spielen vor heimatlicher Kulisse — in den Josephsromanen ist die Handlung ins ferne Ägypten[119] verlegt. Bleibt der „Zauberberg" noch ein Zeitroman, die Geschichten um Joseph schildern eine ferne Zeit, ein versunkenes Stück Menschheitsgeschichte[120]. Beides, das Erlebnis räumlicher wie zeitlicher Ferne, wird dem Leser der „Bekenntnisse" zuteil. Ihr Held spricht aus sozial entlegenen Sphären zu uns: Die Welt, sie erscheint in dieser Lebensbeichte gesehen aus der Perspektive eines Hochstaplers und Kriminellen.

Es ist der Mensch, der für Thomas Mann unbestritten im Mittelpunkt künstlerischen Interesses steht, im Frühwerk (und zuletzt noch im „Faustus")

---

118) Vgl. das Heer der Einsamen und abseits Stehenden in den Büchern Thomas Manns.

119) Vgl. die „indische" Legende „Die vertauschten Köpfe".

120) Die Ereignisse der mittelalterlichen Gregoriuslegende liegen immerhin mehr als 700 Jahre zurück.

das Talent, der Künstler. Wo aber Talent an sich schon etwas Ungewöhnliches, „‚eine Sonderbarkeit'" ist (Krull 29. vgl. Erz 298/99. RuAeI, 493), wird man in seinem Gefolge eine Menge leib-seelischer Besonderheiten und Abnormitäten erwarten dürfen. Nicht dem durchschnittlich-normalen, dem solchermaßen besonderen Menschen gelten des Dichters uneingeschränkte Sympathien: Zu den „hohen" gesellen sich die „elenden" Sonderfälle (KH 90. vgl. das Beispiel Tobias Mindernickels und Lobgott Piepsams), außerordentliche Schicksale, die ihre Träger bei aller sozialen Deklassiertheit aus der gemeinen Menge herausheben.

Unter dem Einfluß Schopenhauers (s. AdG 342/43) und Nietzsches (s. AdG 501/02)[121] ist das Interesse am Menschen vorwiegend psychologischer Natur. Geschrieben in psychologischer Prosa (s. AuN 293), sind die „Buddenbrooks" der Roman, dessen „tiefstes Anliegen" eingestandenermaßen „Psychologie, und zwar Psychologie ermüdenden Lebens, die seelischen Verfeinerungen und ästhetischen Verklärungen war, welche den biologischen Niedergang begleiten" (AuN 567). Wo aber Psychologie ist, so hören wir, „da ist auch das Pathologische schon; die Welt der Seele ist die der Krankheit ..." (AuN 156). Sollte der Mensch nur darum so sehr in den Vordergrund gerückt sein, um dem Psychologen Gelegenheit zu schaffen, „in finster-verzweifelten Einblicken in das törichte Menschenherz" zu schwelgen? (AuN 208)[122]. Das Wort vom „‚unanständigen Psychologismus'" (Betr 20), verbunden mit dem Hinweis, es gebe „nichts Irdisches, worin sich nicht durch ‚psychologische Analyse' Erdenschmutz entdecken ... ließe" (Betr 191/92), mag in diesem Zusammenhang wie ein Eingeständnis klingen.

Zu den Krankheiten der Seele gesellt sich der Verfall des Körpers, tritt das Häßlich-Abnorme in Gestalt von Krankheit und Körperelend. An der naturalistischen Schule bewundert der Dichter die „Neigung, das Menschliche in Gestalt der Krankheit zu sehen" (AuN 355), eine Vorliebe, die wie kaum etwas sonst kennzeichnend ist für seine eigene Produktion, über deren Lektüre fürwahr Zweifel aufkommen, ob „‚Mensch' und ‚vollkommene Gesundheit' überhaupt Reimworte'" sein mögen (Z 273).

Nur zu häufig erwächst aus physischem Unwohlsein ernstliche Krankheit, ist diese nur Maske und Kleid, dahinter Antlitz und Gestalt des Todes sich verbergen (s. B 783). Der Tod ist überall gegenwärtig in unserm Roman. Versuchen wir nur, uns darauf zu besinnen, wer alles auf diesen rund achthundert Seiten stirbt. Es sind alle männlichen Träger des Namens Buddenbrook mit Ausnahme Christians: der alte Johann (s. B 75), Konsul Jean (s. B 257/58), sein Stiefbruder Gotthold (s. B 284 u. 286), Senator

[121]) Auch der Name Dostojewski fällt in diesem Zusammenhang (s. Betr 36).

[122]) „Unordnung und frühes Leid" schildert zu den seelischen Verwirrungen die Unordnung einer ganzen aus den Fugen geratenen Zeit.

Thomas (s. B 711) und zuletzt Hanno (s. B 785). Von den Frauen fehlen Madame Antoinette (s. B 74)[123], die Konsulin (s. B 590), die Witwe Gottholds (s. B 721), schließlich Klara (s. B 448)[124]. Aus der näheren Verwandtschaft vermissen wir Lebrecht Kröger (s B 204), dessen Gattin (s. B 245) sowie den einzigen Sohn Justus (s. B 722). Weiter sterben Pastor Wunderlich (s. B 77), Hoffstede, der Poet (s. B 189), James Möllendorpf (s. B 421/22), Peter Döhlmann, Madame Kethelsen (s. B 721). Der Gatte Armgard von Schillings begeht Selbstmord (s. B 641), und selbst Hinrich Hagenströms gemeine Lebenstüchtigkeit ist kein Hindernis, ihn des Todes für würdig zu befinden (s. B 247). Fürwahr ein makabrer Reigen, der den Eindruck hinterläßt, als sei die Schar der Lebenden am Ende geringer als die der Toten.

Bezeichnender noch als diese Häufung von Todesfällen ist die Art und Weise ihrer Behandlung. Krankheit und Tod haben den Dichter als geistiges Problem wie als körperlicher Vorgang beschäftigt[125]; hat es doch mit dem Sterben nicht nur eine „fromme, sinnige und traurig-schöne... Bewandtnis" (Z 40), sondern ebensowohl eine „fast unanständige, niedrig körperliche..." (Z 41). Zwar kennt der Tod tausend Erscheinungsformen, doch ist er da, wo er „jede Maske und Erscheinung" verschmäht und „unmittelbar als er selbst" hervortritt, die Auflösung schlechthin (KH 128)[126]. Die widerlichen Einzelheiten dieses Auflösungsprozesses sind es, die den Erzähler so sehr faszinieren wie abstoßen. Dieser für einen Nicht-Realisten verräterische Hang beweist sich in der Art, wie der Leser gezwungen wird, bei der Agonie des Senators zu verweilen (s. B 708 ff) oder — bei Hannos Ende — ein wissenschaftliches Kolleg über den durch Typhus bedingten Körperverfall über sich ergehen zu lassen (s. B 780 ff); er findet Befriedigung vor allem angesichts des mit fürchterlicher Ausführlichkeit beschriebenen Todeskampfes der Konsulin (s. B 585-90). In der Novelle „Mario und der Zauberer" ist die Faszination durch das Widerliche[127] zum absolut beherrschenden Thema geworden, mit der Erzählung „Die Betrogene" sei auf eines der spätesten Zeugnisse solcher Verfallenheit verwiesen[128].

---

[123]) Die erste Gattin des alten Johann Buddenbrook ist zur Zeit des Romangeschehens bereits verstorben (s. B 58).

[124]) Tonys einziges Kind aus der Ehe mit Permaneder stirbt unmittelbar nach der Geburt (s. B 382).

[125]) Er hat mit „Tristan" eine Erzählung und mit dem „Zauberberg" einen ganzen Roman in Sanatoriumsmilieu angesiedelt.

[126]) Vgl. das mit Sterbefällen häufig gekoppelte Regen- oder Tauwetter, eine Erscheinung, die den Vorgang physischer Auflösung dem Auge faßlich machen soll.

[127]) Vgl. die erstarrte Haltung Zeitbloms angesichts des furchtbaren Schicksals seines Freundes und Vaterlandes.

[128]) Der Verwesungsgeruch, der diese Erzählung durchzieht, findet sich in leitmotivischer Verwendung schon in den „Buddenbrooks". Bemerkenswert, daß die

Zu den Formen des Verfalls gehört der soziale Abstieg der Familie, der freilich hier nicht bis zu Ende, d. h. zur völligen Verarmung durchgeführt ist. — Gegen den Einwand, die ersten Bücher des Romans entbehrten nicht der heiteren Züge, ist zu erinnern, daß das Ganze, wie es sich jetzt darbietet, vom Ende, von den düstern Partien her konzipiert ist, daß ursprünglich das Schicksal des Verfallsprinzen Hanno im Mittelpunkt stehen sollte (s. AuN 567) und erst epische Pedanterie, der „Fanatismus des ab ovo" (RuAe I, 560) hinzukommen mußte, um den Dichter in die Vergangenheit ausgreifen zu lassen. Mit dem Ergebnis, daß die glücklichen Tage, sei es des einzelnen oder der Familie, zwar erwähnt, aber merkwürdig kurz abgetan (s. B 70; 95)[129] und wiederholt nur als vergangen dargestellt sind (s. B 58) und als Gegengewicht gegen die Düsternis und den Pessimismus der zweiten Hälfte niemals ernsthaft in Betracht kommen.

Die Menschendarstellung als Beweis für die pathologische Stoffwahl, das Bedürfnis des Dichters nach starken Gegenständen? Und wie verhält es sich mit den Blonden und Blauäugigen, die in keiner der frühen Schriften einschließlich der „Buddenbrooks" fehlen, mit der „als selig empfundenen Gewöhnlichkeit", der, weil sie „unschuldig, gesund, anständig-unproblematisch" ist (Betr 83), die verliebte Bejahung des Erzählers gilt?

Der Typus des Durchschnittsbürgers begegnet auf zwei verschiedenen Altersstufen, einmal als Kind oder in allenfalls jugendlichem Alter, an der Schwelle des Erwachsenseins, zum andern als Erwachsener, und beide unterscheiden sich dabei so, wie Hans Hansen sich von Anton Klöterjahn oder Hermann Hagenström unterscheidet. So stellt die ältere Ausprägung sich dar: äußerlich zum Verzweifeln unschön, dazu von niedriger Gesinnung, gewöhnlich (statt in der Bedeutung des Normalen) höchstens im pejorativen Sinne des Wortes, das in Ironie getauchte Zerrbild des guten Bürgers. — Liebenswert sind die Vertreter dieses Typs nur in ganz jungen Jahren (s. Krull 143). Versehen mit den Reizen der Jugend, ist der Knabe Hans Hansen Gegenstand der Sehnsucht Tonios. Gegenstand und zugleich ihr Produkt, denn wir haben Grund zu der Annahme, daß die Normalen und Gewöhnlichen nur dies sind: nach außen verlegte, Fleisch gewordene Spiegelungen der Sehnsucht all derer, die am Los eines ungewöhnlichen Daseins leiden.

---

körperlichen Ausdünstungen der Toten zu den differenziertesten Gerüchen (s. B 609/10; 709; 716. vgl. Z 41/42; 33) eines Buches gehören, das die Geruchsnerven des Lesers im übrigen nicht allzu häufig beansprucht.

[129]) Entgegen den breiten Schilderungen der Leichenbegängnisse werden Hochzeitsfeiern sämtlich mit lakonischer Knappheit registriert. Vgl. dazu das Kapitel ‚Verschwiegene Feste' bei Werner S c h w a n , Festlichkeit und Spiel im Romanwerk Thomas Manns. Die Entfaltung spielerischen Lebensbewußtseins von „Buddenbrooks" zur Josephstetralogie, Diss. Freiburg 1964, S. 18-25.

In der Studie „Die Hungernden", einer Vorstufe zu „Tonio Kröger", findet sich eine Szene, die erläutern kann, was wir meinen. Der Held, Detlev statt Tonio geheißen, fühlt beim Verlassen des Theaters zu seinem nicht geringen Entsetzen genau jenen hoffnungslos sehnsüchtigen Blick auf sich, mit dem er selbst die blonde Lilli (die spätere Ingeborg Holm) verfolgt. Sein sorgfältig elegantes Äußere macht, daß der Andere ihn, den Gezeichneten, nicht als Bruder erkennt, ihn vielmehr den lichten und gewöhnlichen Kindern des Lebens zurechnet. Aber, so fragt Detlev sich am Ende seines bestürzenden Erlebnisses, wenn schon jener ‚Hungernde' irren konnte, „Irrt denn nur jener? Wo ist des Irrtums Ende? Ist nicht alle Sehnsucht auf Erden ein Irrtum, die meine zuerst, die dem einfach und triebhaft Lebendigen gilt...?" Als Antwort stellt eine Schopenhauer-Reminiszenz sich ein: „Ach, wir sind alle Geschwister, wir Geschöpfe des friedlos leidenden Willens; und wir erkennen uns nicht" (Erz 270). Und ähnlich wie in dieser Philosophie werden Glück, Gesundheit, Normalität geleugnet und als Täuschung entlarvt. Vor den Schranken der Erkenntnis erweist sich der Typ des Blonden und Blauäugigen als eine Fata Morgana[130], die trügerische Ausgeburt sehnsüchtiger Phantasie, als ein fiktives Gegenüber, in das der geistige, der außergewöhnliche Mensch das, was er nicht ist, die Eigenschaften, die er nicht besitzt, hineinprojiziert, sich selbst zum Trost und zur Qual.

Was von menschlichen Möglichkeiten bleibt, sind die „‚Ausnahmen und Sonderformen..., die in einem erhabenen oder anrüchigen Sinne vor der bürgerlichen Norm ausgezeichnet sind'" (KH 33), der lange Zug der Elenden, Hungernden, Gebrechlichen.... In der Schilderung ihrer Psyche, als „Liebhaber des Pathologischen und des Todes", bewährt sich der Dichter (Betr 145).

Diese Stoffwahl muß in ihrer Einseitigkeit erstaunen und bei einem ‚Realisten' geradezu als ungebührlich auffallen. Es spricht daraus das konsequente Bemühen, das, was wir als normale Wirklichkeit ansprechen, zu umgehen zugunsten extremer Gegenstände. Offenbar besitzt — nach Meinung des Dichters — nicht alle Wirklichkeit gleichen Rang. Vielmehr ist

---

130) Derselben Ansicht ist Georg Lukács — Thomas Mann, Berlin [5]1957 — in seinem Essay „Auf der Suche nach dem Bürger". Ausgehend von soziologischer Fragestellung kommt er darin zu dem Fazit, es stehe „schlecht um die ‚Bürgerlichkeit' derjenigen Gestalten bei Thomas Mann, die von seinen Künstlern und Außenseitern als sehnsüchtige Vollendung in sich ruhender Ordnung und ‚Solidität' verehrt werden. Man tut gut daran, solche Solidität durch allzu nahen Anblick nicht zu gefährden. Die verehrten Bürger Hans und Ingeborg in ‚Tonio Kröger' sehen wir nur als Jugend und Schönheit, in Zeitalter und Jahreszeit, die vergänglich sind vor allen. Wir wissen nur, daß sie nicht angefochten sind wie die Menschen der seelischen Mischung aus nördlichem und südlichem Gelände, wie die Tonio Krögers. Aber wir wissen nicht, wie sie in Bürgerlichkeit und als Bürger enden werden" (S. 27).

er durchdrungen von der Langweiligkeit und „Trivialität" alles Mittleren (AdG 480), zu dem er keinen Zugang findet. Was er statt dessen bevorzugt, sind Stoffe, von denen Wirkungen ausgehen befeuernder und aufpeitschender Art. Allein in gesteigertem Zustand, in seinen krassesten, abnormen Formen ist das Tatsächliche ihm noch zugänglich.

b) ‚Hunger' nach dem Wirklichen als Antwort auf die Entfernung aus Leben und Alltag

1. Notwendigkeit schützender Trennvorkehrungen gemäß der physischen Reizbarkeit der Betroffenen

Thomas Mann hat es verstanden, die Problematik seines Wirklichkeitsbezuges zu objektivieren, aus sich herauszustellen im Werk. Die physische Reizbarkeit und Schwäche, die den Mann'schen Helden eigen ist, läßt ihre Entfernung aus Leben und Alltag dringend geboten erscheinen. Von derlei Trennvorkehrungen wird uns der luxuriöse Lebensstil und seine polsternde Wirkung noch beschäftigen (s. S. 133). Daß auch die Form, das gesellschaftlich formvolle Betragen, sichernd und abschließend wirken kann, lehrt ein Blick auf „Königliche Hoheit". In ihrer Welt sind die bürgerlichen Umgangsformen zur Förmlichkeit des Hofzeremoniells gesteigert. Überhaupt ist die Distanz des Helden vom Alltag hier die größte (s. KH 335), größer jedenfalls als in den „Buddenbrooks". Allein und von aller übrigen Welt formvoll geschieden (s. KH 176), ist das Leben Klaus Heinrichs zuletzt ohne jede Wirklichkeit (s. KH 168), steht er außerhalb jeder ernsthaften Beziehung zum Leben (s. KH 187/88; 152).

2. Fortschreitende Erschwerung jedes unmittelbaren Kontaktes bis hin zu endlicher Verkümmerung des Wirklichkeitssinnes: Die Wahl des Ehepartners als Indiz

Nun sind all diese Schutzmaßnahmen in ihren Auswirkungen so segensreich (sprich lebenerhaltend) wie verhängnisvoll, insofern die ursprüngliche Fähigkeit der Kontaktaufnahme in wirklichkeitsferner Umgebung mehr und mehr verloren geht. Äußerer Entfernung entspricht eine zunehmende innere Entfremdung und Abkehr von aller Wirklichkeit. Mit seiner Vorliebe für ‚praktische Ideale' (s. B 31) leitet bereits Johann Buddenbrook der Jüngere eine Entwicklung ein, bei der wachsende „‚Benervung'" (Krull 141) mit zunehmender Unfähigkeit, die Pflichten des Alltags zu meistern, Hand in Hand geht. Bereits in der nächsten Generation ist eine weitgehende Verkümmerung praktischer Traditionen zu bemerken, am handgreiflichsten in Christians Abscheu vor jeder ernsthaften Beschäftigung, seinem offenen und entschiedenen Rückzug auf die Welt des schönen Scheins, die Welt des Theaters. — Es ist die Leidenschaft für Theater und Musik, der innige Umgang mit dem Schönen, was Hanno dem väter- und großväterlichen Wirkungskreis am Ende völlig entfremdet, seinen ganzen „Mut und die Tauglichkeit zum gemeinen Leben verzehrt" (B 730. vgl. LW 394/95). Daß dieser Mut je groß gewesen wäre, dagegen spricht sein Zurückweichen, seine heimliche Furcht vor aller praktischen Anforderung, die Unfähigkeit, konkrete Details (s. B 529/30), Schiffsnamen etwa (s. B 650; 655) oder geographische Kenntnisse (s. B 774)[131], überhaupt alles Schulwissen im Gedächtnis zu bewahren. — Hier ist an Klaus Heinrichs Schwester Ditlind zu erinnern, der zwar äußerlich der Schritt aus hoheitsvoller Sphäre hinab in Leben und Wirklichkeit gelingt, die dann aber, gewohnt, in wirklichkeitsreiner Umgebung zu leben, die größte Mühe hat, sich den Erfordernissen des Alltags gewachsen zu zeigen. Ausdruck solcher Unzulänglichkeit ist die verzweifelte Pedanterie, mit der sie ihren Notizblocks — sie besitzt mehrere davon — noch die geringste Kleinigkeit anvertraut. Ihrem Bruder erklärt sie zu den Aufzeichnungen: „‚Hier habe ich alles, was ich mir merken muß, sowohl was den Hausstand als was andere Dinge betrifft. Wie das wohltut, alles so schwarz auf weiß übersehen zu können! Mein Kopf ist entschieden schwach, er kann nichts beisammenhalten, und wenn ich nicht Ordnung hielte und mir alles notierte, so müßte ich am Leben verzweifeln'"(KH 155).

Das Fehlen jeder ernsthaften Beziehung zum Leben schlägt zuletzt um in einen zunehmenden Hunger nach dem Wirklichen. Dieser wird um so größer, je länger und konsequenter die Distanzierung vom Alltag war. Schon Tonio Kröger[132] wird in seiner Einsamkeit schließlich so wirklichkeitsgierig, daß das Leben ihm bei aller Gewöhnlichkeit nachgerade als ein wonneseliger Zustand erscheint. — Neidvoll sehnsüchtig ist auch des Prinzen Klaus Heinrich Blick auf das Leben. Getrennt von ihm durch schöne Förmlichkeit, macht seine gelegentliche Kontaktsuche vor der normalen Wirklichkeit nicht halt, umgeht sie vielmehr zugunsten stärkerer Anreize. Je mehr der Wirklichkeitsdrang gestaut wurde, um so heftiger entlädt er

[131]) Karten fordern den Sinn für alles Faktische, Tatsächliche, ein Gespür für die Wirklichkeit schlechthin heraus. Daß die Wände seines Bureaus mit Landkarten statt mit Bildern behängt sind, weist den alten Schwarzkopf als Kunstverächter ebenso wie als Mann der Praxis aus. Sein Metier, der Beruf des Lotsenkommandeurs ist, sofern er kartographische Kenntnisse voraussetzt, letztlich nur (sichtbarer) Ausdruck für ein breitbeiniges Fußen im Wirklichen.

[132]) Die Novelle trug in einem frühen Stadium den Titel „Die Hungernden" (vgl. S. 69).

sich nun, schießt er über das Ziel hinaus und sucht das Wirkliche da auf, wo es besonders deutlich, d. h. schwer und häßlich ist[133].

Thomas Manns Figuren ist der mühsame oder ungebrochene Zugang zur Realität namentlich an der Wahl des Ehepartners abzumerken. Die Instinktlosigkeit etwa, die Tony bei Vergabe ihrer Sympathien (Permaneder, Weinschenk) an den Tag legt, läßt auf eine empfindliche Störung gesunden Empfindens schließen. Weit verräterischer noch sind Verbindungen wie die zwischen Gabriele Eckhof und Großkaufmann Klöterjahn, Rechtsanwalt Jacoby und der schönen Amra, Ehen, „deren Entstehung die belletristisch geübteste Phantasie sich nicht vorzustellen vermag" (Erz 168). Dem Schriftsteller Spinell bleibt es überlassen, der allgemeinen Verwunderung angesichts so ungleicher Paarungen Ausdruck zu verleihen: „‚Nein, es sind rätselvolle Tatsachen, die Frauen ... sowenig neu es ist, sowenig kann man ablassen, davor zu stehen und zu staunen. Da ist ein wunderbares Geschöpf, eine Sylphe, ein Duftgebild, ein Märchentraum von einem Wesen. Was tut sie? Sie geht hin und ergibt sich einem Jahrmarktsherkules oder Schlächterburschen'" (Erz 232). Sylphidische Zartheit der Frau — brutale Robustheit des Mannes, in seiner Schroffheit eignet diesem Gegensatz geradezu etwas Pathologisches. Krank ist nun Gabriele Eckhof ebenso wie Rechtsanwalt Jacoby (s. Erz 169), und ohne Zweifel ist genau diese Krankheit der Anstoß zu den Mesalliancen, sind umgekehrt sie ihr eindrucksvollstes Symptom. „Denn das Überzarte und das Brutale sind [nur] Komplementärbedürfnisse" einer „reizsüchtigen ... Konstitution ..." (AdG 33). Das Sensorium eines engelhaften Wesens wie Gabriele ist so krankhaft überfeinert, das Erlebnis der Wirklichkeit dadurch so sehr erschwert oder verstellt, daß sie nur noch da erreicht wird, wo sie besonders stark, d. h. hier brutal, robust und roh ist; weniger abstrakt formuliert: Da diese Frau sich zur Ehe entschließt, fällt ihre Wahl anstatt auf einen Partner von gemäßigt-durchschnittlichem Wohlbefinden auf einen Kerl von exzessiver Gesundheit, dessen gemeine Lebenstüchtigkeit so hoffnungslos ist wie ihre Todverfallenheit. Ihr Wirklichkeitssinn ist bereits so sehr geschwächt, daß er einzig im äußersten Kontrast, in der Vereinigung mit einem Stück starken, gewalttätigen Lebens Genüge findet, ja daß es kaum eine Wirklichkeit gibt, die kraß genug wäre, um noch erreicht zu werden.

---

[133]) Klaus Heinrichs und Immas Lust am ‚Stöbern', ihrer Vorliebe für die „Schrecknisse und Wildheiten des Menschenlebens" (AuN 779), für Krieg und Krankenhausgraus (s. KH 152) entspricht in den „Buddenbrooks" Tonys Bevorzugung des Hafenviertels, der ärmlichen Stadtteile, ihre Bekanntschaft mit Leuten aus den unteren sozialen Schichten (s. B 67).

c) Entladung des gestauten Wirklichkeitsdranges im Kontrast: Die Verkümmerung des Naturempfindens als Symptom einer allgemeinen Störung des Wirklichkeitssinnes

Wie seine Helden hat der Autor kaum je die rauhen Seiten des Lebens zu fühlen bekommen. Materielle Not und Drangsal ließen ihn verschont. Es gibt ein spätes Eingeständnis Thomas Manns, wonach die Berührung mit jederlei Alltagswirklichkeit, wäre er ihr ausgesetzt gewesen, ihn erschöpft und zerrieben hätte[134] und er seiner Gattin nicht genug dankbar sein könne dafür, daß sie ihn liebevoll abzuschirmen wußte gegen alle äußeren Störungen (s. Nachlese 162/63). Sie war es, die die Brustwehr zu machen hatte zwischen ihm und den Leuten (s. dazu LW 236), die es auf sich nahm, ihn „von allerlei Tagesplage und wirtschaftlichen Quisquilien zu entlasten . . .'" (LW 141)[135]. Sollte es erlaubt sein, diesen Ansatz (in der oben skizzierten Weise) fortzuführen, so wäre mit dem Terminus ‚Stauung'[136] — sich entladend im Drang nach ‚starken' Gegenständen, im Zwang zur Kontrastierung — ein neuerlicher Hilfsbegriff gefunden, die Störungen im Wirklichkeitsverhältnis des Dichters zu umschreiben.

Verweilen wir zur besseren Fundierung dieser These einen Augenblick lang bei Thomas Manns Naturverhältnis, das (nach eigener Aussage) nichts anderes ist als ein komplettes Unverhältnis. Der Dichter hat wiederholt bekannt, das Fehlen des Landschaftlichen in seinen Büchern habe „eine urbane, eine städtische Bewandtnis" (AuN 303), es sei der „zivile, der städtische, der urbane" Künstler, der, „wenn es Natur gilt", das „Ländlich-Landschaftliche" überspringe und direkt das Elementare suche (AuN 310). Kaum eine Schilderung der großen, wilden Natur verzichtet denn auch darauf, den Gegensatz zwischen chaotischen Naturmächten und dem gesittet Zivilisatorischen ausdrücklich hervorzuheben. So wird das Meer fast immer vom Strand aus beschrieben, und es ist der „Anblick sorglos sinnlich genießender Kultur am Rande des Elementes", der den Dichter unterhält und erfreut (Erz 474). Da er selbst zum erstenmal den Atlantik

[134]) Vgl. die in diesem Punkte fast wörtliche Übereinstimmung zwischen seinen und des (ansonsten so verlachten) Literaten Martini Äußerungen KH 186/87; darüber hinaus die ganz allgemein bestehende organisch-konstitutionelle Solidarität von Geschöpf und Schöpfer, wie sie anklingt in dem Bekenntnis: „Um ein todverfallenes, für das Leben zu gutes oder zu schwaches Menschenwesen zu schildern, braucht ein Dichter nur sich selbst zu geben — unter Weglassung der schöpferischen Gabe . . ." (AuN 207).

[135]) Vgl. die Rolle August von Goethes seinem Vater gegenüber LW 328.

[136]) Eben das Hektische, Gewaltsam-Forcierte dieser Kontaktsuche berechtigt uns, von ‚Störung' oder ‚Schwächung' des Wirklichkeitssinnes zu sprechen, wo äußerer Anschein eher das Gegenteil vermuten lassen könnte.

überquert, geschieht dies „im Bunde mit der Gesittung und in ihrem Schutze“ (AdG 525), an Deck eines mit vollendetem Komfort ausgestatteten Luxusdampfers (s. AdG 526 f. vgl. Z 506).

Gleich dem Erzähler sind die Helden seiner Bücher städtischer Herkunft und verleugnen auch inmitten der „Großwildnis“ (AdG 525) niemals die innere Nähe zur Zivilisation (s. Z 674 ff). Da sehen wir Hans Castorp, „wie er in seinen zivilen Breeches und auf seinen Luxus-Ski hineinschlittert in die Urstille, das Hochbedrohliche und Nichtgeheure...“ (AuN 310), in ein Bergabenteuer, das dann mit Wiedereintritt in die „hochzivilisierte Atmosphäre des ‚Berghofs‘“ seinen Abschluß findet (Z 706). Der kultivierte, der städtische Mensch inmitten einer unwegsamen, außermenschlichen Zone! Nirgends deutlicher als in diesem Bilde offenbart sich sein Verhältnis zur Natur „als Furcht, als Fremdheit, als unzukömmliches und wildes Abenteuer“ (AuN 310).

Eben diese Fremdheit und vollkommene Gegensätzlichkeit bewährt nun freilich eine magische Anziehungskraft. Man betritt die große Natur nie ohne „fromme Erschütterung und scheue Erregung“ der Seele. Zu dem Reiz des Gefährlichen gesellt sich das Bewußtsein des Unerlaubten und entfacht so die Lust zu immer erneuter Berührung mit den elementaren Gewalten. Gerade das „Kind der Zivilisation, fern und fremd der wilden Natur von Haus aus, ist ihrer Größe viel zugänglicher als ihr rauher Sohn, der, von Kindesbeinen auf sie angewiesen, in nüchterner Vertraulichkeit mit ihr lebt“ (Z 674). Wie, wenn es einzig und gerade noch dieser ihr fremden Größe zugänglich wäre? Irren wir nicht, dann sind es schwindende Empfänglichkeit und verkümmernder Natursinn des überzivilisierten, verstädterten Menschen, die dazu führen, ihre einfachen Formen außer acht zu lassen, sie zugunsten extremer, großer Natur zu umgehen. Nicht mehr in der Nähe, da, wo Landschaft bescheiden und gemäßigt sich darbietet, nicht als kleines Idyll wird sie aufgesucht, sondern in den Großformen des Meeres und des Gebirges, im Bereich des „Erz- und Elementarnatürlichen...“ (AdG 525). Denn „Meer und Hochgebirge sind nicht ländlich, sie sind elementar im Sinne letzter und wüster, außermenschlicher Großartigkeit...“ (AuN 310). Ehrfurcht und Schrecken, die man bei ihrem Anblick empfindet, müssen helfen, die sonstige stumpfe Nüchternheit (s. Z 675) zu überwinden. Neugier gegenüber dem gänzlich Andersartigen, Schauder vor dem Gefährlichen, der perverse Reiz des Verbotenen und Unzukömmlichen müssen sich hinzugesellen, um ein Erlebnis der Natur zustande zu bringen, dessen man angesichts des Einfachen und Normalen, angesichts idyllischer Landschaft, in Ermangelung der früheren Begeisterungsmittel gar nicht mehr fähig ist.

Die Verkümmerung des Naturempfindens muß als Hinweis und deutlichstes Symptom für eine weiterreichende und allgemeine Störung des

Wirklichkeitssinnes angesehen werden. Demgemäß gibt das Versagen des Städters Thomas Mann vor dem einfach Ländlichen lediglich das Modell ab, an dem sein Verhältnis zur Wirklichkeit überhaupt beurteilt werden kann: Innere Entfremdung zwingt ihn dazu, sich dem Elementarnatürlichen, Natur in ihrer stärksten Offenbarung zuzuwenden — oder die Idylle auseinanderzuzerren in dualistische Partikel. Wirklichkeitsferne ist es, die auch sonst dazu führt, alles Mittlere wo nicht zu umgehen, so zu zersetzen, auseinanderzurücken in spannungsreiche Extreme[137]. Sie ist das Stichwort, von dem her die Vorliebe des Autors für Kontrast und Antithese ihre Erklärung findet. Der Wille zum Kontrast, wie er das ganze Werk durchzieht[138], offenbart sich nun als eine andere Form der Sucht nach ‚starken' Gegenständen. Kontrastierung erscheint als der beständige, mühe-

[137]) Bezeichnenderweise hat Thomas Mann diese Tendenz bei jedem seiner erklärten Vorbilder wiedergefunden. So erkennt er Schopenhauers „Extremismus" und die „grotesk-dualistische Kontrasthaftigkeit seiner Natur" (AdG 338; vgl. 342), verweist er auf das Überspannte, die grotesken Züge im Wesen Nietzsches (s. Betr 339. NSt 119) ebenso wie auf den unbürgerlichen Extremismus der Wagner'schen Seelenlage (s. AdG 392).

[138]) Nicht im Einzelfall, in der Häufung, als durchgängiges Beschreibungs- und Bauprinzip wird der Kontrast aussagekräftig hinsichtlich des Mann'schen Weltverhältnisses. — Da unsre Untersuchung sich vornehmlich auf das Frühwerk konzentriert, bliebe zu fragen, ob nicht die dort aufgezeigten Spannungen in spätern Perioden nachlassen zugunsten harmonischen Ausgleichs — so gesehen bei Lucie Schauer, Untersuchungen zur Struktur der Novellen und Romane Thomas Manns. Antithese und Synthese als Kategorien der dichterischen Seinserfahrung, Diss. Berlin 1959, vgl. bes. S. 18 —. Dagegen spricht, daß das zum Thema ‚Kontrastierung' Gesagte, auf Binnenraum und Natur angewandt, überall und generell Gültigkeit behält. Nicht anders bleibt das Personal bis in die späten Romane hinein gespalten in zwei konträre Lager, nur daß die Fronten nicht unbedingt mehr zwischen Künstlern und Bürgern verlaufen. Auch hinsichtlich der gedanklichen Konzeption tritt kein entscheidender Wandel ein. Die Gestalten der Mitte, seit Erscheinen des „Zauberberg" im Gespräch und noch jüngst von Paul Altenberg stark in den Vordergrund gerückt (s. S. 157 ff), wirken in dieser Position entweder ‚undeutlich' wie Peeperkorn (s. Z 799), ‚zweideutig' wie Goethe (s. LW 353) oder aber sind Märchenfiguren von allumfassend göttlichem Wesen wie Joseph, Gregor und Felix. Mitte, sie ist bei Thomas Mann nie mehr als ein schmaler Grat zwischen den Gegensätzen (Extremen), der Mittler „ein Balance-Kunststück genauer Not, knapp ausgewogener Glücksfall der Natur, ein Messertanz von Schwierigkeit . . ., ein Nur-gerade-Möglich . . ." (LW 294. vgl. Erz 334), mit einem Wort: ein Mysterium. Synthese ist niemals ein überwölbend Drittes, darin zwei feindliche Prinzipien sich aufheben zu höherer Einheit, sondern ein Zugleich, ein Zusammenzwängen von Widersprüchlichstem. Wohl hat der Dichter Mittlertum auf seine Fahne geschrieben, doch bedient er sich dazu — bezeichnenderweise — des Mittels der Ironie (s. AuN 409. AdG 300; 271. Betr 83). Vermitteln meint demnach weniger als versöhnen, Vermittlung erschöpft sich in dialektischem Ausspielen von Gegensätzen, bei welchem Akt der Spielende selbst parteilos neutral bleibt. Ambivalenz bleibt zeitlebens Thomas Manns Gefahr, Versöhnung Aufgabe und Problem (vgl. dazu Fritz Martini, Das Wagnis der Sprache, Stuttgart 1954: „Mann . . . sucht im epischen Sinne

volle Versuch, aus einer Not eine Tugend zu machen, gegenständliches Material, das sonst unzugänglich bliebe, so aufzubereiten, daß noch ein geschwächter, überfeinerter Wirklichkeitssinn imstande ist, es über alle Abstände hinweg zu erfassen.

II. Fehlen ‚gemäßigten' Materials — Der Reiz des Abnormen und Kuriosen

Wie die eigentliche Mitte, der Bereich, der die Schilderung normaler, nicht forcierter oder antithetisch zersetzter Wirklichkeit bringen müßte, ‚arrangiert' ist, geht aus einer nochmaligen Musterung der aus „Herr und Hund" bekannten idyllischen Szenerie hervor: Wir sahen, daß die Landschaft dort weder der Bodenbeschaffenheit (s. Erz 565) noch dem Baumwuchs nach (s. Erz 562/63) einem Wald im üblichen Wortverstande entspricht. Vielmehr besitzt sie durchaus ihre „kuriose Eigenart..." (Erz 562). Unter den wenigen Baumarten „herrscht die phantastische, hexenhaft verwachsene Linie der Weide... mit den krummfingerig ausholenden, besenhaft bezweigten Ästen, und ihrem Wesen suchen die andern es sichtlich nachzutun. Die Silberpappel krümmt sich völlig in ihrem Geschmack; aber von dieser ist oft nur schwer die Birke zu unterscheiden, welche, vom Ortsgeist verleitet, sich ebenfalls zuweilen in den sonderbarsten Verkrümmungen gefällt..." (Erz 564). Nicht minder „phantastisch" mutet das Dickicht des Bodens an. Dies alles will nicht aufhören, „sonderbar" auf den Erzähler zu wirken (Erz 566). Scheint er anfangs in Verlegenheit, einen passenden Namen für das „wunderliche Gelände" zu finden (Erz 563), so urteilt er im Verlauf der Beschreibung mit Entschiedenheit: „Das ist kein Wald und kein Park, das ist ein Zaubergarten, nicht mehr und nicht weniger" (Erz 565).

Die Abweichungen, durch die dies Stück Natur sich von einem Wald im herkömmlichen Sinne auszeichnet, weisen sämtlich in eine bestimmte Richtung, wobei die Vokabeln ‚phantastisch' (s. Erz 564; 566), ‚wunderlich' (s.Erz 563), ‚sonderbar' (s. Erz 564; 566) und ‚kurios' (s. Erz 562) erneut wo nicht extreme, so doch in sich widersprüchliche Sachverhalte umschreiben.

Die gleiche Verschiebung ins Sonderbare ließe sich für den Binnenraum denken. Aus den Lebensgeschichten der Sonderlinge Gottfried Kellers etwa kennen wir Beschreibungen solcher Räume, die in jeder Hinsicht vom Herkömmlichen abweichen. Diese Art der Behausung ist bei Thomas Mann

die kontrastierende, d. h. ironische Synthese. Sie unterscheidet sich von der Synthese im Humor... dadurch, daß sie nicht zur Harmonie des Ausgleichs zusammenschließt, sondern in der dialektisch ruhelosen Balance des ‚Ambiguosen' bleibt" (S. 201).

schwer denkbar, da seine Künstler sich bürgerlicher Lebensform zu sehr verpflichtet wissen, um Geschmack an einer außergewöhnlichen Lebensführung zu finden. Eher schon darf man ausgefallene Details erwarten, wie den Papagei im Sprechzimmer des Herrn Brecht (s. B 531) oder den Inhalt des Glasschrankes im Kabinett des alten Hans Lorenz Castorp (s. Z 32), deren seltsamer Reiz abläßt auf den umgebenden Raum[139].

Um so reicher ist das Ergebnis, sobald wir uns dem Gebiet der Menschendarstellung zuwenden. Das Wortfeld weitet sich, mit dem das Ungewöhnliche umkreist und bezeichnet wird, es häufen sich die Belege. Es scheint, als gebe es im Bereich des Menschlichen kaum etwas, das nicht ‚ungewöhnlich' (s. B 667) und ‚außerordentlich' (s. B 527), ‚rätselhaft'[140] und ‚geheimnisvoll' (s. B 291; 539), ‚eigenartig'[141], ‚fremdartig' (s. B 90; 188; 303; 411), ‚seltsam'[142], ‚merkwürdig'[143], ‚sonderbar'[144], ‚wunderlich'[145] oder ‚kurios' (s. B 31; 74; 347; 481) wäre, angefangen beim Klang des Namens (s. B 715)[146] über das Äußere[147], das Gebaren (Mimik, Gestik, Sprechweise) bis hin zu den Zuständen und Empfindungen der Seele. Wir lernen eine Reihe von Käuzen (s. Krull 171), Sonderlingen (s. B 670. Krull 352)[148] und seltsamen Gestalten kennen, wie den Makler Gosch (s. B 188/89), die Damen Gerhardt (s. B 290/91), den Speicherarbeiter Grobleben (s. B 414 ff), den alten Briefträger (s. B 506), den Vater des kleinen Grafen, der mit Hanno befreundet ist (s. B 535/36)[149]. Harmlose und liebenswerte Exemplare (Gosch) sind darunter und solche, deren Anblick ängstliches Befremden

[139]) So kennen wir aus den unbewohnten Teilen des Alten Schlosses „Stuben, Gelasse und öde Säle ...", die angefüllt sind mit allerlei merkwürdigem Gerät (KH 67). Namentlich ein Zimmer mit hölzerner Decke, in dem „eine Menge sonderbare Sachen herumliegen" (KH 68; vgl. 69), beschäftigt die Neugier Klaus Heinrichs und seiner Schwester.

[140]) s. B 303; 315; 356; 411; 493; 498; 596; 667.

[141]) s. B 315; 356; 439; 527; 638; 671.

[142]) s. B 290; 466; 492; 516; 527; 531; 539; 562; 595; 610; 638; 651; 668.

[143]) s. B 38; 67; 75; 178; 190; 270; 274; 317; 333; 345; 421; 424; 434; 478; 523; 539; 756.

[144]) s. B 71; 197; 217; 229; 273; 274; 290; 302; 305; 330; 333; 411; 414; 421; 428; 480; 523; 544; 565; 599; 608; 689; 701; 714.

[145]) s. B 10; 58; 73; 203; 234; 485; 516; 635; 685.

[146]) Im Ersinnen kurioser Namen ist Thomas Mann geradezu unerschöpflich.

[147]) Auffällig sind einzelne Körperteile ebenso wie die Gesamterscheinung. Von Einzelheiten des Gesichts ist die Augenpartie weitaus am häufigsten mit Bezeichnungen wie ‚eigenartig', ‚seltsam', ‚merkwürdig' oder ‚rätselhaft' bedacht (s. B 67; 291; 439; 492/93; 498; 527; 596; 668).

[148]) Vgl. dazu Herman Meyer, Der Sonderling in der deutschen Literatur, München 1963, S. 292-94.

[149]) Vgl. das Häuflein aristokratischer Monstren aus „Königliche Hoheit" (Nachlese 177), die Beschreibung der in allen „Tinten und Abschattungen" spielenden Berghofgesellschaft (Z 777) oder die Fülle kurioser Gestalten, denen Felix Krull auf seinen Reisen begegnet (s. Krull 28 u. 171; 215; 221; 313).

hervorruft (Bankier Kesselmeyer s. B 229; 236/37). Der Typ der rätselhaften Frau (Gerda Buddenbrook) fehlt ebensowenig wie die Gestalt des Mannes, der geradewegs auf den Namen „Wunderlich“ hört (B 19). Mitunter genügt schon die Herkunft aus den südlichen Gauen Deutschlands (s. B 64; 378/79), um den Eindruck des Fremdartigen entstehen zu lassen[150].

Bleibt die Beobachtung des abweichend Seltsamen bei Randfiguren vornehmlich auf die äußere Erscheinung beschränkt, so sind es bei den zentralen Gestalten Empfindungen und Seelenzustände, denen die Aufmerksamkeit des Erzählers gilt. Soweit es sich um Künstlernaturen (Gerda, Hanno) oder — was in unserm Roman das gleiche gilt — um Erkennende (Thomas, Hanno) handelt, verspricht dieser Blickwechsel eine Fülle des Merkwürdigen[151].

Wirkt die Landschaft aus „Herr und Hund“ seltsam, sofern die Vegetation an ältere, versunkene Perioden der Erdgeschichte erinnert, so der städtische Boden, weil auch er mannigfache Relikte aufweist aus früherer Zeit, neben den historischen Bauten[152] absonderliche, als überholt, überwunden geltende Spielarten des Menschlichen. Der merkwürdige Schauplatz schlechthin ist Venedig, die südliche Schwester Lübecks (s. AuN 308). Golden-bunte Wunderbauten, märchenhafte Umrisse, ins Maurische verzauberte Spitzbögen (s. AuN 307. Erz 62. vgl. Krull 413/14), es ist der Orient, der hier beginnt, und mit ihm die Welt des Traums und des Märchens, darin das Gesetz der Kausalität außer Kraft bleibt und das Halbwahrscheinliche sich mischt mit dem Phantastischen und ganz und gar Ungewöhnlichen. Im labyrinthischen Gewirr der Kanäle, den seltsam verschlungenen Gassen ist dem wunderlichen Spiel des Zufalls Tür und Tor geöffnet. Venedig ist die Stadt des befremdenden Abenteuers, der rechte Schauplatz für so merkwürdige Begegnungen, wie sie Aschenbach widerfahren, Begegnungen, in denen wir den phantastischen Maskenzug des Todes erkennen. Die innere Verbundenheit und Nähe beider Städte beweist, wie wenig Thomas Mann im Grunde braucht, die Welt ins Sonderbare zu entstellen (s. Erz 460). Eine geringe Veränderung des Atmosphäri-

---

150) Erst recht muß der Ausländer auffällig wirken. Wunderlich ausländischen Ansehens ist das Blumenmädchen Anna, dessen beinahe malaiischer Gesichtstypus und Teint (s. B 174) ihre nächsten Angehörigen als Kolonialholländer ausweist (s. B 429. Z 777 u. 449). Ähnlich hat Thomas' spätere Gattin „etwas Fremdes und Ausländisches“ an sich (B 91).

151) An fremder Dichtung, so bei Chamisso, Kleist, Arnim, hat Thomas Mann stets den Zug ins Pittoresk-Individuelle hervorgehoben. Um die romantische (d. h. extrem ausgefallene) Geschmackssphäre Wagners zu kennzeichnen, zitiert er den Personenzettel des ‚Parsifal‘, der eine Fülle „entlegener Sonderbarkeit“ enthalte (AdG 388).

152) Vgl. das ganz merkwürdige alte Haus, das Tony bei ihrer Übersiedlung nach München bezieht B 368.

schen, der Beleuchtung reicht hin, den Effekt der Entfremdung hervorzurufen[153].

In einem Punkt berührt sich das Sonderbare und Kuriose[154] mit dem Häßlichen und Widerlichen: Auch von ihm geht ein faszinierender Reiz aus auf den Betrachter. Und so wenig der Dichter zuvor sich der Faszination von seiten des Widerlichen zu entziehen wußte, so begierig erschließt er sich nun dem psychologischen Reiz, der von den „Abnormitäten, Verirrungen, Seltsamkeiten der menschlichen Seele" ausgeht (Nachlese 117). Immer wieder hat er das Sonderbare aufgespürt und hervorgekehrt, die Dinge von der gewohnten Stelle gerückt und Welt und Menschen in diesem (Zerr-) Spiegel betrachtet. Ein Hinweis mehr, wie sehr er bei Erfassung der Wirklichkeit eines jeden Stimulans bedürftig gewesen sein muß.

---

[153]) Wenige Wochen nach Abgabe der Geschäfte genügen, den alten Johann Buddenbrook seiner gewohnten Umgebung zu entfremden und ihm Welt und Menschen in einem neuen, seltsamen Licht erscheinen zu lassen. Ein unter erstauntem Kopfschütteln vorgebrachtes ‚kurios' wird in dieser Zeit sein Lieblingswort (s. B 73/74).

[154]) Über beider Nähe zum Grotesken s. S. 162 ff.

C. BESTANDSAUFNAHME: DIE STOFFARMUT DES MANN'SCHEN OEUVRES

I. Natur

a) Halbnatur: Der (Stadt-) Garten

Prüfen wir nach der Auswahl nun die Menge dessen, was im Verlauf des Romans an konkret Gegenständlichem genannt und beschrieben ist. Auch unter diesem Aspekt erweist sich das Verhältnis des Autors zur Natur als tief bezeichnend. Er beschreibt sie an der Schwelle menschlicher Behausung, zwischen gesichertem Wohnraum und der freien, weiten Landschaft, als Garten also, will sagen im Zustand der Zähmung. Kaum irgendwo ist die ordnende und domestizierende Hand des Menschen deutlicher zu erkennen als in den Stadtgärten der Patrizierhäuser; zählen doch die Anlagen in Mengstraße und Fischergrube mit ihren regelmäßigen Kieswegen und reinlich abgezirkelten Beeten, ihren geschorenen Rasenplätzen und kegel- oder würfelförmig beschnittenen (Buchs-) Bäumen (s. B 33) unzweifelhaft zum Typus des französischen Gartens[155], dessen Großartigkeit und Strenge allenfalls ins Leichtere und Zierlichere gemildert erscheint.

Vieles haben diese Gärten mit den Festsälen gemeinsam. Als ausgesprochene Ziergärten sind sie erneut aller Sachlichkeit abhold[156]. In den gezirkelten Beeten und symmetrisch angelegten, den Brunnen arabeskenartig umkreisenden Wegen wiederholt sich die ebenmäßige Aufgliederung repräsentativer Interieurs. Mit Beginn der schönen Jahreszeit bleiben Fenster und Türen der rückwärtigen Zimmer geöffnet (s. B 53; 63), um den zarten,

---

[155]) Eine Ausnahme scheint lediglich der große, verwilderte Garten zu machen, den die Buddenbrooks gleich hinterm Burgtor besitzen (s. B 33); doch ist auch er ursprünglich in französischem Geschmack gehalten und erst durch mangelhafte Pflege und längere Vernachlässigung zu einer unübersichtlichen Wildnis ausgewachsen.

[156]) Wenn dagegen die Buddenbrooks eines sommerlichen Nachmittags dem Rigaer Gast zuliebe einen Spaziergang weit vors Burgtor hinaus zu „einem ländlichen Wirte im Freien“ unternehmen, woselbst man sich „nach der Vespermahlzeit ... in dem großen Nutzgarten ..., im Schatten von allerlei Obstbäumen zwischen Johannis- und Stachelbeerbüschen, Spargel- und Kartoffelfeldern“ ergeht (B 296), so ist allein aus der Wahl dieses Ausflugsziels Klaras Einfluß und Denkungsart ersichtlich, deren praktischer Sinn und häusliche Tüchtigkeit (s. B 252/53) niemals so recht zum Lebensstil des elterlichen Hauses passen wollen.

von mild durchsonnter Luft getragenen Düften und Lauten freien Einlaß zu gewähren. Wenn die Sonne an Kraft gewinnt, werden die Mahlzeiten nach draußen verlegt, findet die Familie sich zum Frühstück oder Kaffee auf der Terrasse des Pavillons zusammen (s. B 96. KH 314). Inmitten der Blumenmuster der Beete bewegt man sich ganz ähnlich wie auf dem Farbengrund der großen Teppiche. Der bühnenmäßige Charakter der Umgebung ist geblieben, höchstens haben die Kulissen sich geweitet. Das Geviert zwischen Rückfront des Hauses und Rokokofassade des Pavillons ist erneut ein szenisch gegliederter Raum, vergleichbar den gemalten Prospekten auf den Tapeten des Landschaftszimmers. Ein ins Freie versetzter Festsaal, dies ist der Garten, versetzt freilich nur um so viel, daß man den sommerlichen Anhauch genießt, ohne den Unbilden der Witterung oder den Gefahren der großen Natur ausgesetzt zu sein.

Der Bestand an konkreter Wirklichkeit, der aufgeboten ist, diese Szenerie zu erstellen, läßt sich mit wenigen Worten aufzählen: Es sind Baum (Eiche s. B 628 oder Walnußbaum s. B 443; 447; 490; 678) und Strauch (Johannis- und Stachelbeersträucher s. B 443, Fliederbusch s. B 678), Brunnen[157], Rasenplatz (s. B 96; 490) und Blumen[158].

Und diese Konkreta sind aufgenommen weniger durch das Auge als mit Hilfe des Ohres. Da ist der Brunnen gegenwärtig im Plätschern des Springstrahls, der Walnußbaum im Rauschen der Krone (s. B 447), die Vögel durch ihr Gezwitscher (s. B 53; 678); wie man die Blumen bemerkt auf Grund ihres Duftes (s. B 97; 443; 445; 678). Es ist dies der Versuch, Natur unter Umgehen des Gesichtssinnes allein durch das Ohr (bzw. die Geruchsnerven), auf akustischem, d. h. aber indirektem Wege zu vermitteln, eine Technik, deren filtrierender Effekt eine weitgehende Entsinnlichung der Objekte zur Folge hat.

In der Beschreibung der Außenwelt nimmt die Stadt einen hervorragenden Platz ein. Sie ist der Hintergrund, vor dem die Figuren unseres Romans sich fast ausnahmslos bewegen. Anstatt nun ein detailliertes, bis in Einzelheiten genaues Bild von den Straßen und Winkeln Lübecks zu entwerfen, ist es dem Autor um weit weniger Konkretes und Handgreifliches zu tun, bemüht er sich, dem Leser eine Ahnung von der Atmosphäre dieses Flekkens zu vermitteln:

Durch die Nähe des Flusses und die Verbindung zur See hin ist Lübeck geprägt als Hafen- und Handelsplatz, als Stadt der Kaufleute und großen Handelsherrn. Seine Menschen zeichnen sich aus durch Fleiß, Regsamkeit

---

[157]) s. B 443; 452; 489; 512; 678.

[158]) Genannt werden Veilchen (s. B 96), Reseden (s. B 97), Schwertlilien (s. B 678) und Rosen (s. B 134; 655; 678).

und Ehrgeiz, einen moralischen Impetus, der sich im Willen zur Leistung wie in der Verpflichtung zur Haltung bekundet und allemal eine gewisse Lebensstrenge zeitigt. Nicht zu sagen, wie sehr das Ernste, Solide, Tüchtige und Ordentliche wieder und wieder betont und als Wert herausgestellt wird.

Lübeck ist ferner eine Stadt mit Geschichte, eine Stadt, deren Ursprünge bis ins Mittelalter zurückreichen (s. B 360). An diese ferne Vergangenheit erinnern Mauern und Tore, Kirchen, Rathausbau und Klosterschule, mahnen die Sehenswürdigkeiten (s. B 422), die der Erzähler je und je beim Besuch auswärtiger Gäste (Tiburtius s. B 294, Permaneder s. B 348) erwähnt.

Ihr Stil, die Lübecker Gotik, bestimmt noch immer das architektonische Bild der Stadt. Wir stoßen darauf gleich im Eingangskapitel, wenn der Blick des Erzählers vom Erker des Landschaftszimmers aus zu den Türmen der Marienkirche hinübergleitet (s. B 13), sodann beim Gang über den Marktplatz, vorbei an dem „hohen gotischen Brunnen" (B 549), angesichts der „gotischen Fassade" des Rathauses (B 287), der „gotischen Arkaden" ringsum (B 376) und zuletzt bei den gotischen Gewölben, die sich „feierlich" über Korridore und Kreuzgänge der ehemaligen Klosterschule spannen (B 735; vgl. 68; 534).

Nun ist Gotik für Thomas Mann nicht irgendein historischer Stil, sondern Ausdrucksform, der ein fest umrissener Stimmungswert innewohnt. In gotischer Kunst vermeint er den Ausdruck einer seelischen Grundstimmung, die Gefühlslage des Pessimismus wiederzuerkennen (s. Z 558/59). Mittelalterliche Architektur, steinerne Form, der der Ruch des Pessimismus entsteigt, gibt es einen geeigneteren Hintergrund für die düstern Vorgänge des Endens und der Auflösung, wie sie in der zweiten Hälfte des Romans bestimmend hervortreten? Die Einheit von Stil und Stimmung, Schauplatz und Geschehen geht am eindrucksvollsten aus jenen Passagen hervor, die gotische Bauten in eins mit trüber Witterung (Regen s. B 287, Tauwetter s. B 698) oder trostloser Jahreszeit (Herbst s. B 13; 52; 384) benennen. So sehr ist düster-mittelalterliches Wesen in der Mauern Lübecks lebendig, daß der Dichter die Stadt Jahrzehnte später unter anderem Namen als Geburtsort des Teufelsbündners Dr. Faustus ausgeben konnte.

b) Große Natur

Wo die Stadt den äußeren Rahmen abgibt für die Mehrzahl der Ereignisse, muß die Natur als Schauplatz notwendig an Bedeutung verlieren. Immerhin bekommen wir die Akteure nicht ausschließlich in städtischem Prospekt zu Gesicht. Fahrten und Ausflüge in die engere oder weitere Umgebung Lübecks lockern die strenge Geschlossenheit der Szene auf. Nur bedient der Erzähler sich in all diesen Fällen der Technik des Springens von

Punkt zu Punkt, ist eine Reisebeschreibung nie mehr als ein durchweg knapper Verweis auf Abfahrt und Ankunft. Wie häufig wird etwa der Weg nach Travemünde befahren, ohne daß der landschaftlichen Kulisse irgend Erwähnung geschähe. „Felder, Wiesen, Baumgruppen, Gehöfte ...", in stichwortartiger Verkürzung huscht die Aussicht vorüber, wie sie sich von der Kalesche aus — die Familie ist unterwegs nach Schwartau — zwischen Chausseebäumen hindurch darbietet (B 358). Was übrig bleibt, ist so wenig individuell, daß es ebensogut auf jede andere Umgebung zutreffen könnte. Nichts ist eingefangen von dem besonderen Reiz der Gegend, und im ganzen bieten derart stenogrammartige Auskünfte zu wenig, als daß man von ‚Landschaft' sprechen könnte. Wie immer dies Fehlen zu begründen sein wird, der Verdacht, das Urbild, die Vorlage, nach der er hätte arbeiten können, möchte vielleicht zu wenig reizvoll und einladend gewesen sein, läßt sich in keiner Weise bestätigen. Im Gegenteil, Thomas Mann hat den Naturrahmen rings um seine Vaterstadt, die Gegend von Eutin, von Mölln, den Ukleisee gerühmt und als einen Landstrich bezeichnet, der sich „an Schönheit mit dem allermeisten, wenn es nach mir geht, mit all und jedem messen kann, was Deutschland und nicht nur dieses zu bieten hat" (AuN 304. vgl. B 422). Stolze Worte, die die Schweigsamkeit[159] der erzählenden Schriften um so auffälliger erscheinen lassen.

1. Die Landschaft des Meeres

Was in den „Buddenbrooks" statt dessen geschildert wird, ist das Meer. Wenn Tony (s. bes. B 141/42), Hanno (s. B 655 ff) und zuletzt der Senator

---

[159]) „Herr und Hund" ist darin nur scheinbar eine Ausnahme. Wir möchten in der Geschichte vom Tier mehr sehen als nur das müßige Produkt, die wunderlich einläßliche Studie eines passionierten Hundenarren. Thomas Mann hat die Scheide zwischen Mensch und Tier niemals streng gezogen. Hervorbringungen des einen Weltwillens, sieht er bei beiden das Verbindende mehr als das Trennende. Diese Anschauung hat sich bis in die Art der Beschreibung hinein ausgewirkt. Wie seinen Gestalten nicht selten Züge von Tieren (charakterliche wie physiognomische Besonderheiten) eignen, trägt Bauschan, Held dieser Erzählung, viele Merkmale, denen wir früher in menschlicher Sphäre begegneten, ist er ein weitgehend vermenschlichtes Wesen ohne dessen Fähigkeit zu sprechen. Ja, man könnte so weit gehen zu behaupten, er sei mit seiner bäurisch derben, dabei pfiffigen Natur eine Vorstufe schon jenes neuen Heldengeschlecnts, zu dem der Dichter sich verstehen wird, zum Typus des demokratischen Helden. — Wie beim Tier, so ist dessen Umwelt, ist Bauschans Revier versetzt mit Anspielungen auf das Menschliche, ja der durchgängig anthropomorphisierende Einschlag aller Naturschilderung (s. Anm. 169) erreicht hier seinen Höhepunkt. Ganze Passagen werden nun leitmotivisch bedeutsam. In chiffrierter Form, in mannigfachen Bildern hat das Verhältnis von Geist und Leben, wie es den Dichter damals bewegte, Eingang gefunden in diese Landschaftskulisse, die alles andere ist als reine, vordergründige Schilderung (s. dagegen Peacock S. 9; Havenstein S. 306).
Das Erscheinen der idyllischen Prosaskizze fällt — zusammen mit jener Versidylle

(s. B 697/98) das Ferienparadies Travemünde aufsuchen, lernen wir Strand und Wasserweite der Ostsee kennen. Immer wieder, in Roman und Erzählung, zeigt der Dichter (respektive sein Geschöpf) sich fasziniert von der großartigen Monotonie dieser Landschaft[160]. Selbst da noch, wo nicht ausdrücklich von ihm die Rede geht, ist das Meer, „sein Rhythmus, seine musikalische Transzendenz" auf irgendeine Weise in der schwingenden Prosa seiner Bücher gegenwärtig (AuN 303/04).

2. Die Szenerie des Gebirges

Von gänzlich anderer Art und Wirkung ist daneben die Szenerie des Gebirges. Für die „Buddenbrooks" allenfalls in Permaneders Bergpartieschilderungen gegenwärtig (s. B 358; 340), wird sie im „Zauberberg" zum zentralen Schauplatz, da der Held, wenngleich vom Meere stammend, sein eigentliches Schicksal im Hochgebirge erlebt. Beiden, Meereswüste wie Bergwelt, ist bei aller Gegensätzlichkeit des äußeren Bildes[161] dies gemeinsam: Es sind Formen der großen Natur. Wo immer bei Thomas Mann Landschaftliches hervortritt, „da erscheint es in seinen überwältigendsten und elementarsten Formen, als unendliche Meeresweite und als die Ungeheuerlichkeit des verschneiten Hochgebirges ..." (AuN 309).

3. Symbolbedeutung beider Landschaftsformen

Nun ist auch dieser Verweis auf die große Natur als Gegenstand seines Bemühens nicht dazu angetan, unsre Verwunderung zu beschwichtigen. Denn es fällt schwer, Meer und Hochgebirge so, wie sie uns begegnen, ernstlich als ‚Landschaft' zu bezeichnen. Das Meer, es ist sausende Öde, die Weite des Unendlichen, ein unabsehbarer, ungegliederter, weil vollkommen leerer Raum, gekennzeichnet eben dadurch, daß alles konkrete Detail,

---

vom ‚Kindchen' — in die Zeit unmittelbar nach Ende des ersten Weltkrieges. Von Hofmannsthal stammt das Wort, man müsse nach verlorenem Krieg Komödien schreiben. Wie, wenn Thomas Mann der Auffassung gehuldigt hätte, daß auf Zeiten kriegerischer Auseinandersetzung iyllische Kunst recht und vonnöten sei?
Er hat das Werkchen später als ersten künstlerischen Gehversuch bezeichnet nach einer langen Periode des Schweigens (s. RuAe I, 551). Der Prozeß seines Umdenkens, bei dem es galt, Stellung und Aufgabe des Menschen neu zu bestimmen, er war damals fast abgeschlossen. In diesem Stadium wurde „Herr und Hund" der Versuch neuen dichterischen Anfangs. Was Wunder, daß er noch Zeichen des Unsichern und Tastenden an sich trug? Die chiffrierte Form des Vortrags rechnet dazu. Was hier erstmals auf indirekte Weise, in anderm Medium vorgebracht ist, es wird direkt, entschieden ausgesprochen in des Autors nächstem größeren Werk, im „Zauberberg".

[160]) s. Erz 67; 69; 73/74; 274; 276; 289; 318/19; 321; 324/25; 461; 472; 474; 496; 523/24; 574/75. Z 70; 505/06; 669; 673 ff; 775/76; 945.

[161]) Mit den Themen Flach- und Gebirgslandschaft stechen die beiden Gemälde im königlichen Arbeitszimmer kontrastierend voneinander ab (s. Krull 384).

alles Gegenständliche bis hinab zu den kräftigen Farbtönen fehlt. Was bleibt, ist letzte Einfachheit, eine Pastellblässe von Wasser und Himmel (s. AuN 304), unendliche Monotonie, mit einem Wort, das Nichts.

Fast immer wird die See (statt vom Schiff) vom Strand aus erlebt[162]. Hier, am Saume der Wasserwüste, ist der Standort des Betrachters. Abgewandt vom Festland, von allen menschlichen Behausungen, den Rücken an ein Fischerboot gelehnt, geht sein Blick hinaus auf das offene Meer, dahin, wo keine Küste die Aussicht begrenzt, wo die Wasser sich dehnen zu unabsehbarer Weite, bis sie dem Auge verloren gehen am Saum des verwischten Horizonts (s. B 147; 657. Erz 475).

Es ist das Fehlen jedes festen Körpers, aller Fixpunkte, das die Meeresweite unermeßlich macht, ihr den Anschein des Unendlichen verleiht. In vollkommener Leere kommt der Sinn für räumliche Distanzen abhanden. Wenn am fernen Horizont das Takelwerk eines Schiffes auftaucht, bleibt man ungewiß in Bezug auf Bewegungsrichtung oder Entfernung zum Ufer (s. B 142), denn aus uns selber „sagt kein Organ und Sinn dir über den Raum Bescheid ..." (Z 776).

Nicht minder heikel ist es um die Empfindung der Zeit bestellt. Zeit bleibt „verkoppelt und vermengt dem Dasein der Körper im Raum und ihrer Bewegung" (Z 490). Nun ist Bewegung von Punkt zu Punkt keine Bewegung mehr, „wenn Einerleiheit regiert", wenn, wie im Falle des Strandspaziergangs, das äußere Landschaftsbild stets das gleiche bleibt, dort und hier in nichts voneinander abweichen. Wo aber „Bewegung nicht mehr Bewegung ist, ist keine Zeit" (Z 776). Im leeren, ungegliederten Raum geht mit dem räumlichen Empfinden unser Zeitgefühl verloren (s. B 148; 656. Erz 461). Stunden verkürzen sich zu Minuten, das Gefühl der Langeweile bleibt aus (s. B 147. Erz 575), und kaum je kehrt man von solcher Wanderung rechtzeitig und ohne sich zu verspäten in den Kreis der Lebenden zurück (s. Z 775).

Die Begegnung mit dem Meer schenkt das Erlebnis raum-zeitlicher Entgrenzung[163]. Sein Anblick gewährt „wahre Versunkenheit, wahres Selbstvergessen, die rechte Hinlösung des eigenen beschränkten Seins in das allgemeine ..." (Erz 575). Diese Erfahrungen nun entsprechen genau dem Erlebnis des Todes, der auch Erlösung ist aus Raum, Zeit und individueller Enge. Dem Erzähler der Tagebuchskizzen „Der Tod" erscheint das Ende oder besser das Fortleben nach dem Tode in eben diesem landschaftlichen Bilde. Der Tod ist wie das Meer „dort drüben und draußen ein unendliches, dumpf brausendes Dunkel" (Erz 74). Kein Zweifel, das Meer meint weniger

---

[162]) Über die unterschiedliche Wirkungsweise beider Erlebnisse vgl. AdG 530.

[163]) Hier und im folgenden sind Thomas Manns Vorstellungen maßgeblich von Schopenhauer beeinflußt.

eine Landschaft denn einen metaphysischen Ort, es ist, wenn schon Landschaft, so eine des Nichts und des Todes (s. AuN 310. AdG 530)[164].

Nicht Landschaft, sondern metaphysischer Ort, im Physischen ein außerweltlicher Bezirk, dies ist das Meer. Hören wir im „Zauberberg" noch Zweifel, ob der Terminus Landschaft solchen Verhältnissen angemessen sei (s. Z 775), so heißt es bei späterer Gelegenheit ausdrücklich: „Das Meer

[164]) Darum auch ist die Berührung mit ihm ebenso lustvoll wie gefährlich, der Aufenthalt dort allenfalls vorübergehend und als Ferienlizenz verstattet (s. Z 775 u. 76). Nun hat die See viele Gesichter, und zwei davon, freilich die extremen, sind die des „schlafenden" und des „schmetternd anrennenden" Elementes (Erz 575). Namentlich im Herbst, wenn die Stürme aufkommen, häufen sich die Tage, an denen der Wind die glatte Oberfläche der Wasser aufwühlt, durchpflügt und in hohen Wogen gegen den Strand treibt. Der Begriff des urvitalen, d. h. starken, rauschhaften Lebens (s. Anm. 196), des Lebens, das in der Künstler-Bürger-Problematik nicht aufgeht, er trifft haargenau auf dieses Landschaftsbild zu. Das sturmgepeitschte Meer, der Aufruhr der Elemente, der Augenblick, in dem die ganze geballte Kraft, der unbändige Übermut der großen Natur zum Ausbruch kommt, dies wird zum Inbegriff des Urvitalen schlechthin. Immer wieder hat der Dichter diesen Zusammenhang betont. Er hat im „Tod in Venedig", wo das Geschehen überdeckt ist von mythologischen Anspielungen, die wogende See gesehen als eine „heilig entstellte Welt voll panischen Lebens", die hüpfenden Wellen springenden Ziegen verglichen, die Brecher, die gegen das Land andringen, „Rosse Poseidons" geheißen oder Stieren gleichgestellt, „welche mit Brüllen anrennend die Hörner senkten" (Erz 496; vgl. 325). Und er hat das andere Symbol urvitalen Lebens, die wilde Bestie, mit der Schilderung rollender Meereswildnis gekoppelt (s. Erz 318 u. 21. Z 675).

Das Meer, es ist die Landschaft urvitaler Mächte so gut wie die des Todes darum, weil dieser nichts anderes bedeutet als das euphorische Aufrauschen starken, erfüllten Lebens. Ein Blick auf die Farben stützt und begünstigt beide Thesen. Es ist das Grün des Lebens dem Meere ebenso beigegeben (s. B 130) wie das Schwarz der Vergänglichkeit (s. Erz 323), ja grün und schwarze Töne, sonst antithetisch voneinander abgesetzt, finden sich in Beschreibungen tanzender Meeresgefilde unmittelbar verquickt. „Es gab Tage, an denen der Nordostwind die Bucht mit schwarzgrüner Flut überfüllte.... Dann war die trübe, zerwühlte See weit und breit mit Schaum bedeckt. Große, starke Wogen wälzten sich mit einer unerbittlichen und furchteinflößenden Ruhe heran, neigten sich majestätisch, indem sie eine dunkelgrüne, metallblanke Rundung bildeten, und stürzten tosend, krachend, zischend, donnernd über den Sand..." (B 659; vgl. 147).

Desgleichen betont die Menschendarstellung die Einheit von Tod und großem Leben. So gehören die Todesfiguren der venezianischen Novelle dem robusten Menschenschlag an oder hinterlassen doch den Eindruck zäh-unbändiger Kraft. Physiognomische Eigenheiten (Entblößen starker Zahnreihen s. Erz 446; 465; 508, drohendes Zusammenziehen der Brauen s. Erz 465; 508, herrische Stirnfalten s. Erz 446) verleihen ihnen das Ansehen starker, ja wild-gefährlicher Männlichkeit, ohne daß dies aus der besondern Sicht des Todes heraus länger ein Widerspruch wäre.

Auch die andere große Natur, das Hochgebirge, ist Heimat von Tod wie urvitalem Leben zugleich. Wieder finden die Farben Grün und Schwarz sich entweder nach- oder nebeneinander. Die fichtenbestandenen Bergrücken sind wechselnd grün (s. Erz 216. Z 323; 365), schwarz bzw. dunkel (s. Erz 563. Z 9; 10; 14; 382; 386) oder beides zusammen (s. Z 668).

ist keine Landschaft, es ist das Erlebnis ... des Nichts ...; und mit den luftverdünnten Regionen des ewigen Schnees steht es sehr ähnlich" (AuN 310).

c) Der (symptomatisch zu wertende) völlige Verzicht auf Landschaftsschilderung

Diesem Sachverhalt das Befremdliche zu nehmen und allen Kritikern zuvorzukommen, hat der Dichter sein Versäumnis frühzeitig und freimütig eingestanden. Schon in den „Betrachtungen" findet sich der Vermerk: „Meine Bücher haben fast keine Landschaft, fast keine Szenerie bis auf die Zimmer" (440). Und noch entschiedener ist dieses Eingeständnis wiederholt in der (1926 gehaltenen) Rede „Lübeck als geistige Lebensform", wo es auf die rhetorische Frage nach den Landschaftsbildern seiner Heimat lakonisch heißt: „Ich habe sie nicht beschrieben, sie sind nicht da!" (AuN 304; vgl. 302; 309)[165].

Sehen wir recht, dann sind für den nahezu völligen Verzicht auf Landschaftsschilderung zwei Gründe maßgebend: Der erste ist gegeben mit der Bestimmung des Menschen und seiner Stellung im Weltbild des Dichters. Das Wort, das Thomas Mann in Bezug auf Spinozas Humanitätsbegriff geäußert hat, wonach „das menschliche Phänomen als das *Bewußt*werden ..., als ein Durchbrechen dumpfen Seins und Webens ... und damit als *Geist* bestimmt" sei (AdG 221), es ist, zumal es sich durch weitere ähnlich lautende Aussagen ergänzen ließe (s. AdG 196/97. AuN 175/76), in hohem Maße Selbstzitat[166], ja, für seinen Urheber vielleicht bezeichnender als für den Adressaten selbst. Zwar bleibt der Mensch auch jetzt, wie sehr das Geistige betont sein mag, ein „Kind der Natur" (AuN 106) — ‚Natur' als Summe organischen Lebens verstanden — doch steht er mit seinem

---

[165]) Anschließend hat Thomas Mann hier, wo es ihm darum zu tun ist, so viel Gleichgültigkeit vor seinen Landsleuten und Mitbürgern zu rechtfertigen, eine verschmitzte Auskunft zur Hand: Nicht im Visuellen, hören wir, im Akustischen (s. AuN 304) müsse man Landschaftliches bei ihm suchen. Indes, mit dieser ersten Umschrift ist es nur halb getan, wird doch unter akustischem Dasein Sprache und Tonfall norddeutscher Menschen (s. AuN 305) und nicht — wie im Falle des Gartens — das Rauschen der Bäume, das Murmeln des Wassers oder der Gesang der Vögel verstanden. Der Lübecker Raum vermittelt als Sprachlandschaft, in so wiederholter Brechung bleibt vom ursprünglichen Gegenstand, dem konkret Landschaftlichen, so gut wie nichts zurück.

[166]) Ein Vorgang, der bei Auseinandersetzung Thomas Manns mit verwandten Gestalten im Reich des Geistes häufig wiederkehrt (vgl. Anm. 137; 151), so daß man aus den kritischen Bemühungen geradezu ein Selbstporträt des Dichters herauslösen könnte. Einen ersten Versuch in dieser Richtung unternimmt Jonas Lesser (s. S. 277-328).

geistigen Teil außerhalb von ihr (s. AdG 180. AuN 569)[167], ist der Geist das, was ihn „vor allem übrigen organischen Leben auszeichnet“ (AdG 179. vgl. Z 659), so daß „Vermenschlichung“ am Ende gleichläuft mit „Entnatürlichung“ (AdG 182) und der Mensch diese seine Bezeichnung um so mehr verdient, „je gelöster von der Natur, das heißt, je kränker“ er ist (AdG 179).

Damit ist zugleich eine Rangordnung angedeutet, bei der der einzelne sich nach dem Grad seiner Bewußtheit eingestuft findet. Vom Typus des dumpfen, unbewußten, naiven Menschen führt die Reihe aufwärts zur Krone der Gattung, ihrem auf die Spitze getriebenen Ausdruck (s. AdG 503), dem aufs Höchste bewußten kritischen Dichter. Seine Bewußtheit bringt ihn in äußersten Gegensatz zu allem organischen Leben. Denn dieses ist nun gerade nicht Geist, es ist das genaue Gegenteil davon, Geist und Natur, dies ist sogar der „Gegensatz aller Gegensätze!“ (AdG 176) Und das Vegetative, Natur als Landschaft also, wird als Teil des Organischen in diese Antinomie mit einbezogen. Auch sie ist niemals Geist, vielmehr dumpfes Sein statt Bewußtsein. Der Mensch im Anblick des Kiesels, des moosigen Steins, „‚der im Bergbach liegt seit tausend und tausend Jahren, gebadet, gekühlt, überspült von Schaum und Flut‘“, in solchem Bilde wird der Abstand deutlich zwischen dem wachsten Sein und dem „‚tiefst schlummernden‘“ (Krull 319), zwischen Mensch und Natur.

Es ist dies Gefühl gänzlichen Andersseins, das das menschliche Verhalten zur Natur entscheidend bestimmt. Der (geistige) Mensch ist stolz, ist „emanzipatorisch-gegennatürlich gesinnt seinem Wesen nach“, er liebt es, sich vornehm zu verhalten, „indem er seine spezifische Würde darin sucht, zu vergessen“, daß er beides ist, „ein Kind der Natur so gut wie ein Sohn des Geistes ...“ (AuN 106)[168]. Seine Animosität führt dazu, Natur nicht allein bei sich selbst zu leugnen, sondern auch sonst, da, wo sie ihm als Landschaft entgegentritt, zu ignorieren und sich allenfalls mit ihren höher organisierten Formen, dem Tier etwa, gelegentlich zu beschäftigen.

Überwunden wird die radikal abweisende Haltung einzig zu dem Versuch, Natur zu vermenschlichen, d h. Geist in sie hineinzutragen, in dem Bewußtsein, daß sie es nötig habe (s. Z 531). Zeugnisse derartigen Bemühens haben wir in den Gartenanlagen[169] vor Augen. Der französische Garten ist ein einziger Versuch, Natur mit Geist zu durchdringen, sie in geometrische Muster (Gerade, Kreis, Würfel, Kegel, Pyramide) zu zwängen

---

[167]) Vgl. die auf langem Hals thronenden, von Wissen beschwerten Häupter (s. B 513. Erz 373) im Unterschied zu den ‚halslos‘ unbewußten Gestalten, bei denen Kopf und Rumpf, eng verwachsen, unvermittelt ineinander übergehen (s. S. 102).

[168]) Vgl. AdG 179; 180; 196/97; 173.

[169]) Vgl. darüber hinaus die stark anthropomorphisierenden Züge bei der Wiedergabe von Landschaften.

und ihr durch Form und Regelmaß Vereinfachung und Vergeistigung (s. RuA 59) angedeihen zu lassen. — Kaum anders als der Gärtner verhält sich der Landschaftsmaler zu seinem Gegenstand. Zu klug, um mit der Natur auf gutem Fuß zu stehen (s. Betrogene 29), verschmäht die Malerin Anna alle bloße Naturnachahmung und befolgt statt dessen eine „den Sinneseindruck ins streng Gedankliche, abstrakt Symbolische, oft ins kubisch Mathematische transfigurierende Richtung ...“ (Betrogene 9).

Vegetatives Sein — Bewußtsein, im menschlichen Bereich lautet dieser Gegensatz: Dummheit — Klarsicht. Und der Begriff der Dummheit wird nun gleichermaßen auf die Natur angewendet. Sie erscheint da, wo sie sich dem formenden Eingriff des Geistes widersetzt oder entzieht und in unberührtem Zustand begegnet, als das Dumme schlechthin (s. AuN 310. Z 143). Umgekehrt ist der unbewußte, dumme Mensch schon daran kenntlich, daß der Autor ihn hineinstellt in ländlich-landschaftliche Umgebung. Soweit das Buddenbrook'sche Personal vom Lande kommt, sticht es hervor durch eine Eigenschaft, die man positiv als Biederkeit hinnehmen kann, negativ als Dummheit werten muß. Bauer sein, ‚bäurisch‘ genannt werden heißt zugleich, auf einer unteren geistigen Entwicklungsstufe stehen, auf so niedrigem Niveau, daß der Mangel an Bewußtheit seinen Träger kaum noch von dem dumpf-naturhaften Sein ringsum unterscheidet.

Lebt der dumme Mensch allenfalls in Einklang mit der Natur, so ist das Verhältnis des Geistes zu ihr wie zu allen Formen unbewußten Lebens bestimmt durch Ironie. Hans Castorps Gefühle bei seinen Ausflügen ins Hochgebirge werden beschrieben als „*Spott*, wirkliche Ironie gegenüber dem übergewaltig Dummen, ... mokantes Achselzucken angesichts gigantischer Mächte, die ihn in ihrer Blindheit zwar physisch vernichten können, denen er aber noch im Tode menschlichen Trotz bieten würde“ (AuN 310; vgl. 493; 564).

Ein weiteres kommt hinzu, das Verhältnis zwischen Mensch und Natur zu komplizieren. Natur ist nicht allein dumm, sie ist ebenso böse (s. Z 143; 356; 645/46). Und dies so sehr, daß der Dichter gelegentlich den natürlichen Teil des Menschen, das Körperliche, in seiner prononciertesten Form das Geschlechtliche, mit dem Urbösen in Verbindung bringen kann. In „humoristischem Geist“ hat diese Verbindung Gestalt gewonnen in der Figur Dudus, des boshaften Zeugezwerges (vgl. den Vortrag „Joseph und seine Brüder“ NSt 174), in düsterem Rahmen begegnet sie uns im Faustus-Roman, wo Adrian Leverkühn seit seinem Bordellbesuch unwiderruflich dem Teufel verfallen ist.

Ist der Geist gut, so die Natur böse, d. h. sie wäre es, „wenn moralische Kategorien in Hinsicht auf sie überhaupt statthaft wären“ (AdG 213/14). Da dem nicht so ist, ihr vielmehr neben dem Odium des Ungeistigen noch der Geruch des Un- oder Außermoralischen anhaftet (s. AdG 217), wird ihr Wesen behelfsweise als ,neutral' (s. AdG 218. NSt 52) und ,indifferent' (s. AdG 214. NSt 52. Nachlese 125) umschrieben, was sie zwar weniger eindeutig, aber darum nicht menschenfreundlicher macht[170]. So wird sie nun als ,boshaft-verwirrend' und ,negierend-teuflisch' (s. AdG 218. NSt 52) charakterisiert. Wo er auf die Vieldeutigkeit des Naturhaften zu sprechen kommt, hat der Dichter den Begriff des ,Naturelbischen' eingeführt (s. AuN 425. Nachlese 125) und in dem Zwitterwesen der Meerjungfrau verkörpert (s. KH 148. F 457 u. 58).

So wichtig die Bestimmung der Natur als dumm und böse ist, so wenig wird man sie allein für das Nichtvorhandensein landschaftsschildernder Partien verantwortlich machen können. Vielmehr ist dies Fehlen wieder nur die radikalste Form eines Wirklichkeitsschwundes, der allgemein bemerkbar und nur eine andere Auswirkung ist jenes empfindlich gestörten und erschwerten Wirklichkeitskontaktes.

II. Binnenraum, Haus und Stadt — Formen der Wiederholung

Thomas Manns Parteinahme für den Geist und den Menschen macht eine um so größere Stoffdichte wahrscheinlich, je mehr wir uns dem Umkreis wissenden Lebens nähern. Ein Schritt in dieser Richtung ist getan, wenn wir, die Natur verlassend, uns dem Binnenraum zuwenden, der dem von aller Natur sentimentalisch getrennten ,romantischen' Wesen Mensch (s. AdG 180) zum eigentlich gemäßen Aufenthalt wird[171]. Freilich greifen wir auch jetzt Wirklichkeit weniger füllig als vermutet, wird Umfang nur vorgetäuscht durch das Prinzip der Wiederholung. Wir sahen, daß die

[170]) Neben ,Dummheit' ist es dies ihr außerhumanes Wesen, das den Dichter um so eher zurückschrecken muß, je mehr das Problem der Humanität, die Frage nach der humanen Sendung des Menschen, in den Jahren nach 1918 in den Vordergrund seines Denkens und Schaffens rückt.

[171]) Vgl. des Dichters Bekenntnis, er sei „von jung auf schöne Räume gewöhnt, und ein gewisser Anspruch in dieser Richtung ist mir eingeboren ..." (RuAe II, 795). Zumal als Schaffender erweist er sich als notorische ,Zimmerlinde': „Ich bin gewohnt, im Zimmer zu arbeiten. Offener Himmel, meine ich, zerstreut die Gedanken. Im Sommer brauche ich wenigstens die Decke einer Veranda, eines Gartenhauses über dem Kopf, ein Gehäuse, das, sozusagen, die Atmosphäre des Werkes schützt" (RuAe II, 731. vgl. 789; 793. Briefe II, 138).

Vielzahl der Räume, streichen wir die individuellen Besonderheiten ab[172], sich zurückführen läßt auf ganze zwei Grundtypen, die wir als ‚repräsentativ' und ‚alltäglich' bezeichneten. Dies bedeutet, daß wir uns, solange wir die eine oder andere Hemisphäre nicht verlassen, beständig in gleicher oder doch höchst ähnlicher Umgebung bewegen. Ob wir in der Mengstraße oder Fischergrube, bei den Großeltern Kröger oder in Grünlichs Hamburger Villa zugegen sind, die einzelnen Gemächer wie die Anlage des Ganzen, alles kommt sich nach Stil, Stimmung und Atmosphäre aufs Haar gleich. Die Vielfalt denkbarer Möglichkeiten ist auf Grund typisierenden Verfahrens rigoros beschnitten.

Was hier verschleiert wird mit Hilfe der Variation, der individuellen Abwandlung, die Wiederkehr des Gleichen nämlich, läßt eine zweite Form der Wiederholung mit wünschenswerter Deutlichkeit erkennen. Ihrer gewahr zu werden, ist es notwendig, den Umkreis einer einzigen Dichtung zu verlassen und das Gesamtwerk als einheitliche Stoffquelle zu betrachten. In solcher Umschau lassen sich alsbald eine ganze Reihe direkter Wiederholungen konstatieren. So kehrt der Saal des Mengstraßenhauses mit den weißen Götterstatuen auf blauem Hintergrund wieder in „Tonio Kröger" (s. Erz 313)[173], ja schon in den „Buddenbrooks" ist nur Wiederholung, was sich erstmals in der Erzählung vom „Bajazzo" nachweisen läßt (s. Erz 107). Ähnliches gilt für das Landschaftszimmer, das in der frühen Erzählung „Der kleine Herr Friedemann" (s. Erz 78 u. 87) ebenso wie in dem nach den „Buddenbrooks" entstandenen „Wälsungenblut" begegnet (s. Erz 383).

Darüber hinaus bringt „Tonio Kröger" viele Details, die uns von der Beschreibung des Buddenbrook'schen Stammhauses her vertraut sind. Erneut ersteht im Durchschreiten der Windfangtür die Diele in allen (früher erwähnten) Einzelheiten vor unsern Augen: Kontore, der Weg zur Küche, die Mägdekammern, die großen Schränke und die geschnitzte Truhe[174], die gewaltige Treppe mit dem weißlackierten, durchbrochenen Holzgeländer, die zu den drei Räumen des Zwischengeschosses führt (s. Erz 311/12) und oben in die Säulenhalle einmündet (s. Erz 314), alles ist vorhanden. Kein Zweifel, wir bewegen uns in bekannter Umgebung, sind noch einmal zu Gast in den Räumen des Mengstraßenhauses, und es bedarf erst eines Blicks auf den Titel der Erzählung, um uns von der Vorstellung zu befreien,

---

172) Sie sind ohnehin kaum entwickelt, da die Darstellung sich durchweg damit begnügt, gerade die typischen Merkmale aufzuzeigen und ein Rauminneres nur so weit anzudeuten, daß seine Zugehörigkeit zu einem der Grundtypen erkennbar wird.

173) In der Empfangshalle von ‚Delphinenort' sind die Wände ein weiteres Mal mit weißen Götterbildern geschmückt (s. KH 231).

174) Ihr Fehlen bei Tonios Rückkehr wird wettgemacht durch den Umstand, daß sie in seiner Erinnerung gegenwärtig sind (s. Erz 312).

wir hätten ein Kapitel aus den „Buddenbrooks" vor uns. Dabei ist das altersgraue Patrizierhaus, in dem Thomas Buddenbrook aufwächst, nicht nur zugleich das Elternhaus Tonios; hier verbringen der kleine Johannes (s. Erz 78) wie der ‚Bajazzo' (s. Erz 107) Kindheit und Knabenalter, und noch Gabriele Eckhof kennt dasselbe oder doch ein bis zur Identität ähnliches Zu-Hause (s. Erz 233).

Ebenso ist der Garten, ausgestattet mit den nämlichen Details, an den verschiedensten Stellen des dichterischen Gesamtcorpus nachweisbar. Im Schatten des Walnußbaumes spielt der kleine Johannes (s. Erz 78) ebenso wie Hanno Buddenbrook und später Tonio Kröger (s. Erz 314), und der Springbrunnen ist Gegenstand der Gedichte Tonios (s. Erz 274; 289) wie der Ort, an dem Klöterjahn seine Gattin kennenlernt (s. Erz 234; 252).

Ziehen wir den Rahmen weiter, so ist nicht zu sagen, wie oft die Stadt, die mittelgroße Handelsstadt an der Ostsee, wiederkehrt. Gleich ein halbes Dutzend Erzählungen hat Lübeck zum Hintergrund, so „Der kleine Herr Friedemann", „Der Bajazzo", „Tonio Kröger" oder die Geschichte „Wie Jappe und Do Escobar sich prügelten"; in „Gefallen" und „Der Wille zum Glück" ist die Hansestadt zumindest der Geburtsort der Helden. In „Tristan" hat der Erzähler lediglich die Namen Lübeck und Bremen ausgewechselt (s. Erz 233), im „Zauberberg" ist Hans Castorp dann „zur Abwechselung und ausredeweise" aus Hamburg (AuN 309).

Elternhaus und Heimatstadt, beides hat Thomas Mann eigenem Geständnis zufolge mit sich genommen, wohin und wie weit er ging (s. Nachlese 215). Immer wieder spielen seine Geschichten vor diesem biographischen Hintergrund, inmitten ein und derselben Umgebung. Wie der Leiter einer Theatertruppe, die nur über wenige Dekorationen verfügt und darum die verschiedensten Stücke vor den stets gleichen Prospekten aufführen muß, greift der Dichter beständig auf den einen ihm naheliegenden Schauplatz zurück, setzt er die Umwelt, darin das Personal sich nach seinem Willen bewegt, aus einigen kaum variierten Versatzstücken zusammen. Die äußere Wirklichkeit, ohnehin gering und eben hinreichend, die Akteure gehen und stehen zu lassen, sie schrumpft in der beständigen Wiederholung noch einmal auf ein Minimum zusammen.

III. Der Mensch als Mittelpunkt künstlerischen Interesses — Neigung zu typisierendem Verfahren — Der Psychologismus Thomas Manns

Freilich geben Landschaft und Binnenraum erst den Hintergrund ab für das Menschliche (s. Krull 414). Dieser, der Mensch, ist des Dichters erstes und nahezu einziges Thema (s. AuN 309. Betr 440). Sollte die Erwartung reicheren Materials, größerer Stofflichkeit angesichts dieses Haupt- und Vorzugsgegenstandes in Erfüllung gehen? Aufs neue begegnen wir jenen Formen der Wiederholung, wie sie schon bei der Raumbeschreibung zutage traten. Gleich der Zimmerflucht läßt sich die Vielzahl der Menschen, bleibt die — hier allerdings bis zur Virtuosität entwickelte — Kunst der Variation außer acht, auf ganze zwei Typen reduzieren. Außer dem hoheitsvollen einzelnen und der alltäglichen Menge, geistbeschenkter und dumpfer, unbewußter Wesensart, außer dem feinen, zarten und dem rohen, robusten Schlag gibt es keine weiteren Ausprägungen menschlichen Seins (vgl. S. 58).

Erneut tritt Wiederholung da, wo auf Variation verzichtet ist, im Blick von Werk zu Werk, am deutlichsten zutage. So begegnen wir Gerda Arnoldsen schon früher in Gestalt Gerdas von Rinnlingen („Der kleine Herr Friedemann"), sind uns die Töchter Onkel Gottholds unter gleichem Namen, in der nämlichen Rolle der ironisierten Unheilskünderinnen, als Schwestern des kleinen Johannes bekannt (vgl. B 76 u. Erz 82), hält Tanzlehrer Knaak in „Tonio Kröger" (s. Erz 282 ff) wie in „Jappe und Do Escobar" (s. Erz 430; 435 ff) seinen Auftritt.

Jeder, der die „Buddenbrooks" einmal in Händen gehalten hat, wird nach der Lektüre den Eindruck haben, daß ein gut Teil des Personals, selbst der Randfiguren, fest in seinem Gedächtnis hafte. Nichts wäre voreiliger, als von dieser Wirkung her einen breit realistischen Schreibstil folgern zu wollen. Liegt doch dieser Erscheinung eine dritte Form der Wiederholung zugrunde, die die genaue und wörtliche Wiederkehr des Gleichen mit dem jeweiligen Auftreten einer Gestalt verbindet. Ständige Rekapitulation wenigen Materials[175], dieser Kunstgriff reicht hin, den Eindruck großer Wirklichkeitsnähe und -dichte noch da vorzutäuschen, wo das erzählerische Interesse der Analyse seelischer Befunde weit mehr als umfassender Wiedergabe menschlichen Aussehens oder Agierens[176] gilt.

---

[175]) verbunden mit bestimmten Auswahlprinzipien, s. S. 186.

[176]) Überhaupt haben Thomas Manns Romane auffallend wenig Handlung, ein Mangel, der sich bislang bei jedem Versuch der Verfilmung empfindlich bemerkbar machte. Mit ihren verschiedenen Handlungssträngen sind die „Buddenbrooks" nicht einmal das beste Beispiel dieses Trends zur *„Verinnerlichung"* (AuN 395). Mehr noch gerät man in Verlegenheit, sobald man Auskunft geben soll über das Handlungsgerüst des Prinzenromans oder die Ereignisse auf dem „Zauberberg". Allenfalls wäre an die Liebesgeschichte zwischen Klaus Heinrich und Imma oder die Beziehungen Hans Castorps zu Clawdia zu erinnern, wobei im letztern Fall — tief bezeichnend — der entscheidende Vorgang höchstens andeutungsweise zur Sprache kommt (zur Beliebtheit der Aposiopese vgl. den Bericht über Hannos Ende).

IV. Die geringe Auswahl an gegenständlichem Material

Gering ist die Auswahl an Gegenständen. Über die bloß dekorative Funktion hinaus spielen sie eine Rolle namentlich als Handlungsrequisiten, haben ihren Stellenwert im Geflecht der Bedeutungen (s. dazu S. 95 ff). Wie Schauplätze und Akteure haben sie teil an der direkten Wiederholung. Die goldene Schnupftabakdose des älteren Johann Buddenbrook (s. B 31) findet sich noch einmal in Hans Lorenz Castorps Gebrauch (s. Z 37), das Zigarettenetui mit eingearbeiteter Troika, als Geschenk eines russischen Kunden erst in Thomas' Besitz (s. B 121/22), sehen wir weiter in Händen der Russin Chauchat (s. Z 801). Der Siegelring mit grünem Stein, der sich durch die Geschlechterfolgen hindurch bis auf Hanno vererbt (s. B 78), erscheint ebenso an Senator Castorps Hand (s. Z 31; vgl. 46). Die silberne, innen vergoldete Taufschale, von deren Vorhandensein wir erstmals bei Hannos Taufe erfahren (s. B 414), sie wird später im Kabinett des alten Castorp aufbewahrt (s. Z 32/33). Den Blumenkorb, an dem Frau Permaneder arbeitet (s. B 639), bewundern wir andernorts in den Auslagen eines Blumengeschäftes (s. Krull 96). Ein Bild, das Giacomo Meyerbeer, umgeben von den Gestalten seiner Opern zeigt, hängt im Schlafzimmer des kleinen Hanno (s. B 477) wie im Münchner Arbeitszimmer Leverkühns (s. F 260). Es wäre ein leichtes, diese Reihe durch weitere Belege (vgl. die ‚Servanten' B 489 u. Krull 82, den Likörkasten darauf B 489 u. Z 32 usw.) beliebig zu verlängern. Auch die Gegenstände wandern unablässig durch den Raum dieses Dichtwerks, wieder aufgegriffen und nutzbar gemacht an den verschiedensten Stellen.

Sehen wir ab von allen Elementen geistiger Formung und dichterischer Gestaltung, so stellt das Werk Thomas Manns sich dar als ein stofflich einheitlicher Komplex, in dem auf wenigen wiederkehrenden Schauplätzen, vor den immer gleichen Kulissen, inmitten einer kleinen, eng begrenzten und übersehbaren Anzahl von Requisiten eine Vielzahl von Menschen auftritt, die, sosehr ihre Kostüme wechseln, ihre Züge sich ändern mögen, doch zu erkennen sind als Glieder zweier großer, wesensmäßig geschiedener Familien. Während ihr Schöpfer im geistigen Bereich ausgegriffen hat auf alle Fragen und Probleme unseres Kulturlebens, bleibt die Wiedergabe bloßer Fakten auf ein Minimum beschränkt, hat er sich als ein Jongleur bewährt, der es versteht, einen riesigen Motiv- und Gedankenkomplex auf der Spitze eines Nadelkopfes zu balancieren. Es ist nach der Stoffwahl die eklatante Wirklichkeitsarmut seiner Schriften, die die Bezeichnung ‚realistisch' unglaubwürdig erscheinen läßt.

D. ANALYSE DES WIRKLICHKEITSGEHALTES DER DINGWELT

I. Die metaphorische Unterwanderung der Realien

Wie es um die solide und zweifelsfreie Wirklichkeit der (wenigen) vorhandenen Realien bestellt ist, mag die Analyse einiger typischer Beispiele verdeutlichen. Baum und Brunnen gehören zu den regelmäßig wiederkehrenden Bestandteilen der Stadtgärten. Auffällig schon durch ihre Vereinzelung, mit der sie die Symmetrie der Anlagen empfindlich stören, reicht die Bedeutung von Eiche und Walnußbaum über das Bildhaft-Vordergründige entschieden hinaus. Sie ergibt sich aus der geheimen Verbindung zur menschlichen Sphäre, genauer zu Vorgängen, die Wachstum und Zukunft der Familie berühren.

Nach der doppelten Verlobung Klaras und ihres Bruders Thomas finden wir die Familie im Gespräch mit den auswärtigen Gästen im Landschaftszimmer versammelt. Tiburtius berichtet von seinen Eltern, und die Arnoldsens erzählen „von ihrem Stammbaum, der in Dresden zu Hause war, und von dem nur dieser eine Zweig in die Niederlande verpflanzt worden sei“ (B 306/07)[177]. Angeregt durch dieses Thema, schafft Madame Grünlich die Mappe mit den Familienpapieren herbei, jenes Buch, auf dessen Blättern „der ganze Stammbaum der Buddenbrooks mit Klammern und Rubriken in übersichtlichen Daten geordnet war“ (B 542) und wo sich von ihres Bruders Hand auch die neuesten Daten bereits verzeichnet finden (s. B 307). Wir glauben, daß der einzelne Baum im Garten genau in diesen Zusammenhang zu stellen und aufzufassen ist als eine poetische Metapher, als Stammbaum des Geschlechtes, auf dessen Grund und Boden er wurzelt. Äußeres Zeichen des Wachstums oder Niedergangs einer Familie, kommt seinem Stamm, Zweigen und Krone metaphorische Bedeutung mindestens ebenso zu wie sinnliche Gegenwart[178].

---

[177]) An anderer Stelle heißt es in Bezug auf den Vater des kleinen Kai: „Es gab, außer ihm und seinem Sohne, weit und breit keinen Grafen Mölln mehr im Lande. Die einzelnen Zweige der ehemals reichen, mächtigen und stolzen Familie waren nach und nach verdorrt, abgestorben und vermodert . . .“ (B 536).

[178]) Vgl. die Festtafel anläßlich der Taufe Hannos, darauf man einen „ragenden Baumkuchen“ erblickt B 409.

Baum und Brunnen bilden vielfach eine Einheit. Unter den überhängenden Zweigen des Walnußbaums, inmitten der Blumenbeete und Rasenflächen steigt der zierliche Strahl des Springbrunnens empor. Als Quell und Born des Lebens gewinnt auch er metaphorischen Charakter. Wo sein steinernes Rund zerfällt (s. Erz 252), der Grund des Beckens verschlammt (s. B 678), sein müder Springstrahl versiegt, steht ein altes Geschlecht am Ende seiner Tage. Wenn unter dem Fenster von Hannos Zimmer — gemeint ist die Villa vorm Burgtor — der plätschernde Brunnen ebenso fehlt wie der knorrige Walnußbaum (s. B 776), so gehört diese Anmerkung seitens des Erzählers zu den deutlichsten Hinweisen, daß mit dem Spätling Hanno die letzte Generation der Buddenbrooks erreicht ist.

Ein Quell lebenspendenden Wassers war das Ziel der zu Ehren Permaneders veranstalteten Ausfahrt gewesen. Vom Wirtshaus ‚Riesebusch' aus war man zur Quelle der Au hinausgewandert, einem „hübschen, romantischen Punkt mit einer hölzernen Brücke über einem kleinen Abgrund, zerklüfteten Abhängen und überhängenden Bäumen . . ." (B 363). Wieder scheint die Szenerie, Wald, Brücke, Abgrund nichts als kompakte, vordergründige Wirklichkeit. Verräterisch ist allenfalls die Wiederkehr ‚bedeutender' Details, der Bäume, der Quelle, an deren frischem Wasser die beiden künftigen Gatten sich erquicken. Und nun zeigt sich, daß das Ganze darauf angelegt ist, in der stummen Sphäre des Bildes die Unmöglichkeit der Verbindung zwischen Tony und Permaneder darzutun, ja ihr Ende vorwegzunehmen, bevor das entscheidende Wort überhaupt gefallen ist. Unterschiede des Temperaments, der Gesinnungen, der Lebensauffassung schlechthin sind es, die sich dieser Ehe entgegenstellen, der soziale Abstand, gesellschaftliche Unebenbürtigkeit kommen verschärfend hinzu. In der Stunde, da sie ihre überstürzte Heimkehr vor dem Bruder rechtfertigen muß, greift Tony Mortens Wort vom Abgrund (s. B 145) auf, um die wesensmäßige Verschiedenheit zwischen sich und Permaneder klarzustellen (s. B 401/02). ‚Romantisch', d. h. wirklichkeitsfremd war der Gedanke an die Möglichkeit dieser Verbindung gewesen, romantisch wie die Landschaft, der Rahmen, darin sie zustande kam. Im Sinne wesensmäßiger, abgründiger Verschiedenheit verstanden, erhält der Abgrund bei Schwartau nachträglich überzeugend metaphorischen Charakter[179].

Noch einmal ist die genau gleiche Szenerie, Waldschlucht, Bergbach (anstatt Quelle), Holzsteg aufgebaut in total gewandelter Umgebung, inmitten der Wildnis des Hochgebirges. Wir meinen den malerischen, im Sommer blau blühenden Ort von Hans Castorps „Regierungszurückge-

[179]) Ähnlich wie Permaneder nähert sich Hans Castorp in Clawdia einer ihm wesensverschiedenen Frau. Auch hier werden die tiefen Klüfte, die beider Existenzen trennen (s. Z 205), bei der ersten entscheidenden Begegnung am Berghang im Bilde der Schlucht veranschaulicht (s. Z 336).

zogenheit“ (Z 999): „Ernste Fichten ... standen einzeln und in Gruppen auf dem Boden der Schlucht sowie die Höhen hinan, und eine davon, zur Seite des Wildbaches schräg im Gehänge wurzelnd, ragte schief und bizarr in das Bild hinein“ (Z 170; vgl. 1003). Diesen Baum (nach Stellung und Wuchs) als Gleichnis zu verstehen für die Existenz seines Helden, dessen „junge Seele sich gefährlich tief über geistige und sittliche Abgründe neigt“ (AuN 311), werden wir ermächtigt durch des Dichters eigene Aussage, die den metaphorisch-uneigentlichen Charakter der Kluft, des Abgrundes und aller dort verwandten Realien expressis verbis hervorhebt.

Eines ist all diesen Beispielen gemeinsam: Die reale Erscheinung erweist sich am Ende weniger solide und unzweifelhaft als ursprünglich angenommen. Beständig gerät das, was eben noch festgefügte Wirklichkeit schien, auf eigentümliche Weise in die Schwebe. Mit dem Hinweis auf diese von Thomas Mann gern angewandte Technik — wir werden dem metaphorischen Gebrauch scheinbar konkreter Details noch häufiger begegnen (s. etwa S. 139 ff) — sind wir vorbereitet auf die leitmotivische Verwendung einzelner Wirklichkeitselemente, von der nun am Beispiel der Personenbeschreibung die Rede sein soll.

II. Erscheinung und Gebrauch des Leitmotivs

a) Definition

Thomas Mann hat das Leitmotiv aus der Musik, aus der Beschäftigung mit Richard Wagner übernommen (s. Z XXIII. AuN 567. Betr 81). Wagners Verhältnis zur Musik scheint ihm „nicht rein musikalisch, sondern dichterisch auf die Weise, daß das Geistige, die Symbolik der Musik, ihr Bedeutungsreiz, ihr Erinnerungswert und Beziehungszauber dies Verhältnis entscheidend bestimmten“ (AdG 428/29). Umgekehrt hat er, Thomas Mann, sich selbst „zu den Musikern unter den Dichtern“ gerechnet und gemeint, die Musik habe von jeher „stark stilbildend“ in seine Arbeit hineingewirkt: „Der Roman war mir immer eine Symphonie, ein Werk der Kontrapunktik, ein Themengewebe, worin die Ideen die Rolle musikalischer Motive spielen“ (Z XII). Sehen wir also nach, wie das musikalische Leitmotiv beschaffen ist, um von da aus Gleich- oder Verschiedenheit seines literarischen Ablegers zu erfassen.

Das musikalische Leitmotiv ist gebunden an einen Motivträger (Person, Gegenstand oder Handlungszusammenhang, Idee). Damit ein Motiv als

Leitmotiv erkennbar werden kann, muß es sich zunächst wiederholen. Weil nun Musik weitgehend und in viel stärkerem Maße als das dichterische Wort lebt von Wiederholung, der variierten Wiederkehr einzelner Motive wie ganzer Themen, ist diese allein noch kein hinreichendes Kriterium. Erst wenn ein Motiv in der Wiederkehr sich bezieht auf einen übergreifenden Bedeutungszusammenhang, wenn es Hinweischarakter gewinnt, darf es als Leitmotiv angesprochen werden.

Gleich dem musikalischen bedarf auch das literarische Leitmotiv notwendig der Wiederholung. Diese geschieht zumeist nicht wörtlich, sondern in variierender Abwandlung des Gleichen, wobei der Abstand zwischen erstem Auftauchen und späterer Wiederaufnahme nicht eindeutig festliegt[180]. Von entscheidender Bedeutung ist erneut der Verweisungscharakter. Ein Leitmotiv (gleich ob musikalisch oder literarisch) ist immer Bedeutungsträger. Eben dadurch unterscheidet es sich grundsätzlich von jenen andern Motiven, die zwar an der Wiederholung teil haben, jedoch stets im Bereich des Gegenständlichen (Personencharakteristik) verbleiben und die man ihrer Funktion nach Erkennungs- oder ‚Begleitmotive'[181] nennen könnte.

---

[180]) Auch jetzt ist die dichterische Produktion Thomas Manns als eine Einheit anzusehen (vgl. S. 90 ff), so daß noch die Wiederaufnahme in einer späteren Dichtung als Wiederholung gelten kann.

[181]) Wir entnehmen die Anregung zu diesem Terminus — Thomas Mann spricht von ‚Merkworten' — dem Aufsatz von Wilhelm Lang — ‚Tristan' von Thomas Mann. Genese — Analyse — Kritik. In: Der Deutschunterricht 19, Heft 4, 1967, S. 102 —. Die Forschung bietet meist wenig überzeugende Typologisierungsversuche und krankt allgemein an einer Verwechslung von Begleit- und Leitmotiven. Häufig wird auch die Behauptung des Dichters, Leitmotive gebe es erst seit „Tonio Kröger", völlig unkritisch übernommen.
Im folgenden eine Auswahl einschlägiger Arbeiten zu diesem Thema in alphabetischer Reihenfolge:
Beda Allemann, Ironie und Dichtung, Pfullingen 1956, S. 18/19; Jutta Bohnke, Thomas Manns Romantechnik, Diss. Tübingen 1950, S. 31 ff; Walter Grüters, Der Einfluß der norwegischen Literatur auf Thomas Manns ‚Buddenbrooks', Düsseldorf 1961, S. 75 ff; Gerald Harlass, Das Kunstmittel des Leitmotivs. Bemerkungen zur motivischen Arbeit bei Thomas Mann und Hermann Broch. In: Welt und Wort 15, 1960, S. 267; Leander Hotes, Das Leitmotiv in der neueren deutschen Romandichtung, Diss. Frankfurt a. M. 1931, S. 125 ff; Helmut Koopmann, Die Entwicklung des ‚intellektualen Romans' bei Thomas Mann, Bonn 1962, S. 45 ff; Fritz Martini, Thomas Manns Kunst der Prosa. Versuch einer Interpretation. In: Form und Inhalt. Festschrift für O. Schmidt, Stuttgart 1961, S. 316; Hans Armin Peter, Thomas Mann und seine epische Charakterisierungskunst, Diss. Bern 1929, S. 197-211; Anthony Riley, Die Erzählkunst im Alterswerk Thomas Manns mit besonderer Berücksichtigung der „Bekenntnisse des Hochstaplers Felix Krull", Diss. Tübingen 1958, S. 5-66; Rudolf Steffens, Die Redeweise als Mittel der Charakterisierungskunst bei Thomas Mann, Diss. Bonn 1950, S. 5; Hermann Stresau, Die Buddenbrooks. In: Die Neue Rundschau, Jg. 1955, S. 408/09; Walter Weiss, Thomas Manns Kunst der sprachlichen und

Die Suche nach der Bedeutungsebene, auf die die Unzahl der Leitmotive Bezug nimmt, ist gleichbedeutend mit der Frage nach der geistigen Substanz, dem gedanklichen Gerüst des Mann'schen Oeuvres schlechthin. Sollte man die zentralen Begriffe nennen, die sein Schaffen bis hin zum „Tod in Venedig“ bestimmen, so wären Gesundheit und Krankheit, Naivität und Erkenntnis (in der Verteilung auf Bürger und Künstler), Natur und Geist, ‚Haltung‘ und Auflösung, Leben und Tod und in eins damit Musik, Kunst, Liebe, Schönheit anzuführen. Entscheidend ist die antithetische Zuordnung dieser Begriffspaare[182] aufeinander. Alle Antithetik des beschreibenden Teils hat hier, im Dualismus des gedanklichen Aufbaus, ihren Ursprung und Rückhalt. Thomas Manns Werk besteht immer und überall aus antithetisch aufeinander bezogenen Spannungsfeldern. Diese werden um so umfassender, je höher wir in der Hierarchie der Begriffe aufsteigen. Oberstes Gegensatzpaar, aus dem alle andern antithetischen Zuordnungen sich ableiten, ist das von Natur (Leben) und Geist oder, um die Assoziationen auszuschalten, die mit dem Lebensbegriff einhergehen, das von Vitalität und Infirmität.

Alle sich wiederholenden Motive, die auf diese Ebene, auf den Bedeutungszusammenhang, das Spannungsverhältnis vital — unvital hinüberleiten, haben als Leitmotive zu gelten, als Bedeutungsträger, die über das bloß Individuelle und sinnlich Konkrete hinaus auf einen überindividuellen geistigen Zusammenhang verweisen[183]. Ihre ‚Leit‘-Funktion erschöpft sich nicht allein in der Horizontalen, im Voraus- und Zurückweisen, sie meint überdies und vor allem eine Bewegung in der Vertikalen, ein Hinauf- und Hinüberleiten auf höhere Ebene, vom Sinnlichen weg ins Geistige, vom Vordergründigen zurück auf die gedankliche Struktur des Hintergrundes.

---

thematischen Integration, Düsseldorf 1964. Beihefte zur Zeitschrift ‚Wirkendes Wort‘ 13, S. 51-64; Erika A. Wirtz, Zitat und Leitmotiv bei Thomas Mann. In: German Life and Letters N. S. 7, 153/54, S. 126-36.

[182]) Daß sie überdies in dialektischem Wechselverhältnis zueinander stehen, kann in diesem Zusammenhang außer acht bleiben.

[183]) Ronald Peacock will den Begriff zugleich enger und weiter gefaßt wissen. Enger, sofern er das Leitmotiv als „Stimmungsausdruck oder Stimmungsträger“ versteht (s. S. 7); weiter, da er noch die Vielzahl der Begleitmotive, wenn auch nur in ‚uneigentlichem‘ Sinne, dazurechnet (s. S. 8).
Wie wenig sich mit seiner Definition arbeiten läßt, lehrt die versuchsweise Anwendung auf das Werk. Überall dort, wo die persönliche (Künstler-) Problematik des Dichters abgehandelt werde, sei die anspielende Formel zu finden, heißt es (s. S. 7), zuerst in den Erzählungen „Enttäuschung“, „Der Bajazzo“, „Der Kleiderschrank“. Zwar behauptet der Verfasser gelegentlich, die leitmotivische Methodik ihrer Entwicklung nach darzustellen (s. S. 30), doch registriert er statt dessen nichts als ein willkürliches Schwanken zwischen Anwendung und Nichtachtung des (vom Autor) einmal Erlernten. „Buddenbrooks“, hören wir, kennen nur das nichteigentliche Leitmotiv (s. S. 8 u. 9) mit einer einzigen — nicht recht einsichtigen — Ausnahme (s. S. 16 u. 17); in den drei nächsten Erzählungen, „Der Weg zum Friedhof“, „Die

b) Die leitmotivische Funktion einzelner Körpermerkmale

1. Der vitale Typ

Unsere Aufmerksamkeit gilt im folgenden der leitmotivischen Funktion einzelner Körpermerkmale. Beginnen wir mit einem der geläufigsten Kennzeichen lebensvoller Gestalten, dem flachsblonden Haar. Morten Schwarzkopf ist „so blond wie möglich" (B 126) und darin, seinen Namen Lügen strafend, Anführer einer ganzen Reihe von Gestalten, die als die „Blonden, Lebendigen, Glücklichen" (Erz 335), als lichte und gewöhnliche Kinder des Lebens (s. Erz 264) des Dichters Bücher bevölkern. Blondheit, von jeher hat Thomas Mann sie in eins gesehen mit Geistlosigkeit (s. RuAe I, 532) und diese wieder mit Kraft (s. Betr 18), Gesundheit, einem vitalistisch verstandenen Lebensbegriff in Verbindung gebracht.

Blondes Haar ist nur eines der äußeren Merkmale dieses Typs, ein anderes, aufs engste damit verbunden, Blauäugigkeit[184]. Namentlich seit „Tonio Kröger" sind wir gewohnt, beide Kennzeichen vereint und zur Formel zusammengezogen zu finden, doch begegnen die „Blonden und Blauäugigen", die „hellen Lebendigen" (Erz 338) schon in den frühesten Stücken des Dichters. Zu blitzblauen Augen „ein dicker Schopf von blondem Haar . . .", so ist der jugendliche Radfahrer beschrieben, der das Ärgernis Piepsams („Der Weg zum Friedhof") erregt und vom Erzähler geradezu mit dem Leben identifiziert wird (Erz 191). Blondes Haar und lustige,

---

Hungernden", „Gladius Dei" fehle es völlig. Wieder aufgegriffen in „Tristan" (s. S. 24), erreiche die motivische Kunstarbeit ihren Höhepunkt mit „Tonio Kröger" (s. S. 37 u. 41), während das „Wunderkind", im gleichen Jahr (1903) entstanden, kaum eine Spur davon zeigen soll (s. S. 29). „Von dem gefühl- und stimmungtragenden Leitmotiv ist nach ‚Tonio Kröger' wenig zu spüren, weil keins der späteren Werke ein so einmaliges, lebhaftes, reines Gefühlserlebnis in so zusammengedrängter Form . . . zum Ausdruck bringt" (S. 49). In den nachfolgenden Romanen („Königliche Hoheit", „Zauberberg") an Gefühlsgehalt einbüßend, wird es im „Tod in Venedig", über den die Untersuchung (zeitlich) nicht wesentlich hinausgreift, wegen des angeblich rein erzählerischen Stils erneut gänzlich verleugnet (s. S. 52).
Damit ist dem Peacock'schen Unternehmen das Urteil gesprochen. Sein Ansatz erweist sich als allzu einseitig auf die Kröger-Novelle hin ausgerichtet. Die These, das Mann'sche Leitmotiv müsse, weil von Wagner übernommen, notwendig musikalisch, d. h., da Musik sehr romantisch aufgefaßt ist, stimmungsbefrachtet sein (s. S. 45), erscheint in dieser Pointierung unhaltbar. Ihr Verfechter selbst muß einräumen, daß es Stimmungsnovellen ohne Leitmotivik gebe, die wiederholende Formel an sich nicht notwendig Träger von Gestimmtheit zu sein brauche (s. S. 41).

[184]) Leitmotivisch gebrauchtes Kennzeichen, ist das Augenblau nebenher Hinweis auf die geographische Herkunft seines Trägers und gelegentlich (s. bes. KH 116) nichts weiter als dies. Dem blauen Auge des Nordens — gemeint sind die nördlichen Gebiete Deutschlands und der skandinavische Raum — steht das braune des Südens gegenüber (s. AuN 319).

lachende, offene Augen, Augen, die himmelblau sind und den hellen Tag widerstrahlen (s. Erz 626), dies sind die entscheidenden Attribute vitaler, lebenskräftiger Gestalten. In den „Buddenbrooks" kommen sie Konsul Johann (s. B 11; 79)[185] und dessen Gattin (s. B 80)[186] zu, finden sie sich bei Tony (s. B 9; 206)[187] und Tochter Erika (s. B 551; 786), ihrem ersten Gatten (s. B 114; 155) ebenso wie bei Permaneder (s. B 337), bei ihrer Freundin Armgard (s. B 90 u. 91) und den Travemünder Bekannten, dem alten Schwarzkopf (s. B 124) wie Morten (s. B 126; 150), endlich bei Hannos Mitschülern Timm (s. B 756) und Petersen (s. B 760)[188]. Die Zahl der Belege im ferneren Werk Thomas Manns ist Legion.

Eines der wichtigsten leitmotivischen Vehikel sind ferner die Zähne. Jedes starke, vollzählige Gebiß zeugt von ungebrochener Vitalität. Um dem Senator Alinens Gesundheit zu demonstrieren, kann Christian gar nichts Besseres tun, als von ihren Zähnen zu schwärmen: „‚Nein, du hast keinen Begriff, Thomas, was für ein prachtvolles Geschöpf das ist! Sie ist so gesund... so *gesund* ...!... Du solltest nur ihre Zähne sehen, wenn sie lacht! Ich habe solche Zähne auf der ganzen Welt noch nicht gefunden, in Valparaiso nicht und in London nicht...'" (B 420)[189]. Ähnlich begeistert läßt sich Tony vernehmen, wenn sie ihrer Münchner Köchin Zähne bescheinigt, „um die man sie beneiden könnte" (B 378/79).

Dem üppigen Blondhaar, das, nur mühsam gebändigt, unter dem Strohhut der kleinen Tony hervorquillt (s. B 63; 206; 293), entspricht männlicherseits ein kräftiger Bartwuchs, der, läßt man ihn gewähren, die Wangen bedeckt oder als Vollbart das Gesicht umrahmt. Robust und bärtig, diese Epitheta sind Synonyme (s. F 40), so sehr, daß sprießendes Barthaar selbst

---

185) Das ehemals blonde Haar Mr. Buddenbrooks ist vom Alter gebleicht und zudem schneeweiß gepudert (s. B 10); das Blau der Augen läßt sich aus späteren Hinweisen (s. B 18 u. 410) erschließen.

186) mit Abwandlung des Strohhellen ins rötlich Blonde s. B 253.

187) Wie die Lebenskraft dieses Geschlechtes mit jeder folgenden Generation nachläßt, erfahren Blondheit und Blauäugigkeit bezeichnende Abwandlungen. Dazu rechnet schon der weiche Schimmer des Gefühls, den die ursprünglich harten, stahlblauen Augen des vitalen Typs im Falle Johann Buddenbrooks erkennen lassen. Die entscheidende Position in der Entwicklung von ungebrochener Vitalität zu schließlicher Lebensuntauglichkeit nimmt freilich erst sein Sohn Thomas ein. Er ist (auch im Äußern) das typische Beispiel einer Übergangsfigur, die genau auf der Grenzscheide steht zwischen vitalen und unvitalen Tendenzen. Thomas hat zwar noch die blauen Augen des Großvaters, doch ist das helle Blond des Haupthaars — nicht der Augenbrauen — bereits ins Dunkle abgewandelt (s. B 78. vgl. Erz 356. KH 142, wo die Blondheit zwar erhalten bleibt, aber in Gegensatz tritt zu Zart- und Feinheit der Gestalt).

188) Blondhaar allein findet sich B 65; 75; 411; 441, Augenblau B 257; 753.

189) Ähnlich des Dichters Bewunderung der Zahnreihen der Kinder Ägyptens (s. RuAe I, 612).

den Nachteil fehlender Größe wettmachen, den Eindruck schmächtigen Wuchses kompensieren kann (s. Erz 637. B 121).

Signum kühn unternehmender Männlichkeit ist speziell der Schnurrbart (s. B 454). Aufgebürstet (s. Erz 88) oder spitz emporgedreht (s. B 20), daß er die Mundwinkel überragt (s. B 192. KH 24. Z 430. Krull 152), verleiht er seinem Träger den Anstrich des Martialischen, reicht er hin, die Vorstellung von Macht und Ansehen zu suggerieren. So tragen ihn die Herren und Mächtigen dieser Erde, Militärs (s. B 28. Z 331/32. KH 24), Polizisten, Vertreter des Staates und seiner Ordnung. In der Novelle „Das Eisenbahnunglück" heißt es bei der ersten Beschreibung des Kondukteurs: „Sieh diesen Schaffner an mit ... dem gewaltigen Wachtmeisterschnauzbart und dem unwirsch wachsamen Blick. ... Das ist der Staat, unser Vater, die Autorität und die Sicherheit ..." (Erz 417)[190].

Wofern die Gesichter frei sind von wucherndem Barthaar, glüht Lebensröte auf den Wangen dieses Geschlechtes. Solche vollen, roten Gesichter kennen wir von Weinhändler Köppen (s. B 19 u. 31), dem alten Schwarzkopf (s. B 124) oder Bankier Kesselmeyer (s. B 209 u. 236)[191]. Zwischen breiten Schultern (s. B 124. Erz 222. Z 795/96) und auf massigen Körpern sitzend, gehören sie zum äußern Bild eines vitalen Menschenschlags, zu der Gruppe beleibter (s. B 19. Erz 114), untersetzter (s. B 124) Gestalten.

Kompakt und stämmig (s. B 90; 410. Erz 816) oder groß und vierschrötig ist der vitale Menschenschlag (s. Erz 85). Es bleiben die breiten Schultern[192], aber sie gehören nun Kerlen lang wie ein Baum (s. B 28), Hünen von Gestalt (s. Z 430), reckenhaften Staturen (s. Z 301). Die Wucht ihrer Physis ist unwiderstehlich. Hieronymus erfährt es, als er sich dem Packer Krauthuber gegenübersieht. Was da auf Herrn Blüthenzweigs Geheiß auf ihn zukommt, ist „ein massiges und übergewaltiges Etwas, eine ungeheuerliche und strotzende menschliche Erscheinung von schreckeneinflößender Fülle, deren schwellende, quellende, gepolsterte Gliedmaßen überall formlos ineinander übergingen, ... eine unmäßige, langsam über den Boden wuchtende und schwer pustende Riesengestalt, genährt mit Malz, ein Sohn des Volkes von fürchterlicher Rüstigkeit!" (Erz 213. vgl. den ‚Rubenturm' J 1266)[193].

[190]) Vgl. Thomas Manns Äußerungen aus den „Betrachtungen": „Als Knabe personifizierte ich mir den Staat gern in meiner Einbildung, stellte ihn mir als eine strenge, hölzerne Frackfigur mit schwarzem Vollbart vor, einen Stern auf der Brust und ausgestattet mit einem militärisch-akademischen Titelgemisch, das seine Macht und Regelmäßigkeit auszudrücken geeignet war: als General Dr. von Staat" (Betr 239).

[191]) Vgl. Erz 471. KH 118; 378. Z 62 u. 247; 604; 788. Krull 240.

[192]) Für die ganze Figur gilt diese Bezeichnung B 124. Erz 88; 108; 222. Z 779/80.

[193]) Behaarung und (Körper-) Farbe dienen auch im Falle der Gliedmaßen dazu, den Eindruck vitaler Wohlbeschaffenheit zu stützen. So ist Mont-kaw, Potiphars Hausmeier, „‚stark und haarig'" von Körper (J 928). „Rothaarig war er sofort

Wetterfeste, harte, robuste Typen, Leute mit leidlich dicker Haut (s. Z 285) sind nötig, das Leben, wie Thomas Mann es sieht, zu bestehen. Und ‚hart' ist nun, übertragen wie wörtlich, alles an diesen robusten Erscheinungen, angefangen vom Kopfhaar (s. B 763) über die kantige, eckig vorspringende Stirn (s. Erz 200), die stahl- oder saphirblauen Augen (s. Erz 272. B 753), den schmalen, hölzern wirkenden Mund (s. Krull 116) bis hin zum eisenfarbenen Backenbart (s. Z 197. vgl. B 124; 156), der sich in der Berührung anfühlt wie Roßhaar, mit dem man die Möbel stopft (s. Erz 216. vgl. B 717. Erz 114).

Härte im eigentlichen Wortverstand, diese Eigenschaft gilt am ehesten für das menschliche Skelett, den Knochenbau. Hofrat Behrens etwa wird uns geschildert als ein knochiger Mann (s. Z 66), Issakhar, Josephs Bruder, heißt im Munde der Geschwister nur ‚knochiger Esel' (s. J 495); Fräulein Unschlitt, Klaus Heinrichs Partnerin auf dem Bürgerball, ist ein leidlich hübsches, wenn auch etwas knochiges Geschöpf (s. KH 102), der Erzähler zitiert sie als das ‚Mädchen mit den Schlüsselbeinen' (s. KH 103). Ein seltsamer Sprachgebrauch, da es doch offenbar kein weibliches Wesen ohne Schlüsselbeine noch, allgemein gesprochen, Menschen ohne Knochenbau gibt. Eingefangen ist in diese Formel der Tatbestand des Stark- und Grobknochigen, ein Merkmal, durch das Fräulein Unschlitt sich als ebenso vital wie ausdauernd erweist, von gleich durabler Konstitution (s. B 665) wie Ida Jungmann. Auch sie gehört zu den knochigen Leuten, denen man unbedenklich voraussagen kann, daß sie mit sechzig und länger noch rüstig sein werden. Weißhaarig zwar, aber gerade und ungebeugt, mit Augen, so frisch, klar und unermüdlich wie vor zwanzig Jahren (s. B 477), versieht sie bis zuletzt ihren Dienst.

Eine Physis, der die Zeit nichts anhaben kann, bedarf auch atmosphärischen Unbilden gegenüber keines Schutzes. Barhäuptig (s. Z 71), ohne Kopfbedeckung (s. Z 10; 335; 607), mit entblößten Armen (s. Z 105), aufgekrempelten Hemdsärmeln (s. B 359. Erz 213. Z 270) bewegt man sich ungeniert im Freien. Kurzum, es sind wetterfeste Naturen, die uns da begegnen, Leute, die emporgeklappte Kragen als weichlich empfinden (s. B

---

gewesen über den ganzen Leib", heißt es von Esau, und es gibt keine eindrucksvollere Demonstration der Wildheit und Stärke dieses Naturburschen (J 197). Ritter Rogers unüberwindliche Stärke anzudeuten, heißt er im Mund der Belagerten nur ‚der Spitzbart' oder überhaupt ‚der Haarige' (Erw 138). Und von Jaakobs Oheim erfahren wir: „Übrigens war Laban ein starker Mann . . ., angetan mit einem knielangen Leibrock . . ., dessen enge Ärmel die nervig hochgeäderten Unterarme frei ließen. Sie waren schwarzgrau behaart, wie seine muskulösen Schenkel, und breite, warme, ebenfalls behaarte Hände saßen daran . . ." (J 233). Entsprechend dem Bartwuchs kann die Behaarung eines Körperteils aufkommen für fehlende Größe. So hat der Nachfolger Grabows, Dr. Langhals, zwar kleine, aber schwarzbehaarte Hände (s. B 576. vgl. Z 423).

747), da sie selbst, wie der kleine Graf Mölln, nicht einmal im Winter den Paletot vermissen (s. B 775).

Dies betonte und freudige Darbieten des Körpers findet seine Erfüllung in sportlicher Betätigung. Körperstärke und Turnertugend werden bei Hannos Spielgefährten großgeschrieben (s. B 747). Die Söhne Hermann Hagenströms, dick, stark und prächtig gediehen, geben bei den Turnspielen den Ton an (s. B 646). Hans Hansen ist ein frischer Gesell, der reitet, schwimmt und turnt wie ein Held (s. Erz 275). Seit „Tonio Kröger" werden Sport und Reiterei, der Umgang mit Pferden, in einem Atem genannt. Es sind Immas wohlausgebildete Arme, die erkennen lassen, daß sie Sport treibt und Pferde zu zügeln versteht (s. dazu Z 696). Gleich die erste Begegnung zwischen Herrn Friedemann und der Gattin des Stadtkommandeurs zeigt die männlich verwegene Gerda in bezeichnender Pose: Sie selbst (und nicht der Diener) lenkt die Pferde des Jagdwagens[194].

Erst mit zunehmendem Alter entscheidet sich, ob die vitale Basis ausreicht, den einzelnen inmitten des allgemeinen Lebenskampfes bestehen zu lassen. Gesundheit oder Krankheit, beides läßt sich ablesen an der robusten oder allzu empfindlichen Beschaffenheit des Magens (s. KH 158. Krull 52). Wer die in Lübeck und Hamburg üblichen, fast schon skandinavisch schweren Mahlzeiten (s. Erz 306) unbeschadet übersteht, ist mit Sicherheit gesund; wessen Magen gegen derlei Zumutungen revoltiert (vgl. das Beispiel des kleinen Christian am Abend der Hauseinweihung B 37/38), wird mit Krankheit und Körperelend frühzeitig Bekanntschaft machen. Die Einstellung zum Essen als lebenerhaltendem Vorgang ist bezeichnend für den Lebenswillen des Menschen. Hans Castorp etwa ist gewohnt, selbst dann zu essen, wenn er keinen Hunger hat, und zwar „aus Selbstachtung" (Z 22), der schottische Lord hingegen, dem Krull aufwartet, beschränkt die Nahrungsaufnahme auf das Allernotwendigste, und dies aus einer „‚gewissen Selbstverneinung'" heraus (Krull 249). Oft ist der wirkliche Hunger zugleich metaphorisch zu verstehen als Hunger nach dem Wirklichen (s. KH 187), so im Falle Klothildens, die ihrer Armut wegen niemanden finden wird, der sie heiratet und deren Beziehung zum Leben

[194]) Braun ist ferner die bevorzugte Farbe sportlicher Kleidung. Wo man nicht von vornherein auf jede Kopfbedeckung verzichtet, wird zum sportlichen Dreß allenfalls die Mütze als schicklich empfunden. So trägt der junge Radfahrer und Gegenspieler Piepsams „Sportgamaschen und das keckste Mützchen der Welt, — ein Witz von einem Mützchen, bräunlich kariert, mit einem Knopf auf der Höhe" (Erz 191). Verglichen mit seiner Gattin sieht Thomas Buddenbrook am Morgen der Ausfahrt nach Schwartau „gut und munter aus in seinem hellbraunen, kleinkarierten Anzug, dessen breite Revers den Rand der Sommerweste sehen ließen . . ." (B 356). „. . . in braunem Ulster, ganz ohne Kopfbedeckung und so gesund aussehend wie in seinem Leben noch nicht", so steht Joachim auf dem Perron von Davos-Dorf in Erwartung Hans Castorps bereit (Z 10).

sich darum einzig im guten Essen erschöpft, deren nie zu stillender Appetit Ausdruck ist eines unbändigen Lebenshungers.

Körperliches Intaktsein verleiht Sicherheit. Man bewegt sich anders durch das Leben in der Gewißheit, sich auf seinen Leib, seine Gliedmaßen verlassen zu können. Man ist zu Hause in dieser Welt, mit beiden Füßen, unerschütterlich, und dementsprechend sind die Bewegungen: breitspurig (s. B 201), mit einem Höchstmaß an Sicherheit. Die kleine Tony setzt ihre schmalen Beinchen mit derart wiegender und elastischer Zuversichtlichkeit (s. B 63), Hans Hansen schreitet so beneidenswert „elastisch und taktfest" einher (Erz 272).

Vitale Wohlbeschaffenheit äußert sich zuletzt in spielerischem Versuchen der Kräfte, in Ausbrüchen von Übermut und Schlimmerem. Es bedarf nur weniger Veränderungen, den Trägern überschüssiger Energien den Anschein des Bedrohlichen zu geben. Das Haar steht dann kriegerisch empor (s. Erz 704; 676; 683), saphirblaue Augen erhalten hinter Brillengläsern einen mysteriösen, die Miene verschärfenden Glanz (s. B 753. Erz 418; 216. KH 15). Ihr Ausdruck wird herausfordernd (s. Z 332), unerbittlich im Fixieren des Gegenübers (s. Erz 94; 96), erfüllt von zitternder Grausamkeit (s. Erz 97/98), einer ungeheuren Lust, den Andern, Schwächeren zu demütigen (s. Erz 105). Drohend wirkt dieser Blick namentlich bei zusammengezogenen Brauen, wenn zwei senkrechte, energische Falten die Stirn verdüstern (s. Erz 108)[195]. Das lächelnde Zurschaustellen gesunder Zähne, auch diese harmlose, unbewußt geübte Geste kann umschlagen ins Wild-Bedrohliche, wie bei dem Fremden, der Aschenbach vor dem Portal des Münchner Friedhofs entgegentritt: „denn sei es, daß er, geblendet, gegen die untergehende Sonne grimassierte oder daß es sich um eine dauernde physiognomische Entstellung handelte: seine Lippen schienen zu kurz, sie waren völlig von den Zähnen zurückgezogen, dergestalt, daß diese, bis zum Zahnfleisch bloßgelegt, weiß und lang dazwischen hervorbleckten" (Erz 446. s. 465; 508. dazu 86).

Menschen dieser Art pflegen Streitigkeiten in direktem Zugriff zu regeln. Klöterjahn erscheint persönlich bei Herrn Spinell und gibt sich nach kurzem Wortwechsel den Anschein, als wolle er die Jacke abwerfen und zu tätlichem Angriff übergehen, den Schriftsteller buchstäblich ‚in die Pfanne hauen' (s. Erz 258. dazu 684). In solchen Situationen spüren wir etwas von der Herkunft dieses Geschlechtes: Blond und blauäugig, sind sie Nachfahren der blonden Bestie Nietzsches[196], die, verwandelt und ge-

---

[195]) Vgl. 446; 508; 818. J 233; 1550.

[196]) Neben dem Lebensbegriff im engeren Sinn, wie er im Frühwerk durchweg — in dialektischer Antithese zu Geist und Kunst — dem Typus des Normalbürgers zugeordnet ist, kennt Thomas Mann das Urvitale, das Leben in seinen elementaren, wilden und rauschhaften Formen, gesehen gern und häufig im Bild des reißend gefährlichen Raubtiers. Von den Löwen der Zirkusmanege erwähnt der Erzähler den

zähmt, in Thomas Manns Werken wiederkehrt als der gewöhnliche, lebenskräftige Menschenschlag. Fröhlich, ausgelassen und munter im sicheren Gefühl ihrer physischen Überlegenheit, verrät ihre Herkunft, ihre ursprüngliche Gefährlichkeit sich in gelegentlichen Anfällen von Roheit, Grausamkeit und zerstörerischer Brutalität.

2. Die Gruppe der mit Infirmität geschlagenen Menschen

Ganz anders der mit Infirmität geschlagene, geistbegabte Mensch. Zart und blaß von Erscheinung, ist er zumeist brünetten Typs[197], mit dunklem Haar und Augen von der Farbe geschälter Kastanien[198]. Rosiger Teint und sportbraune Haut, sie machen dünnblütiger Blässe Platz, anämischen Zügen, aus denen der Pulsschlag des Lebens gewichen, in denen nur eines zu finden ist: bläulich umschattete Augen (s. B 644; 720), blaßblau gezeichnete Schläfen. Von der robusten Vitalität des alten Johann Buddenbrook ist seinen Enkeln wenig mehr verblieben. Heimgekehrt nach eben überstandener Lungenblutung, deutet die Blässe von Thomas' Zügen wie „das bläuliche, allzu sichtbare Geäder an seinen schmalen Schläfen ... an, daß seine Konstitution nicht besonders kräftig" ist (B 244; vgl. 330)[199]. Immer wieder begegnet dies so verräterische Mattblau des Aderwerks (s. Erz 43/44; 624. KH 83; 142)[200] im Zusammenhang mit Krankheit und Körperschwäche, bei Menschen, die zu Krankheiten disponiert sind. Von beinahe unirdischer Zartheit ist die äußere Erscheinung Gabriele Klöterjahns. Vom

---

„grünen, von Furcht und einem gewissen anhänglichen Haß verkniffenen Blick der Bestien ..." (Krull 227). Erneut begegnet Felix diesem Blick, wenn er in Kuckucks Museum den „Jaguar im Baum" zu Gesicht bekommt, „mit Augen schief, grün und falsch und einer Maulesmiene, die anzeigte, daß die ihm zugewiesene Rolle reißend und blutig war ..." (Krull 351). In der urvitalen Landschaft seines Traums, der die rauschhaft ausschweifenden Erlebnisse des venezianischen Aufenthalts vorwegnimmt, sieht Aschenbach „zwischen den knotigen Rohrstämmen des Bambusdickichts die [grünen] Lichter eines kauernden Tigers funkeln ..." (Erz 447).

[197]) Zu den zarten Brünetten und den kräftigen Blonden gesellt sich der Typ des Rothaarigen mit festen äußeren Merkmalen (milchige und sommersprossige Haut s. B 11. Erz 445. KH 82) und gleichbleibenden Eigenschaften (Körperstärke und zähe Vitalität). Rotes Haar verbindet den Wanderer der venezianischen Novelle mit den Erscheinungen des Gondoliers und des Straßensängers. Von unbändiger Kraft zeugt ihr brutales, verwegenes und selbst wildes Aussehen (s. Erz 446; 465; 508). Wenn Thomas Mann den Reigen der Todesboten unter der Maske brutal starker Männlichkeit auftreten läßt, scheint dies nur so lange ein Widerspruch, wie man die innere Nähe von Tod und großem, rauschhaft starkem Leben außer acht läßt.

[198]) Blau oder Braun, über Fragen des Geschmacks hinaus sagt diese Alternative, sagt die Färbung der Iris Entscheidendes aus über den Standort des Menschen im Bedeutungsgeflecht dieser Dichtung (vgl. RuAe I, 760).

[199]) Vgl. seine weißen, kalten und blutleeren Hände, deren Fingernägel dazu neigen, „eine bläuliche Färbung zu zeigen ..." B 263; desgl. Krull 45; 46.

[200]) Außer an Stirn und Schläfen kann es an Händen (s. B 503. Erz 16; 89), Kniekehlen (s. Erz 490) oder Brüsten (s. Z 368) durchscheinen.

Anblick ihres Köpfchens zumal geht ein Hauch ätherischen Liebreizes aus: „Ihr lichtbraunes Haar... war glatt zurückgestrichen, und nur in der Nähe der rechten Schläfe fiel eine krause, lose Locke in die Stirn, unfern der Stelle, wo über der markant gezeichneten Braue ein kleines, seltsames Äderchen sich blaßblau und kränklich in der Klarheit... dieser wie durchsichtigen Stirn verzweigte. Dies blaue Äderchen über dem Auge beherrschte auf eine beunruhigende Art das ganze feine Oval des Gesichts..." (Erz 219)[201].

Ein Bild hoffnungsloser Unzulänglichkeit bieten die bei kernigen Naturen so bewundernswerten Zahnreihen. Thomas Buddenbrooks Zähne sind schon in jungen Jahren ziemlich mangelhaft (s. B 78), und ähnlich oder schlimmer noch geht es vielen vergleichbaren Gestalten. Es dauert niemals lange, bis sie kariös (s. Erz 223), schadhaft abgenutzt (s. Erz 675) oder gänzlich zerstört (s. Z 785) sind. Wo lebenskräftige Geschöpfe — Esau zum Beispiel (s. J 197) — gleichsam mit fertigem Gebiß zur Welt kommen, lassen weniger robuste Naturen — Hanno Buddenbrook — in den Krisen des Zahnens ein gut Teil ihres ohnehin schwachen Behauptungswillens.

Die Bedeutung des Unvitalen herauszuarbeiten, hilft zu Form und (schlechter) Beschaffenheit das Gelb des Zahnschmelzes. Unter die allerersten Hinweise auf Thomas' reizbare, frühgefährdete Gesundheit rechnet eine Notiz bezüglich der kleingebliebenen, gelblichen Zähne des Knaben (s. B 18). Im Verein mit gelblichem Teint und eingefallener Brust bestätigen die spitzigen, lückenhaften Zähne Moritz Hagenströms den Eindruck schwächlicher, wenig widerstandsfähiger Konstitution (s. B 248). Edhin Krokowski gehört zu den Ärzten zweifelhaften Schlages, die im Grunde ihres Herzens eher auf seiten der Krankheit denn im Lager der Gesunden stehen. Darüber können auch breite Schultern und eine forcierte Kameraderie höchstens augenblicksweise hinwegtäuschen. Wo immer er sein kerniges Lächeln aufsetzt, wird der Blick frei auf die Reihen gelber Zähne[202], deren Färbung so gar nicht „zu seiner stämmigen, mannhaft-heiteren und zu fröhlichem Vertrauen auffordernden Art" passen will, ja dies Gehabe letztlich Lügen straft (Z 520). Kesselmeyer, Grünlichs Bankier, zeigt beim Sprechen lediglich im Unterkiefer zwei vereinzelt stehende, restliche Zahnstümpfe, deren (gelbe) Farbe sie als gleichfalls alt und schadhaft ausweist (s. B 209; 229); wie denn die vollständige Reihe breiter Zähne, die wir bei Konsul Döhlmann bemerken, sich schon durch ihr Gelb als falsch, als billige Imitation verrät (s. B 508). Das gleiche Indiz entlarvt das Gebiß des alternden Gecken, das er Aschenbach lächelnd zeigt, aller Vollzähligkeit zum Trotz als künstlich, als von ärztlicher Hand gefertigte Prothese (s. Erz 460; vgl. 630).

[201]) Vgl. Erz 231; 32; 235; 247.
[202]) s. Z 26; 261; 273; 495; 956.

Nichts ist geblieben von der einstigen imponierenden Breite[203]. Den veränderten Schultermaßen entspricht die schlanke Silhouette der Figur (s. Erz 45. B 293). Und ‚schmal' heißt nun gleichermaßen klein, eine Schrumpfung hat stattgefunden auch in Richtung der Vertikalen. Von Thomas Buddenbrook hören wir, er sei nicht sehr groß geworden (s. B 121), ein kaum mittelgroßer Herr wie viele seiner geistigen Brüder[204]. In diesem Untermaß unterscheidet sich der Erwachsene kaum vom Kinde, so Fräulein Weichbrodt, die, obwohl altersmäßig längst zur ‚Therese' herangewachsen, der äußern Gestalt nach zeitlebens die ‚Sesemi' ihrer Kinderjahre bleibt (s. B 87. vgl. KH 215; 229. Erz 14). Im Faustus-Roman tritt gar ein Arzt auf, der so winzig ist, daß er um der Stimmigkeit der Dimensionen willen einzig Kinder zu Patienten annimmt (s. F 40).

Bartlosigkeit kommt hinzu, die Vertreter brünetten Schlages über das mannbare Alter hinaus knabenhaft wirken zu lassen (s. Erz 223; 381), das Bild des Spärlichen, Hilf- und Schutzlosen zu vervollständigen. Denn kindlicher Wuchs, kindliches Aussehen meint zugleich Weichheit, meint Verletzlichkeit und also etwas als physisches Phänomen wie als seelischer Befund gleichermaßen Bedenkliches. Weich und träumerisch ist der Ausdruck der Augen in der Generationenfolge der Buddenbrooks erstmals bei Konsul Johann. Zu gleicher Zeit wird der Schnitt des Mundes voller, weicher (s. Erz 79; 272; 293. B 514), zwischen Unterlippe und (weich) gespaltenem (s. Erz 457. KH 330), gerundetem (s. Erz 15) oder nur schwach angedeutetem Kinn bilden sich Grübchen (s. F 317), eine weiche Vertiefung (s. J 1517) aus. Männerhaar ist bei brünetter Tönung fast immer seidenweich (s. B 438; 515; 748. LW 291/92) wie das einer Frau, die Haut porös und wie durchscheinend, von einer Empfindlichkeit, die sich als Wundwerden nach scharfer Rasur äußert (s. B 372. KH 29 u. 130)[205].

Die Körperzartheit der brünetten Rasse ist sprichwörtlich, ihre hinfällige Schwäche steigert sich bis zur Vorstellung gänzlicher Knochenlosigkeit (s. B 644; 662. J 1415). Eitel Weichheit ist das Wesen des Komponisten und Musiklehrers mit dem sprechenden Namen Pfühl: „Seine Lider waren meist halb gesenkt, und oft hing sein rasiertes Kinn, ohne daß sich doch die Unterlippe von der oberen trennte, schlaff und willenlos abwärts, was dem Munde einen weichen ... und hingebenden Ausdruck verlieh, wie ihn der-

[203]) Schmal ist nun alles, was zuvor breit gewesen war: Brustkorb (s. B 733. J 1415), Gliedmaßen, gleich ob Arm (s. B 644; 662) oder Bein (s. B 644), Hände (s. B 535; 737. Erz 78; 101) und Füße (s. Erz 78; 101).

[204]) Wir wissen es von Paolo Hoffmann (s. Erz 45), dem ‚Enttäuschten' (s. Erz 62), von Gustav Aschenbach (s. Erz 456), Großherzog Johann Albrecht (s. KH 27; 115), von Pharao (s. J 1415) wie Adrian Leverkühn, und wir dürfen es da, wo die Elle nicht zur Bestätigung herangezogen werden kann, stillschweigend voraussetzen.

[205]) Weich und wenig widerstandsfähig zeigt sich sogar der Schmelz der Zähne (s. B 531. Z 46).

jenige eines süß Schlummernden zeigt..." (B 514). „Seine Hände waren groß, weich, scheinbar knochenlos... — und weich und hohl, gleichsam als stäke ein Bissen in seiner Speiseröhre, war die Stimme..." (B 515).

Bei so unzulänglicher Physis ist man alles andere als körperfreudig gesinnt, nicht Freiluftmensch, sondern Zimmerlinde (s. Briefe I, 230), nicht Sportler, sondern Frackfigur (s. RuAe I, 602). Turnern gegenüber entwickeln Hanno Buddenbrook wie Tonio Kröger eine ausschweifende Abneigung, die Animosität dessen, dem die Trauben zu sauer sind. Selbst das Gehen wird nun schwieriger[206]. Man steht im ganzen weniger fest im Leben. Die Beziehung zur Erde, aus der unkomplizierten Naturen frische Kräfte zuströmen, ist gestört, gelockert bis zur Wurzellosigkeit. Auf einem Bein zu stehen ist eine für Hanno typische Haltung (s. B 610; 726), pantomimischer Ausdruck für etwas, was in der Sprache der Begriffe als Haltlosigkeit bezeichnet werden muß. Man ist hinfällig geworden; seelisch verliert man leicht und öfter das Gleichgewicht (s. B 67), körperlich schlägt man schwer und häufiger hin (s. Erz 303).

Kriegerische Gesinnung ist der leidenden Schwäche unbekannt. Der aggressive Blick der Kinder des Lebens ist, wie bei Hanno, einem zagen und ablehnenden Ausdruck gewichen (s. B 644). Anstatt alles ins Auge zu fassen, die Stirn zu bieten (s. B 219), wandert der Blick zur Seite (s. B 263; 339; 348; 425), scheu und unschlüssig, bis man sich einer jeden Erscheinung dermaßen unterlegen fühlt, daß die haltlos gewordenen Augen zuletzt vor Mensch und Ding zu Boden kriechen (s. Erz 142).

Man weicht aus, man bevorzugt überhaupt indirekte Mittel, das Wort statt der Tat, die verletzende Ironie eines Schriftstücks statt des schlichten, hemdsärmeligen Zupackens. Wo es zur Begegnung, zur Gegenüberstellung kommt, folgt dem seitwärts tastenden Blick die Körperwendung. Innerlich ist man eigentlich immer auf der Flucht, und so ist der Schritt zur Tür leicht getan, die Neigung, alles hinter sich zu lassen, groß.

Mit der kriegerischen Gesinnung fehlt jeder Anflug von Übermut. Recht besehen, ist man niemals jung. Die greisenhaft gelben, runzligen Fingerchen der kleinen Klara, schon an der Wiege deuten sie Altsein, Vergreistheit und ein vorzeitiges Ende voraus (s. B 61).

Ist die physische Basis schmal, die Körperkraft gering, kann man mit diesen bescheidenen Mitteln doch haushalten, den Nachteil zarter Konstitution durch Zähigkeit auszugleichen suchen. Tadellose Korrektheit der äußeren Erscheinung ist eines der Mittel, ein möglicher Versuch, dem haltlosen

[206]) Thomas' hüpfender Schritt fällt selbst den Speicherarbeitern auf (s. B 430; 700), nachlässig und unregelmäßig geht Tonio Kröger seines Weges (s. Erz 272); Albrecht, Erbprinz aus „Königliche Hoheit", schreitet nie anders als ‚behindert' durch die Menge der Gaffer, sein Gang ist bisweilen ein unsägliches Stolzieren (s. KH 132).

Versickern der Lebenskräfte Einhalt zu gebieten. Thomas Buddenbrooks sorgfältig gescheiteltes Haar (s. B 483), Tonio Krögers simple Korrektheit (s. Erz 293), das Bemühen um ein gepflegtes Äußeres ist mehr als nur Eitelkeit. Nicht von ungefähr bedient Klaus Heinrich sich eines Lakaien, der den Scheitel zu ziehen weiß, „daß er über dem linken Auge ansetzte und schräg über den Kopf hin durch den Wirbel verlief, damit dort oben weder Strähne noch Härchen sich erhöben“, eines Bediensteten, der es versteht, „das Haar auf der rechten Seite zu einem festen Hügel aus der Stirn zurückzubürsten, dem kein Hut oder Helm etwas anhaben konnte“ (KH 112). Charakteristisch für die Konsulin, geborene Kröger, ist jene „Handbewegung vom Mundwinkel zur Frisur hinauf, als ob sie ein loses Haar zurückstriche, das sich dorthin verirrt hatte“, ein Gestus, aus dem das Bemühen spricht, um jeden Preis intakt zu sein (B 12)[207].

Korrektheit der Frisur oder Kleidung, dem, der sie übt, verleiht sie ein Gefühl der Sicherheit, das, was der Dichter im Unterschied zu Tendenzen der Auflösung ‚Haltung‘ nennt, eine bewahrende Gesinnung, die nach außen hin als Strackheit und Straffheit des Leibes sichtbar wird. Sie zu erreichen, ist für Menschen, die körperlich unfest sind bis zur Knochenlosigkeit, nur über eine Reihe äußerer Hilfsmittel möglich. Würden sie sich geben, wie sie sind, gliche ihr Verhalten dem liederlich saloppen Gebaren (Nägelkauen, Türenwerfen) Clawdia Chauchats, ihr äußeres Bild dem Christian Buddenbrooks. Dem entgegenzuwirken, wird einmal der zugleich hohe und steife Kragen, die Halsbinde bemüht. Ein solcher Vatermörder ist ein ideales Auskunftsmittel: Er dient als Kinnstütze, wirkt der Unfestigkeit des Kopfes entgegen und steift den Nacken da, wo man den Kopf hängen lassen oder zur Seite neigen würde.

Zur Stützung des Hauptes kommen figürliche Korrekturen. Es ist die Uniform, die beide Funktionen in sich vereint und so zum idealen Hilfsmittel in Haltungsdingen wird: Gegenüber dem Zivilanzug mit niedrigem und weichem Klappkragen bietet sie den Vorteil engen, hohen Halsabschlusses, zugeknöpft garantiert sie durch ihren knappen Schnitt einen festen Sitz. Wie in einer Art Corsage geht man auch gegen seine Neigung gerade und aufrecht darin[208].

---

207) Weniger kunstvoll, aber für die Stellung zu den Mächten des Verfalls nicht minder bezeichnend ist der straffe Scheitel von Leverkühns Mutter (s. F 33; 275), während das ständig von grauem Haar unordentlich umstandene Haupt Frau Senatorin Möllendorpf als Mitglied einer verrotteten Familie ausweist (s. B 137; 361).

208) Damit ist die Uniform ebenso hilfreich wie unbequem. Wer sich Erleichterung verschaffen will, öffnet die Knöpfe und lockert so die Erscheinung, wie Leutnant Throta, der, wider Willen oder doch ohne Liebe zur Sache in die Armee eingetreten, es liebt, eine Hand zwischen die Knöpfe seines halb offenen Interimsrockes zu schieben und mit dieser Geste einen ganz unmartialischen Gesamteindruck macht (s. B 669).

Nächst der Kleidung bietet die Umgebung dem Bedürftigen Halt und Stütze. Neben verschwenderisch ausgestatteten Salons gibt es eine zweite Gruppe von Festräumen, in denen der eben noch luxuriöse Überfluß betonter Nüchternheit und Kargheit gewichen ist[209]. Die Teppiche sind nun dünn (s. B 12) oder fehlen ganz. Blank und unbedeckt gleich den Böden gibt sich das Holz der Tische (s. KH 184). Es fehlt der rote Plüsch, der so sehr zum Eindruck des Warmen und üppig Weichen beitrug. Den dünnen Seidenbezügen der Stühle (s. KH 179) entsprechen die mageren, fast schon harten Polster der Sofabänke (s. KH 331; 375). Überhaupt ist die Möblierung bis zur Dürftigkeit spärlich, die Einrichtung bei Fehlen von Fauteuils und Liegen nahezu jeder Bequemlichkeit beraubt.

Ihr Stil ist der des Empire, dessen klare und herbe Einfachheit und Strenge den asketisch-enthaltsamen Zug des Ganzen bestätigt. An Stelle üppigen Linienschwungs tritt die einfache Gerade beherrschend hervor, angefangen von den steif-geraden Beinen der nun rechteckig kantigen Tische über die geradlinigen Armstühle und Sofas bis hin zu den Wandspiegeln und Fensterscheiben, die, anstatt glattflächig zu sein, „aus vielen kleinen quadratischen, in Blei gefaßten Scherben zusammengesetzt" sind (Erz 250).

Es ist ein steifer Stil und seine Wirkung genau die des Versteifens. Einleuchtend, „daß man sich anders befindet zwischen Möbeln, weich und bequem bis zur Laszivität, und anders zwischen diesen gradlinigen Tischen, Sesseln und Draperien..." (Erz 227/28). Was indes der Bequemlichkeit abgeht, gewinnt man an Härte des Rückgrats, an Festigkeit und Haltung[210]. So werden die gradlinigen Stuben mit ihrer einfachen, klaren und harten Linienführung zum bevorzugten Aufenthalt all jener Figuren, die Körperschwäche und Seelenzartheit zum Trotz das Leben zu meistern versuchen.

Was den Menschen zu diesen Veranstaltungen befähigt, ist die willentliche Absage an die Unform, die Mächte der Auflösung und des Todes. Thomas Mann nennt es Moral, und es ist eine ethische Leistung insofern, als die Lebensbejahung, zu der sie führt, nicht primär und naiv, sondern eine Überwindung, ein Trotzdem, der Schwäche abgerungen, ist (s. AdG 338). Moralisten oder Militaristen geheißen, haben Leistungsethiker und Militärs in der Tat eines gemeinsam: die Nähe zum Tode, wobei die Sympathie mit dem Abgrund sicher nicht leichter zu bekämpfen ist als

---

[209])Mit dieser Tendenz erinnern sie bisweilen an die nackten, kahlen und harten Alltagsstuben (s. B 477; 730). Der Unterschied ist außer im Graduellen — das Moment des Kargen und Harten ist niemals bis ins Unerträgliche vorgetrieben — darin zu sehen, daß hier freiwillig und in bestimmter Absicht auf alle Üppigkeit verzichtet wird.

[210]) Vgl. die steif-graziöse Armhaltung Spinells als sichtbare Auswirkung seines Aufenthalts in Empire-Einfried Erz 230.

der sichtbare Gegner. Was sie erreichen? Nicht viel, solange man nur auf das Ergebnis blickt, denn das physische Ende ist niemals aufzuhalten, höchstens zu verzögern. Wichtiger aber als konkrete Ergebnisse ist die Gesinnung, von der gesagt werden muß, daß sie ihren Wert letztlich in sich selbst trägt[211].

Die vorliegenden Analysen mögen hinreichen, Erscheinung und Gebrauch des Leitmotivs ansichtig zu machen. Freilich ist das Geflecht der Verweisungen weder für die „Buddenbrooks" noch die darüber hinaus zitierten Schriften vollständig und bis in die letzten Verästelungen hinein bloßgelegt. Eine genaue Vorstellung von Umfang und Dichte des Leitmotivnetzes zu vermitteln, mag einer eigenen Untersuchung vorbehalten bleiben, eine Aufgabe, die hier, wo diese Technik einzig im Hinblick auf das Wirklichkeitsverhältnis des Dichters befragt werden soll, nicht geleistet werden kann.

Lassen wir es bei der vorläufigen Feststellung bewenden, daß ein großer Teil dessen, was sich zunächst als bloße sinnliche Gegenwart ankündigt (s. RuA 105), zugleich weniger und mehr, nämlich ‚bedeutend' ist. Thomas Mann spricht in diesem Zusammenhang einmal von der eingeborenen Symbolik „auch unscheinbarer, durch die Wirklichkeit gegebener Einzelheiten". Ja, er zeigt sich gelegentlich selbst überrascht, wie ein vordergründig Greifbares „aufs verwunderlichste" seine kompositionelle Deutungsfähigkeit erweist (RuAe I, 346). Es scheint, als sei das Wesen seiner Bücher, aller sinnlich faßbaren, vordergründigen Wirklichkeit ungeachtet, letztlich Hintergründigkeit[212]. Dieses Hintergrundes innezuwerden, hat er seinen Lesern die wiederholte Lektüre zur Pflicht gemacht (s. Z XXII). Selbst dann noch bedarf es beträchtlicher Spürnäsigkeit, will man keine der vielfältigen (leitmotivischen) Anspielungen übersehen. Entdeckerlust und eine Wachsamkeit, wie man sie gemeinhin nur an Detektivromanen bewährt, sind hier vonnöten. Wem solches Ansinnen unseriös erscheint, mag immerhin bedenken, daß auf seiten des Dichters bei allem künstlerischen Ernst ein gut Teil reiner, spitzbübischer Freude an geistreichem Versteckspiel mitgewirkt haben dürfte.

Die „Auffassung der Welt als einer bunten und bewegten Phantasmagorie von Bildern, die für das Ideelle, Geistige durchscheinend sind" (AdG 299),

---

[211]) Daß das Bemühen um ‚Haltung' auch Gefahren in sich bergen, zu Verkrampfungen und Absperrung vom Leben führen kann (Tod als Überform), wird am Beispiel Gustav Aschenbachs exemplarisch vorgeführt. Die Helden der Folgezeit sind mittlere Figuren (s. S. 205/06 u. 218/19).

[212]) Dies gilt schon für die „Buddenbrooks". Wie nachgewiesen, kennen sie durchaus den von Leitmotiven gestifteten (hintergründigen) Bedeutungszusammenhang, wenngleich der Dichter selbst, sein Jugendwerk für den Realismus zu retten, dies mehrfach bestreitet (s. Z XXIII. RuAe I, 538) und Leitmotivtechnik erst seit „Tonio Kröger" angewandt haben will.

Thomas Mann scheint sie von Platon entliehen zu haben[213]. Daß der Dualismus, den Platon mit seiner Scheidung von Idee und Erscheinung in die Welt hineintrug, zugleich eine Wertung, genauer eine Entwertung enthält des Sinnlichen zugunsten des Geistigen, wird von seinem späten Nachfolger mit Befriedigung verzeichnet. Er hat den latenten Ästhetizismus der Ideenlehre (s. AdG 310) aufgespürt und konsequent auf sein Geist-Leben-Schema übertragen. Auch bei ihm stehen Leben und Wirklichkeit im Geruch des notwendig Unvollkommenen, leiden namentlich seine Künstler unter der „‚fehlerhaften Tatsächlichkeit'" alles Irdischen (Erz 230), an dem Wissen, daß alles ja doch nur aus Mängeln besteht (s. Erz 715). Je mehr der Dichter die gemeine Häßlichkeit dieser Erde empfand, um so entschiedener hat er die (geistig verstandene) Schönheit verlegt „ins Unwirkliche oder Überwirkliche ..." (Betr 546). Die Frage ist, wie diese Haltung sich mit seinem angeblichen Realismus vereinbaren läßt, oder, und damit berühren wir den Ausgangspunkt dieses Kapitels, was die ebenso umfassende wie konsequente leitmotivische Nutzung gegenständlichen Materials für sein Verhältnis zur Wirklichkeit besagt.

c) Der Verweisungscharakter von Farben und Linien

Aus dem Versuch, die Vielzahl ‚bedeutender' Gegenstände zu rubrizieren, gehen Linien und Farben als die eindeutig bevorzugten leitmotivischen Vehikel hervor; unter den Linien vor allem die Gerade. Zieht man den Duktus der menschlichen Gestalt nach, findet sie sich an zahlreichen Stellen: als Geradheit des Nasenrückens (s. B 303), als fehlende Vertiefung zwischen Unterlippe und Kinn (s. B 11), als aufrechte Haltung des Körpers. Und immer meint sie Stärke, ungebrochene Vitalität, die Abweichung davon das Gegenteil: die edel gebogene Nase Vornehmheit und Schwäche, das Grübchen zwischen Mund und Kinn Weichheit, der zur Seite geneigte Kopf — eigentlich eine Christusgebärde — leidende Sensitivität. Es ist die Geradheit des Empirestils[214], die die organische Ausdauer verlängert, während der Benutzer bequemer Möbel — eines Sessels etwa mit schräger Rückenlehne — zeigt, daß er sich aller Verpflichtung zur Haltung begeben hat (s. B 639. J 1413).

---

[213]) Diese überraschende Abhängigkeit ist bisher nirgends registriert, möglicherweise darum, weil keine rechte Verbindung auszumachen ist zwischen den beiden zeit- und räumlich so entfernten Geistern. Gesichert ist allein die Mittlerschaft Schopenhauers (und von daher Kants), da Thomas Mann (selbst) den ‚Platonismus' seines Jugendvorbilds mehrfach zur Sprache bringt (s. AuN 764. AdG 296).

[214]) Selbst der Grundriß der Kurhäuser und Sanatorien ist nun geradlinig (s. B 654. Erz 216).

d) Entwertung der Realien zugunsten von ‚Bedeutung' — Der asketische Zug im Weltverhältnis Thomas Manns

Den Verweisungscharakter der Farben konnten wir wiederholt anläßlich der Personenbeschreibung erproben. Es wäre nachzuweisen, daß es sich hier über diesen Sachbereich hinaus und unabhängig davon um den Bedeutungsträger[215] schlechthin handelt. Was Farbnuancen dazu geschickt macht? Die Tatsache, daß sie zwar sinnlich sind, aber nicht faßbar und von den vielen Eigenschaften eines Dinges für seine Gegenständlichkeit am wenigsten bezeichnend. Gerade das aber macht sie — wie das abstrakt-unsinnliche Gebilde der Geraden — geeignet, über ästhetische Qualitäten hinaus Bedeutung anzunehmen. Und dieser Umstand wieder erklärt ihre Häufigkeit[216]. In welchem Maße Bedeutung allein[217] auf die äußere Färbung zurückgeht, beweist schon der flüchtigste Vergleich der mitgenannten Gegenstände (Farbträger). Wo ein grünes Kleid, ein grüner Fensterbehang, die grüne Gardine eines Bettchens, um nur einige wahllos herausgepickte Beispiele zu nennen, auf Grund farblicher Übereinstimmung dasselbe (Vitalität der angesprochenen Personen) besagen können, müssen diese Realien ihrer Würde und ihres Eigenwertes bereits weitgehend verlustig gegangen sein. Bei Vernachlässigung aller übrigen Aspekte (Form, Stofflichkeit usw.) erscheinen sie auf ihre bloße Eigenschaft als Farb-, d. h. Bedeutungsträger

---

[215]) Wir vermeiden in diesem Zusammenhang absichtlich die Bezeichnung ‚Symbol', auch wenn der Dichter in dieser Hinsicht weniger zurückhaltend ist. Zwar eignet beiden, Symbol wie Leitmotiv, Bedeutung, doch dies in sehr verschiedenem Grade. Wo jenes grundsätzlich unauslotbar bleibt, zielt die Aussage der Mann'schen Chiffren immer nur auf eine Hälfte des Beziehungsfeldes, ist ihr Geltungsbereich mit dessen antithetischer Struktur (Geist — Leben) soviel enger wie exakter zu umreißen.

[216]) Form und Material sind allenfalls beiläufig erwähnt. Nirgends wird ein Gegenstand bis zur Tastbarkeit greifbar. Wie anders ein Realist rezipiert, läßt sich an Goethes Reiseaufzeichnungen studieren. Man weiß, daß er während des Aufenthalts in Italien gern und viel zeichnete. Dabei interessierten ihn Farben bezeichnenderweise wenig, um so mehr galten ihm Linien, Konturen, der harte, klare Umriß, die Verteilung von Licht und Schatten. Für Thomas Mann spielen — mit Ausnahme der Farben — alle sonstigen Sinnesqualitäten bei Erfassung der Wirklichkeit eine höchst untergeordnete Rolle. So registrieren wir für die „Buddenbrooks" neben einer Unzahl von Farben kaum mehr als ein halbes hundert Gerüche!

[217]) Andere Bedeutungsträger, Blick, Geste, Gangart, sind in eben dieser Weise austauschbar. Farben stellen hier nur ein extremes Beispiel dar. Zuletzt erfaßt der allgemeine Funktionalismus die Farben selbst. Sie sind nun nicht mehr ihrer sinnlichen Qualitäten wegen gesetzt. Auch sofern sie ‚bedeuten', bleibt ihnen die früher bemerkte weitgehende Vertauschbarkeit erhalten. Die Vitalität einer Figur zu unterstreichen, hat der Erzähler die Wahl zwischen blauen, grünen, braunen und roten Farbtönen (bzw. dem Farbgemisch ‚bunt'). Wieder kommt alles auf die Bedeutung an, wenig auf die Farbe, die sie vermittelt.

reduziert. Allein in dieser Funktion, als Vehikel von Bedeutungen, vermögen sie sich vor gänzlicher Mißachtung zu retten.

Nicht alle Konkreta erweisen sich zu Bedeutungsträgern gleichermaßen geeignet. Wie sehr sie außerhalb des Verweisungszusammenhangs an Interesse verlieren, mag eine Beobachtung aus dem Bereich der Personenbeschreibung belegen. Vom menschlichen Gesicht kann die Form der Nase, des Mundes, der Kinnpartie, die Farbe des Auges, die Art zu blicken u. a. sprechend werden. Hingegen ist das Ohr nicht in dieser Weise nutzbar. Als Folge hiervon wird es bei Porträtierung eines Kopfes so gut wie nie erwähnt, es sei denn, der Reiz des Ungewöhnlichen, Abnormen, in irgendeiner Weise Auffälligen käme hinzu (s. B 294. Erz 628. KH 84. Z 12). Alles bloße Detail ist in Thomas Manns Augen langweilig (s. RuAe I, 457), es bleibt achtlos beiseite. Deutungsfähigkeit ist alles, die Sache selbst, an der die Bedeutung hängt, beinahe nichts. Zersetzt und überwuchert von Bedeutung, bleiben von der an sich schon geringfügigen Menge gegenständlichen Materials nur unbedeutende Reste zurück. Platons schon leise asketische Entwertung des Sinnlichen durch das Geistige (s. AdG 308), sie kommt, durch das Erlebnis Schopenhauers verstärkt und vertieft, in Thomas Manns Weltverhältnis entscheidend zur Geltung. Stellen wir den krankhaften Zwang zu kontrastierender Aufbereitung, die Sucht nach starken Gegenständen in Rechnung, dann muß die Frage nach dem Vorhandensein eines eventuellen ‚Realismus der Gestaltung' (Beschreibung) eindeutig verneint werden. Nicht realistisch gesund, allein naturalistisch ist des Dichters Verhältnis zur Wirklichkeit.

e) Die Rolle des Dichters als Mittler zwischen Erscheinung und Bedeutung (Idee)

So spielerisch die Vermummung höherer Bezüge (s. LW 398) gelegentlich anmutet, so wenig ist sie bloße Marotte. Platon billigt den Ideen nicht allein ein ästhetisches Übergewicht zu über die Welt der Erscheinungen; vollkommen schön, sind sie zugleich wirklicher als alles, was wir als Wirklichkeit anzusprechen gewohnt sind. Es gibt Anzeichen dafür, daß auch Thomas Mann nicht ohne weiteres bereit ist, der landläufigen Auffassung von der Priorität des Realen vor dem Geistigen beizupflichten (s. Z 1010). Aus dem konkreten Detail die Idee sprechen zu lassen (s. Betr 403), das bloß Wirkliche symbolisch zu steigern und transparent zu machen für das Geistige und Ideelle (s. Z XXIV; vgl. 927. AuN 378. Betr 405), dies hat Thomas Mann wiederholt als seine, mehr noch als die Aufgabe des Dichters schlechthin bezeichnet. Für ihn ist der Künstler (sprich Dichter) derjenige, „der sich zwar lustvoll-sinnlich und sündig der Welt der Erscheinungen, der Welt der Abbilder verhaftet fühlen darf, da er sich zugleich der Welt der Idee und des Geistes zugehörig weiß, ... der Magier, der die Erscheinung für diese durchsichtig macht". Seine angestammte Rolle ist demnach die des Vermittlers „zwischen Idee und Erscheinung, Geist und Sinnlichkeit ..." (AdG 299). In dieser seiner Tätigkeit wird er dem antiken Hermes verglichen, der als Götterbote Verbindung stiftete zwischen der oberen und der unteren Welt, zwischen Göttern und Menschen[213].

Ist der Künstler der Mittler, so hält sein Werk die Mitte ein zwischen geistiger und stofflicher Welt, räumlich gesehen zwischen Himmel und Erde. „Das Mond-Symbol, dies kosmische Gleichnis allen Mittlertums, ist der Kunst zu eigen" (AdG 299). Der Standort des Mondes zwischen Sonne und Erde bezeichnet genau „die Stellung der Kunst zwischen Geist und Leben. Androgyn wie der Mond, weiblich im Verhältnis zum Geiste, aber männlich zeugend im Leben, die stofflich unreinste Manifestation der himmlischen, die übergänglich reinste und unverderblich geistigste der irdischen Sphäre, ist ihr Wesen das eines mondhaft-zauberischen Mittlertums zwischen den beiden Regionen" (AdG 300).

Das künstlerische Mittel, das sie zu solcher Vermittlung geschickt macht, es ist eben die Technik leitmotivischer Verweisung. In ihrer Handhabung erweist Thomas Mann sich, sein eignes Ideal von Dichtertum erfüllend, als unerreichter Virtuose.

Wir sagten, daß man die „Buddenbrooks" mit kriminalistischem Scharfsinn lesen müsse. Man kann (und soll) das Buch ebensogut mit naiven Augen ansehen, sein Geschehen rein vordergründig nehmen, ohne daß es dabei an Schlüssigkeit verlöre. Dem Literarhistoriker, der sich nach getaner Arbeit müht, die zweite Unschuld des Erlebens zurückzugewinnen, ihm wird dies Bemühen einmal leicht gemacht. Nirgends ist die Einheit von Sein und Bedeutung, vordergründig Realem und hintergründig Geistigem so bruchlos wie hier. Es kam so weit, daß man darüber hinweglesen und von Bedeutungslosigkeit sprechen konnte; und überging zu Werken, deren geistiger Gehalt klarer zutage lag, zum „Zauberberg" erst, zum „Faustus" später. Mögen die Probleme des „Zauberberg" gewichtiger sein, in der künstlerischen Bewältigung des Stoffes sind die „Buddenbrooks" ihm (wie dem Musikerroman) um Längen voraus. Nirgends drängt Bedeutung sich störend hervor, die Nähe zum blaß Allegorischen, im Bergroman nur zu oft gestreift, ist mit sicherem Instinkt vermieden. Die Aufgabe, ein kompliziertes Geflecht von Verweisungen so zu integrieren, daß man an geistige Unschuld, an bloßes Sein glauben möchte, hier ist sie in einmaliger und beglückender Weise gelöst.

---

[218]) Aus autobiographischen Skizzen wissen wir, daß der Dichter sich von frühester Jugend auf gern mit dieser mythologischen Figur in eins gesehen hat (s. AuN 676).

„Buddenbrooks" sind früh als realistisches Meisterwerk signiert und – beiseite gelegt worden. Heute gelesen, bleibt die einstige Bewunderung ungemindert, nur ist ihr Anlaß richtigzustellen. Nicht in realistischem Zugriff scheint uns des Autors wahre Stärke gelegen, überzeugender ist (zu der sprachlichen Meisterschaft) seine Fähigkeit, aus einer Handvoll Detail Idee sprechen zu lassen, die Sache, und eigentlich jede Sache, verfügbar zu machen, seinem Fragen, seiner Weltsicht einzupassen.

ZWEITER TEIL

UNTERSUCHUNG DER GESINNUNGSGRUNDLAGEN DES AUTORS

A. DAS BILD DER WIRKLICHKEIT IN DEN „BUDDENBROOKS“

I. Staub und Schmutz als Kennzeichen der Alltagswirklichkeit

Waren die bisherigen Ausführungen der Darbietung der Wirklichkeit gewidmet, so befaßt der folgende Teil sich mit ihrer Bewertung. Dazu werden eine Reihe von Bedeutungszusammenhängen erschlossen, die sich auf das alltägliche oder geschäftliche Leben beziehen und es erlauben, das Gesicht der Wirklichkeit neu und eingehender als bisher nachzuzeichnen.

Wohl am eindeutigsten ist die Alltagswirklichkeit durch Staub und Schmutz gekennzeichnet. Staub begegnen wir in den niederen Binnenräumen, in Hannos Schulkasse etwa (s. B 768), wir finden ihn wieder auf dem unreinlichen Boden des billigen Kaffeehauses, in dem Felix Krull die ersten Abende seines Frankfurter Aufenthaltes verbringt (s. Krull 134); das Sofa, das die Kammer Mindernickels ausfüllt und nach nichts als Staub riecht, erinnert daran (s. Erz 143).

Von Staub erfüllt ist die Luft in dem Augenblick, wo wir den schützenden Bereich vornehmer Häuser verlassen und uns hinausbegeben unter freien Himmel (s. B 121; 364). Er liegt als ein feiner, dünner Schleier über allen Szenen, die sich im Freien abspielen (s. B 175). Beides, Staub und Wirklichkeit, sind so eng miteinander verknüpft, daß eines unbedenklich für das andere einstehen kann, daß es genügt, eines zu nennen und beides zu meinen und die Metapher vom ‚Staub der Wirklichkeit‘ gebildet werden kann (s. B 445).

Dabei ist dieser Staub noch die harmlosere und unschuldigere Form der Verschmutzung. Die ganze Unsauberkeit der Welt offenbart sich erst bei nassem Wetter, in dem Schmutz, den ein Regentag mit sich bringt (s. Krull 147). Zu endlosen Wochen aneinandergereiht, dominieren sie in der späten Hälfte des Jahres, stempeln sie die Zeit des Herbstes im Urteil der Menschen zur häßlichen, schmutzigen Jahreszeit schlechthin (s. B 229). Wenn der Regen ohne Unterlaß herniederrauscht, die Straßen der Stadt mit Pfützen übersät und die unbefestigten Wege vor den Toren draußen durchweicht und grundlos macht (s. B 141; 690), enthüllt die Welt ihr eigentliches, wahres Gesicht. In diesen schmutzig trüben Monaten ist es unmöglich, sich

Illusionen hinzugeben über den hervorstechenden Charakter der Wirklichkeit, wie dies zu Zeiten des Frühlings, des ersten hellen Sonnenschimmers, allenfalls verstattet sein mochte (s. Erz 34).

In einige Reinheit gebannt ist die Welt sonst nur noch im Winter, solange der Schnee auf Straßen und Dächern liegt und sich als weißer Mantel über die Erde breitet. Doch währt diese „reine, gesicherte Winterspracht" (Z 386) nicht lange. Nach Weihnachten schon, in den Januar- und Februarwochen, setzt Tauwetter ein, das die Schneemassen alsbald in einen schmutzig wässerigen Brei verwandelt (s. B 428; vgl. die Wirkung des Wärmeeinbruchs auf das äußere Stadtbild am Sterbetag des Senators B 698).

Das Bild der kotbespritzten, von Pfützen übersäten Straße ist bisweilen gesteigert zu der düsteren Vision einer Sumpflandschaft, die als schonungslosestes Gleichnis für die „natürliche Unsauberkeit" der Welt (Z 386) gelten darf. Bedeutsam wird diese Vorstellung in den Geschichten des kleinen Grafen Mölln, wie er sie eigens für seinen Freund Hanno erfindet. Die Fabel vom Zauberring gehört in die Reihe seiner Erzählungen, deren Reiz sich allemal aus der kühnen Mischung von Wahrheit und Phantastik herleitet (s. B 539). Diese Technik, bei aller Fabulierfreude doch die Beziehung zur Wirklichkeit zu wahren, macht den gleichnishaften Charakter ihrer Schauplätze — außer einem dunkel verzauberten Schloß eben ein schwarzes Sumpfgewässer (s. B 647/48) — wahrscheinlich. In abgewandelter Form, dabei auf den Untergang des Geschlechtes vorausdeutend, kehrt dies Landschaftsbild wieder bei Erwähnung des Buddenbrook'schen Familienwappens, „das eine unregelmäßig schraffierte Fläche, ein flaches Moorland mit einer einsamen und nackten Weide am Ufer zeigte" (B 78). Vokabeln wie ‚Schlamm', ‚Sumpf', ‚Morast' (s. B 678. KH 84; 93; 273/74. Erz 561) werden in der Regel doppelsinnig gebraucht zur Umschreibung irdischer Unvollkommenheit. Neben die Metapher vom Staub der Wirklichkeit tritt ergänzend und verstärkend jene andere vom ‚Morast der Materie', poetische Chiffre für eine „Welt der Schwere und Plackerei, deren Bürger mühselig im Morast der Materie stapfen" (Nachlese 223).

Nicht selten sind Schmutz und Unreinheit über das konkrete, dem Auge wahrnehmbare Faktum hinaus als Hinweis auf unlautere Gesinnungen oder moralisch anfechtbare Handlungen zu werten: Es ist einer jener regnerischen Herbsttage, an dem Grünlich überraschend in Travemünde auftaucht. Die Räder der Droschke, die vor dem Schwarzkopf'schen Häuschen hält, sind über und über mit Kot besprengt (s. B 155). Es mag zunächst Zufall scheinen, wenn der Hausherr den ungebetenen Gast ausgerechnet auf das schwarzbezogene Sofa nötigt (s. B 156). Und doch ist dies für Grünlich der einzig mögliche Platz, sobald es der Erzähler darauf anlegt, die unlauteren (sprich ‚unsauberen' s. B 217 u. 229) Absichten des Mannes im Bild zu entlarven. — Wenn er beim Konterfrei Hugo Weinschenks dessen abgetragen unsaubere Kleidung bemängelt, wirkt diese Art der Einführung wie eine Vorwegnahme, ein vorzeitiger Hinweis auf die unreinlichen, betrügerischen Manöver, die der Direktor später im Dienste der Feuerversicherungsgesellschaft begeht (s. B 545). Er wird sich dabei — übertragen — die Finger verbrennen und im Zuchthaus enden, wie dann — tatsächlich — „am Mittelfinger der linken Hand ... infolge irgendeines Unglücksfalles der Nagel völlig verdorrt und kohlschwarz" erscheint (B 456).

Unlautere Gesinnungen, unsaubere Manipulationen, das ‚im Trüben fischen' ist im Bereich des Geschäftslebens nur zu sehr an der Tagesordnung. Es ist dies ein „etwas glatter Grund und Boden" (B 492), auf dem sich der am leichtesten bewegt, der alle moralischen Skrupel außer acht läßt, während jeder auf Würde und Anstand Verpflichtete einer Welt, die dem Auge wie dem moralischen Schönheitssinn (s. AuN 233) gleichermaßen unerträglich ist, angewidert den Rücken kehren muß.

II. Witterungsverhältnisse als Gleichnis des Lebens

a) Kälte

Unter den Jahreszeiten werden Herbst und Winter weitaus häufiger und eingehender beschrieben als die Frühlings- und Sommermonate. Die Vorliebe des Erzählers für den unwirtlichen Teil des Jahres ist unverkennbar. So setzt der Roman ein zur Zeit des Herbstes. Das Fest der Hauseinweihung fällt in die Oktobermitte. Draußen ist es empfindlich kalt geworden. Den fast schon winterlichen Temperaturen zu begegnen, hat man früher als sonst die Doppelfenster einsetzen und im Landschaftszimmer mit Heizen beginnen müssen (s. B 13). Dieser ersten Schilderung herbstlichen Kälteeinbruchs folgen zahlreiche vergleichbare Passagen[1]. Die wohl eindrucksvollste fällt in die späten Partien des Buches: Das Kapitel, das Hannos Schulerlebnisse zum Thema hat, setzt ein mit der nachhaltig-intensiven Studie eines frostig dunklen Wintermorgens (s. B 728 ff)[2].

Sosehr man derartige Untertemperaturen physisch wahrnehmen, ja exakt messen kann, sowenig sind sie der bloßen sinnlichen Anschauung wegen gesetzt. Vielmehr bedient der Dichter sich nur der Suggestivkraft des Bildes, um mit seiner Hilfe, an Hand immer wiederholter Beschreibungen herbst-

[1]) Herbst- und Winterwetter s. B 185; 268; 428 ff; 548; 571; 613/14; 690 ff.

[2]) Vgl. die „eisige, krähenschreiharte Nebelfrühe ..." Z 813.

lich kalten, winterlichen Wetters auf eines der bestimmenden Kennzeichen der Wirklichkeit, ihre Kälte, aufmerksam zu machen. Namentlich am Schicksal Tonys tritt dieser Zug des Lebens exemplarisch hervor. Nicht zufällig ist es ein Wintertag, an dem sie das Elternhaus verläßt, um Grünlich nach Hamburg zu folgen. Die Szene, da die Kalesche in Kälte und weißneblige Schneeluft hinausfährt (s. B 171/72), erscheint wie eine Vorwegnahme des Kommenden, all der Kälte, mit der das Leben ihr in der Fremde begegnen wird. Ihre Rückkehr vier Jahre später fällt in die gleiche Jahreszeit, wir schreiben den Januar 1850 (s. B 204); und auf der Flucht vor Permaneder langt sie an einem kalten Herbsttag gegen Ende November in ihrer Vaterstadt an (s. B 384 u. 85). Beidemal ist ihr schwärmerisches Glücksverlangen herber Enttäuschung gewichen, sind ihre erwartungsvollen Träume zerronnen unter dem kältenden Anhauch des Lebens.

b) Frosthärte

Mit der Kälte wird die (Frost-) Härte nahezu synonym verwandt zur Umschreibung desselben Sachverhalts. Begleiten wir Thomas auf seinem letzten Gang zu Anna, dem Blumenmädchen aus der Fischergrube: „Thomas Buddenbrook ging die Mengstraße hinunter. . . . Beide Hände in den weiten Taschen seines warmen, dunkelgrauen Kragenmantels schritt er ziemlich in sich gekehrt über den hartgefrorenen, kristallisch aufblitzenden Schnee, der unter seinen Stiefeln knarrte. . . . Der Himmel leuchtete hell . . . und kalt; es war . . . ein windstilles, hartes, klares und reinliches Wetter von fünf Grad Frost, ein Februartag sondergleichen“ (B 173). Das wiederholte Anspielen auf den verharschten Schnee des Weges, das harte, frostklare Wetter zielt darauf ab, in eins mit der Kälte die harten Bedingungen des Lebens (vgl. B 663; 783) ansichtig zu machen. Nach der Kälte draußen wirkt die Wärme im Innern des Lädchens (s. B 176) wohltuend und lösend. Die so gänzlich veränderte, laufeuchte und von schmeichelnden Düften erfüllte Atmosphäre ist bezeichnend für den Ort liebender Begegnung, die Freistatt weicher Empfindungen und warmer Gefühle. Wenn Thomas unterwegs der Kälte nicht achtet (s. B 174), so darum, weil seine Gedanken längst dorthin vorausgefunden haben. Freilich ist dieser Besuch zugleich ein Abschied, ist er nur gekommen, seiner Liebe zu entsagen. Härte und Kälte[3], die ihm beim Verlassen des Geschäfts entgegenschlagen, bezeichnen die Strenge und Unerbittlichkeit des Lebens, das ihn zwingt, seine Empfindungen zu verleugnen, seine Gefühle zu korrigieren, des Lebens, das von ihm verlangt, nicht dem Herzen, sondern allein nüchtern verstandesmäßigem Kalkül zu folgen.

---

[3]) Vgl. den Zusammenhang von Kälte und Einsamkeit im „Doktor Faustus“.

c) Wind und Feuchtigkeit

Zwei Faktoren sind es, die das hart-kalte Wetter so empfindlich machen: Feuchtigkeit und Wind. An beiden leidet der Schauplatz Lübeck keinen Mangel. Durch die Nähe des Meeres ist die Atmosphäre der Stadt geschwängert von Feuchtigkeit. Dunst, Nebel und Regen[4] sind den Menschen dort für die größere Hälfte des Jahres vertraute Erscheinungen.

Mit seinem Hafenviertel der See zugewandt, ist Lübeck offen gegen alle landeinwärts streichenden Winde. In den Herbst- und Wintermonaten häufen sich die Tage, „an denen . . . der scharfe Nordost mit einem tückischen Pfeifen um die massigen Ecken der Kirchen sauste und eine Lungenentzündung wohlfeil zu haben war" (B 384; vgl. 13; 52). Dieser Seewind schneidet wie mit Messern. Er treibt die feuchten Luftmassen vor sich her und peitscht den Regen prasselnd und stoßweise gegen die Fenster. Gleich der kalten und harten Witterung muß dieser meteorologische Befund metaphorisch so sehr wie realiter genommen werden. Danach bezeugt die Redensart Überbeins vom Wind, den er sich um die Nase habe wehen lassen[5], in burschikoser Umschreibung nichts als seine Vertrautheit mit den dunklen und rauhen Seiten des Lebens (vgl. KH 186/87; 264), ist der Sturm, der am Abend des Einweihungsfestes aufkommt und die billardspielenden Herren beunruhigt (s. B 41 u. 46), wie ein Vorbote künftiger schwerer Heimsuchungen (vgl. KH 172). Als er losbricht, stehen wir am Ausgang einer Epoche, deren friedlich-idyllischer Charakter unter den Stürmen des Lebens vergeht.

Mit ihren klimatisch ungünstigen Verhältnissen, dem durchweg miserablen Wetter ist die zugige Wasserstadt Lübeck (s. dazu Z 511) so recht geeignet, Härte und Grausamkeit der Lebensluft widerzuspiegeln, die der Mensch zu atmen gezwungen ist (s. Z 282. AuN 221; 317). Die Vision des Lebens, die hier aus Nebel, Regen und Schneekälte, aus Wind und Wasserdunst (s. Z 44) erwächst, entbehrt naturgemäß aller freundlich weicheren Züge. Vielmehr ist sie unerbittlich und von gnadenloser Strenge, jener Strenge, die in der bildhaften Wendung von „‚des Lebens schmallippigem Antlitz'" (KH 94) so treffend zum Ausdruck kommt.

---

[4]) Vgl. den Zusammenhang Kälte-Regen B 13; 27; 41; 586; 613; 747/48.

[5]) s. KH 84; 87; 93; 120; 153.

III. Das Geschäftsleben als Abbild der Wirklichkeit

a) Kälte, Härte, Brutalität geschäftlicher Umgangsformen

Nirgends treten Kälte und Härte der Wirklichkeit schroffer hervor als im Bereich des Geschäftslebens, jener Welt, die bestimmt ist von Profitgier und der „schamlosen Vorherrschaft des Interesses vor jedem geistigen Anstand ...“ (AuN 738) und in der nichts gut ist, was nicht dem eigenen Vorteil dient. Nach dem frühen Ableben des Konsuls rückt Thomas noch in jungen Jahren zum Chef des großen Handelshauses auf. Ruft nicht die Szene, da er offiziell die Leitung der Geschäfte übernimmt — der Tag der Testamentseröffnung fällt in den frühen Oktober — den Eindruck hervor, als schlüge die Kälte des neuen Wirkungskreises ihm gleichsam atmosphärisch entgegen? „Thomas Buddenbrook ... war bleich, und seine Hände im besonderen ... waren weiß wie die Manschetten, die aus den schwarzen Tuchärmeln hervorsahen, — von einer frostigen Blässe, die erkennen ließ, daß sie vollkommen trocken und kalt waren. ... Toms erste Sorge war, die Flügeltür zum Landschaftszimmer zu öffnen, um die Wärme des Ofens, der dort hinter dem schmiedeeisernen Gitter brannte, dem Saale zugute kommen zu lassen“ (B 263). Von nun an gilt des Konsuls ganzes Streben dem Wohle der Firma. Wenn wir gelegentlich zu Zeugen seines Tagewerks gemacht werden, so nicht, ohne uns an Kälte und Härte des geschäftlich-politischen Aufgabenbereichs erinnert zu finden[6].

Namentlich in kritischen Situationen wird man des rücksichtslos brutalen Charakters geschäftlicher Umgangsformen gewahr. Anläßlich des Bankerotts einer Bremer Firma hat Johann, der Konsul, Gelegenheit, „all die plötzliche Kälte, die Zurückhaltung, das Mißtrauen auszukosten ..., welches ein solcher Unglücksfall ... bei Banken, bei ‚Freunden‘, bei Firmen im Auslande hervorzurufen pflegt ...“ (B 219). Und gleiches hören wir, als der alternde Senator sich die Katastrophe des Jahres 1866 ins Gedächtnis zurückruft: „Er hatte eine große Summe Geldes verloren ... ach, nicht das war das Unerträglichste gewesen! Aber er hatte zum ersten Mal in vollem Umfange und am eigenen Leibe die grausame Brutalität des Geschäftslebens verspüren müssen, in dem alle guten, sanften und liebenswürdigen Empfindungen sich vor dem einen rohen, nackten und herrischen Instinkt der Selbsterhaltung verkriechen ...“ (B 487).

[6]) Anlaß dazu bietet das seltsam doppelbödige, an Anspielungen reiche Morgengespräch mit dem Barbier, das einleitend auf die Witterung, auf Frost und Schneenebel des Tages Bezug nimmt (s. B 371).

b) Die wölfische Krudität wirtschaftlichen Lebens

Den grausamen und brutalen Zug geschäftlichen Gebarens zu verdeutlichen, bedient der Dichter sich zu dem Gleichnis kalten und frostharten Wetters einer weiteren Bilderfolge: Früh, mit Beginn der Lehrzeit etwa, läßt er seinen Helden sich zu einem leidenschaftlichen Raucher entwickeln. Thomas pflegt die kleinen, scharfen, russischen Zigaretten — seine Lieblingsmarke — in einer Büchse aufzubewahren, „in deren Deckel eine von Wölfen überfallene Troika kunstvoll eingelegt war". Der ausdrückliche Vermerk zur Herkunft — die Dose ist „das Geschenk irgendeines russischen Kunden an den Konsul" (B 122) — setzt das Requisit in direkte Beziehung zur kaufmännischen Welt. Diese gilt dem Autor als ein „sittlich sehr fragwürdiges Gebiet", ein Terrain, nicht frei von „Menagerieluft" (Betr 244). Das Bild der reißenden Bestien versinnbildlicht die „wölfische Krudität und Niedertracht" wirtschaftlichen Mit- und Gegeneinanders (Z 984) und trifft damit einen bezeichnenden Zug des Lebens überhaupt, dieses Lebens, „in dem der Mensch dem Menschen ein Wolf ist — und einer nur steigt, indem er den anderen zertritt" (Betr 468)[7].

c) Der kriegerische Charakter geschäftlicher Auseinandersetzungen

Der Menagerieluft nah verwandt ist jener Ruch nach Waffengang und Kriegsgeschrei, wie er dem Geschäftsleben bestimmend anhaftet. Tief aufschlußreich ist hier das Vokabular, das der Erzähler zur Beschreibung wirtschaftlich-politischer Vorgänge verwendet. Da werden geschäftliche Unternehmungen als ‚Manöver' bezeichnet (s. B 472; 545), deren Ziel die ‚Eroberung' neuer Einflußgebiete ist (s. B 301; 618; 634). Im Verlauf solcher ‚Kämpfe' (s. B 426; 428; 431) teilt man ‚Schläge' aus oder muß sich gegnerischer Streiche erwehren[8]. Auf Phasen der Eroberung folgen Zeiten, in denen nichts zu tun bleibt als ‚Stellungen' zu halten (s. B 634) und Positionen zu ‚verteidigen' (s. B 246/47; 286). Erfolgreiche Geschäftsabschlüsse werden als ‚Siege' gefeiert (s. B 413), Aktionen mit unglücklichem Ausgang ‚Niederlagen' verglichen (s. B 450).

---

[7]) Diese Einschätzung menschlicher Natur haben Dichter und Philosoph miteinander gemein. Für beide, Mann wie Schopenhauer, vollzieht sich das Zusammen- oder besser Gegeneinanderleben der Individuen nach dem Spruch: Homo homini lupus (s. AdG 306).

[8]) s. B 218; 223; 265; 453; 486; 619; 621; 633.

Sich an derart kriegerischen Auseinandersetzungen zu beteiligen, ist eine gehörige Portion Mut vonnöten, jene ‚Courage', auf die der alte Johann Buddenbrook sterbend seinen Sohn verpflichtet (s. B 75). Ein Leben lang schlägt sich der Konsul zum Ruhme der Firma. Noch im Augenblick der Niederlage, nach dem Bremer Bankrott, bewährt er sich als unerschrockener Kämpfer und umsichtiger Stratege. Als alles um ihn her zu wanken begann, hatte er „sich aufgerichtet, hatte alles ins Auge gefaßt, beruhigt. geregelt, die Stirne geboten . . ." (B 219)[9]. Mehr noch als sein Vater ist Thomas erpicht, „im täglichen Kampf um den Erfolg seine Person einzusetzen . . ." (B 278). Nicht anders sucht er in seinem Sohne Frische und ‚Schlagfertigkeit' zu wecken (s. B 529), ihn zu einem „starken und praktisch gesinnten Mann mit kräftigen Trieben nach außen, nach Macht und Eroberung" zu machen (B 527). Hanno indes ist eine zarte, ganz auf Frieden und Freundschaft gestellte Natur. Zwar besteht er die schweren (gesundheitlichen) Kämpfe der frühesten Zeit seines Lebens (s. B 438), doch gelingt es ihm nicht mehr, aktiv in den Kampf um die Erhaltung der Firma einzugreifen. Lediglich in Büchern träumt er sich an die Stelle der Helden, deren tätige Nachfolge ihm unmöglich geworden ist[10].

Wenn der Bereich des Wirtschaftslebens das Ansehen eines Schlachtfeldes gewinnt (s. Z 984), ist es auch darin nur Gleichnis und Abbild des tausendfachen Lebensstreites (s. Erz 721). Zwar bleibt eine offizielle Kriegserklärung aus, aber „Zu glauben, wenn nicht Krieg sei, *dann sei Friede*" (Betr 461), käme sträflichem Optimismus gleich. An die Stelle gigantischen Völkermordens tritt der Krieg im kleinen und einzelnen, der Kampf, bei dem jeder gegen jeden steht. Gleichgültig, in welchen Dimensionen derlei Auseinandersetzungen ausgetragen werden, stets ist der Einsatz gleich hoch: Für den einzelnen wie die Gruppe geht es um die nackte Daseinsbehauptung. Die Härte wirtschaftlicher Kämpfe, sie steht der Grausamkeit des Krieges in nichts nach, ja der Kampf um die wirtschaftliche Vorherrschaft ist geeignet, „‚an Schrecken alle Kriege . . . in den Schatten'" zu stellen (Z 545). So gesehen handelt der Dichter nur konsequent, wenn er die größte

[9]) Weniger beherrscht wirkt Tony, als es darum geht, einen gegen ihren Schwiegersohn erlassenen Haftbefehl abzuwenden. Wenn wir ihr unterwegs in die Fischergrube begegnen, ist ihr wenig mehr von ihrer sonst so kriegerischen Haltung geblieben: „Bedrängt, gehetzt und in höchster Eile, hatte sie gleichsam nur ein wenig davon zusammengerafft, wie ein geschlagener König den Rest seiner Truppen an sich zieht, um sich mit ihm in die Arme der Flucht zu werfen . . ." (B 570).

[10]) Unter seinen Weihnachtsgeschenken findet sich „das erwünschte Buch der griechischen Mythologie", dessen Einband auf rotem Grund „eine goldene Pallas Athene", die Göttin des Krieges, zeigt (B 557). Im Frieden des Augenblicks und aus sicherem Abstand (vgl. das üppige Rot-Gold des Umschlags) liest Hanno darin „von den Kämpfen, die Zeus zu bestehen hatte, um zur Herrschaft zu gelangen . . ." (B 561).

geschäftliche Schlappe Thomas Buddenbrooks in eins mit dem Ausgang der preußisch-österreichischen Fehde referiert: „Der Krieg entbrannte, der Sieg schwankte und entschied sich, und Hanno Buddenbrooks Vaterstadt, die klug zu Preußen gestanden hatte, blickte nicht ohne Genugtuung auf das reiche Frankfurt, das seinen Glauben an Österreich bezahlen mußte, indem es aufhörte, eine Freie Stadt zu sein. / Bei dem Fallissement einer Frankfurter Großfirma aber, ... unmittelbar vor Eintritt des Waffenstillstandes, verlor das Haus Johann Buddenbrook mit einem Schlage die runde Summe von 20000 Talern Kurant“ (B 453).

IV. Der feindlich-bedrohliche Charakter der Alltagswirklichkeit — Klärung der Fronten:

a) Der königliche einzelne — die Feindschaft der Menge

Es gilt den Eindruck zu beseitigen, als stünden Alltag und Festwelt lediglich formaliter (über das Kontrastprinzip) und in ästhetischer Hinsicht in Berührung miteinander. In Wahrheit sind sie viel enger, direkter aufeinander bezogen, und zwar in feindlichem Sinne.

Wir haben früher (vgl. S. 42 f) die uneigentliche Position des Alltagsmenschen beleuchtet. Sein Verhalten hoheitsvoller Menschheit gegenüber, normalerweise bestimmt von dem Verlangen nach Läuterung[11], vermag sich in Krisenzeiten, da die Bande der Gesittung zunehmend loser werden, so überraschend wie grundlegend zu ändern. Der sonst so dringliche Wunsch nach Erhebung erweist sich plötzlich als ein höchst sentimentales und vorübergehendes Bedürfnis (s. AdG 77). An die Stelle frommen Aufblicks treten Neid, Begehrlichkeit, Aufsässigkeit. Wo der königliche einzelne eben noch liebender Verehrung begegnete, schlägt ihm alsbald offener Haß entgegen, der Haß der benachteiligten Menge gegen den von Natur und Schicksal Bevorzugten, Erwählten (s. KH 198). Wenig gehört dazu, daß die Bewunderer von gestern sich in die Feinde von heute verkehren. Schien das Leben zuvor ein Kampf aller gegen alle, so zeichnen sich unversehens Fronten ab im allgemeinen Lebensstreit: Kampflinie wird die Scheide zwischen Alltagswelt und Festbezirk, der königliche Mensch hat sich der einhelligen Feindschaft der gemeinen Menge zu erwehren.

---

[11]) Über den Idealismus und das eigentlich aristokratische Fühlen des Volkes verlautet Entscheidendes in der Unterredung Krulls mit dem portugiesischen Herrscher (s. Krull 385 ff).

In den „Buddenbrooks" geben die Revolutionswirren des Jahres 1848 den Anlaß ab, bei dem der feindliche Charakter des Lebens offen zutage tritt. Wenn die Masse Mensch nur darauf wartet, „daß endlich einmal die Umstände ihnen Roheit und Grausamkeit freigeben und ihnen gestatten, nach Herzenslust brutal zu sein" (LW 184), dann ist eben dies der rechte Augenblick dazu.

b) Die Gestalt des Schlächterburschen als Modell des Rohen und Gewalttätigen

In der Gestalt des Schlächterburschen findet die Roheit der Menge ihre Verkörperung. Wer immer dieses blutige Handwerk verrichtet, tut es nach Meinung des Dichters aus Geschmack am Brutalen (s. Z 624), aus Lust an der Zerstörung. Ausgestattet mit „kühnen Lebenskräften", erweisen Vertreter dieses Fachs sich von gefährlich bösartiger Männlichkeit (Krull 138), die selbst vor Bluttat nicht zurückschreckt. Rohe und gewalttätige Züge vereinigt dies Modell in eindrucksvoller Weise. Es ist beileibe kein Zufall, wenn wir hören, daß Schlachtergeselle Berkemeyer es war, der das Schaufenster des Tuchladens zertrümmerte (s. B 190). Und sicherlich gehört er zu den Anführern jener Rotte, die am Abend des Revolutionstages vor die Bürgerschaft zieht[12].

c) Die Schutzbedürftigkeit verfeinerten Menschentums

Ein so gezeichnetes Leben ist nur zu meistern mit Helligkeit und Härte. Statt dessen erweist die Physis hoheitsvoller Menschen, will sagen der Mann'schen Helden, sich derart rigorosen Anforderungen gegenüber als hoffnungslos unzulänglich (vgl. S. 108 ff). Die Chronik der Buddenbrooks ist die Geschichte der Auswanderung aus bürgerlicher Normalität zu hoheitsvoller Außerordentlichkeit. Ein Prozeß, der (u. a.) zu verfolgen ist an der ständig wachsenden Kälte- und Härteempfindlichkeit, wie die Träger gleichen Namens sie an den Tag legen.

In der ersten Generation machen Spuren davon sich erst im Alter bemerkbar. Es beginnt damit, daß man Madame Antoinette zuliebe die Öfen

[12]) Wenn die Buddenbrook'sche Köchin, „ein Mädchen, das bislang nur Treue und Biedersinn an den Tag gelegt hatte", in jenen Wochen plötzlich „zu unverhüllter Empörung" übergeht, ist der Anstifter erneut ein Mann dieses Metiers. Trina, so heißt es, „unterhielt ... seit einiger Zeit eine Freundschaft, eine Art von geistigem Bündnis mit einem Schlachtergesellen, und dieser ewig blutige Mensch mußte die Entwicklung ihrer politischen Ansichten in der nachteiligsten Weise beeinflußt haben" (B 184).

früher als sonst in Gang setzt. Die Krankheit, die sie bald nach Einzug in die Mengstraße befällt und dann „an einem kalten Januartag" endgültig darniederzwingt, ist anfangs nicht mehr als ein leichter Darmkatarrh (B 72). Als sei er urplötzlich aller Lebensantriebe beraubt, genügt für den alten Johann Buddenbrook „Mitte März, ein paar Monate nur... nach dem Tode seiner Frau, irgendein kleiner Frühlingsschnupfen, um ihn bettlägerig zu machen" (B 75). — Von dem alternden Konsul hören wir die Klage, er bekomme Kaffeeflecke in sein Beinkleid und könne „‚nicht kaltes Wasser daraufbringen, ohne sofort den heftigsten Rheumatismus davonzutragen...'" (B 250). Anlaß zum Abruf seiner Gattin wird eine Erkältung, die sich über Nacht zu schwerer, allseitiger Lungenentzündung ausweitet[13]. — Anders als die väterliche ist Thomas' Kälteanfälligkeit nicht erst ein Produkt der Jahre. In der Jugend bereits zu Schüttelfrösten neigend (s. B 244), muß er noch vor seiner Zeit als Firmenchef einer Lungenblutung wegen das wärmere Südfrankreich aufsuchen (s. B 218)[14]. Bei Christian kehrt der Rheumatismus des Vaters verstärkt und als chronisches Leiden wieder (s. B 444 u. 458). Zwar mildert eine Kur in Bad Oeynhausen dieses Übel, doch bleibt eine gewisse Steifheit der Glieder für immer zurück. Selbst für Tony wird eine latente Kälteempfindlichkeit vorausgesetzt, wenn Morten glaubt, sie vor übereiltem Baden in der morgendlich kühlen See warnen zu müssen (s. B 131). Aus der Zeit ihrer Münchner Verbannung trägt sie eine nervöse Magenschwäche davon, die ihr den ungestörten Genuß kalten Bieres verwehrt (s. B 570/71). — Nichts übersteigt die (Kälte-) Animosität der letzten Generation (s. B 731/32). Schon zaghaftes Probieren der Eisbaisers, die als Abschluß des weihnachtlichen Mahles gereicht werden, bringt für Hanno die unerträglichsten Zahnschmerzen mit sich (s. B 564/65). Bezeichnend für ihn die Angewohnheit, die Zunge an einem gerade schadhaften Exemplare zu scheuern, „mit leicht verzerrten Lippen und einer Miene, als fröre ihn..." (B 644; vgl. 553).

Entsprechend dem zunehmenden Kältehorror wächst die Verletzlichkeit gegenüber Härten und Roheiten des Lebens. Für die Widerstandskraft des Konsuls ist ein Erlebnis aus Kindertagen bezeichnend. Angelockt von den Zurüstungen zu einer Hochzeit, gerät der neugierige Knabe durch unglücklichen Zufall unter das große Brauküben, das man vor der Tür des Festhauses aufgerichtet hat. Die Bodenseite des Fasses schlägt auf ihn „mit solchem Knall und solcher Gewalt, daß die Nachbarn vor die Türe kamen und ihrer sechs genug zu tun hatten, es wieder aufzurichten" (B 56). Aber obwohl die Verletzungen, die er davonträgt, so schwerwiegend sind, daß

[13]) Vgl. die Erwähnung feuchten und zugig kalten Herbstwetters bei der ersten ärztlichen Visite (B 576) und später während des Todeskampfes (B 586).

[14]) Vgl. seine spätern vergeblichen Versuche, sich durch morgendliche Stürze kalten Wassers abzuhärten B 636; 370.

die Ärzte ihn verloren geben, ist seine (noch) kräftige Natur binnen kurzem völlig wiederhergestellt. Nicht dieser ‚Schlag', ein späterer erst soll für ihn das Ende bringen (s. B 258)[15]. — Sehr viel weichlicher schon gibt Christian sich mit seiner kindisch hartnäckigen Weigerung, irgend Pfirsiche zu essen, aus Angst, er könne einen der großen, harten Kerne verschlucken (s. B 71/72; 271). Von Thomas wissen wir, daß es ihm zu keiner Zeit gelingt, Härte als etwas Selbstvertändliches hinzunehmen, ohne das Verletzende zu empfinden[16]. Von allen Versuchen, solcher Schwäche korrigierend zu begegnen, bleibt nur die Empörung schlafloser Nächte, in denen er sich „voll Ekel und unheilbar verletzt" auflehnt „gegen die häßliche und schamlose Härte des Lebens . . .!" (B 487) — Wieder ist in Hanno der Gipfel dieser Entwicklung erreicht. Mit Eintritt in die Schule lernt er Härten und Widrigkeiten des Alltags kennen[17]. Sie sind es, die ihn seither — aller Sanftheit seines Wesens ungeachtet — mehr Kleider und Strümpfe zerreißen lassen, als Ida Jungmann überhaupt zu stopfen weiß (s. B 478).

V. Die Funktion der repräsentativen Lebenssphäre

a) Die hermetische Abgeschlossenheit nach außen

Aus der leib-seelischen Schutzbedürftigkeit verfeinerten Menschentums erwächst der repräsentativen Sphäre ihre spezifische Funktion: Zuflucht und schützender Hort zu sein vor dem rohen Zugriff des Lebens. Ihre strenge Abgeschlossenheit erweist sich nun als äußerst segensreich. Die

[15]) Auf gleiche Art sterben außerdem Lebrecht Kröger (s. B 204), Christians Hamburger Sozius (s. B 377), Senator James Möllendorpf (s. B 422). Hinter der realen, medizinisch benennbaren Todesursache Schlagfluß verbirgt sich die Vorstellung des Zusammenbruchs unter den erbarmungslosen Schlägen des Lebens (vgl. Mindernickels zerbeultes Gesicht, das den Eindruck erweckt, „als hätte ihm das Leben verächtlich lachend mit voller Faust hineingeschlagen . . ." Erz 143).

[16]) Bei dieser Gelegenheit offenbart sich der subjektive Charakter aller Kälte- und Härteempfindungen. — Robuste, lebenstüchtige Menschen nehmen beides als selbstverständlich hin. Während zarte Menschheit der starren Winterkälte durch entsprechend warme Kleidung zu begegnen sucht, zeigen wetterfeste Naturen sich von solchen jahreszeitlichen Veränderungen weithin unbeeindruckt. Ungestraft kann der kleine Graf Mölln auf winterfeste Gewänder verzichten (s. B 775; vgl. 747; 429). — Erst wenn diese Urteile keine objektive Gültigkeit beanspruchen, lassen zwei so konträre Merkmale wie Wärme (vgl. S. 123 ff) und Kälte sich ein und demselben Phänomen — dem Leben — sinnvoll zuordnen.

[17]) Vgl. seine abwehrende Reaktion auf die kahle und harte Schulstube B 736.

hermetische Sicherung des Hausinnern — die Fenster zur Straße bleiben beharrlich geschlossen — läßt sich hinsichtlich des Gartens naturgemäß nicht erreichen, doch ist auch er nach draußen hinreichend abgeschirmt. Im rückwärtigen Teil des Grundstücks gelegen, bleibt er dem Lärm der Straße entzogen und zugänglich nur nach Durchschreiten der gesamten Tiefe des Hauses und Hofes. Nach den Seiten hin wehren hohe Mauern oder Giebelwände angrenzender Häuser lästiger Neugier[18]. Noch der Strandbezirk am Meer ist irgendwie[19] in sich abgeschlossen. An die Stelle von Mauer und Zaun treten soziale Schranken, um dem Seebad die nötige Exklusivität und Abgeschiedenheit zu sichern.

b) Der luxuriöse Zuschnitt des Innern: Luxus als ‚Brustwehr'

Reichtum (s. Krull 207) und Wohlstand (s. AdG 555) sind es, die den Menschen diesseits der Sperrmauern schützend umstellen. Und nun gewinnt der Geschmack am Üppigen, der hier zu Hause ist, über das bloß Ästhetische hinaus existentielles Gewicht. Ist doch der luxuriöse Überfluß genutzt, die Härten und Heimsuchungen des Lebens zu mildern. Luxus und Komfort, verschwenderisch gesteigert, bewähren sich als wirksames Polster gegen Zudrang und verletzende Berührung rohen, robusten Lebens, als eine Art ‚Brustwehr' (s. Z 676. AdG 530. F 511), deren sich ungeschützte Naturen zu ihrer Erhaltung dankbar versichern. Dem rauhen Getriebe der Wirklichkeit entrückt, weichlich davor bewahrt, blicken sie aus geziemendem Abstand, aus üppiger Sicherheit (s. KH 247; 280/81) — je nach Temperament erleichtert oder neidvoll sehnsüchtig — hinab auf den bunten, lärmenden Zug des Lebens.

---

[18]) Wie man sich nach oben hin abzusichern sucht, lehrt das Beispiel Thomas Buddenbrooks. Niemals läßt sich an seinem Äußern auch nur ein Staubfäserchen erspähen (s. B 707; 636). Mit ihm weiß man sich einig in dem ängstlichen Bemühen, solcher Unberührtheit um keinen Preis verlustig zu gehen. Dem Schmutz und Kot der Straße auszuweichen, wird das Haus selten zu Fuß, ohne Wagen verlassen, ist man bestrebt, dem Staub der Luft durch jede Art von Überdachung zu entkommen. Im Schatten gedeckter Treppenaufgänge besteigt man das Gefährt, das im Sommer zwar nach allen Seiten, nicht aber nach oben hin offen ist (s. B 355), Regen- bzw. Sonnenschirme sichern den Reisenden gegen fernere Zufälle der Witterung. Markisen und Zeltdächer der Gartenpavillons, der Aufenthalt unter dem schirmenden Laubdach eines Baumes zeugen von dem nämlichen Schutzbedürfnis.

[19]) Vgl. den Gürtel hohen, harten Schilfgrases rings um den Badestrand B 135; 655.

c) Der Festbereich als Hort der Ruhe und des Friedens

Ausstattung und Absicherung geben den repräsentativen Interieurs das Gepräge üppiger Refugien. Bezeichnend ist die Art, wie Tony nach ihrer Abreise aus München in das elterliche Haus zurückkehrt. Von der Schwelle des Landschaftszimmers aus nähert sie sich der Konsulin „mit schnellen und fast stürzenden Schritten.... Sie erhob die Arme, ließ sie wieder sinken und glitt alsdann bei ihrer Mutter auf die Knie nieder, indem sie das Gesicht in den Kleiderfalten der alten Dame verbarg und bitterlich aufschluchzte. Dies alles machte den Eindruck, als sei sie in dieser Weise geraden Weges von München in einem Atem dahergestürmt — und da lag sie nun, am Ziele ihrer Flucht, erschöpft und gerettet" (B 386). Und als nach Ableben der Konsulin das Schicksal eben desselben Hauses zur Debatte steht, ist es erneut Madame Permaneder, die für seinen Verbleib die gewichtigsten Argumente ins Feld zu führen hat: „‚Als wir klein waren und ‚Kriegen' spielten, Tom, da gab es immer ein ‚Mal', ein abgegrenztes Fleckchen, wohin man laufen konnte, wenn man in Not und Bedrängnis war, und wo man nicht abgeschlagen werden durfte, sondern in Frieden ausruhen konnte. Mutters Haus, dies Haus hier war mein ‚Mal' im Leben, Tom...'" (B 606). Erst mit seinem Verkauf, weniger durch das Scheitern ihrer Ehen, ist Tony im eigentlichen Sinne schutz- und heimatlos geworden.

Noch in anderem Bilde spiegelt sich die Schutzfunktion repräsentativer Räume wider, wenn das Abenteuer des Lebens dem gefährlichen Unternehmen einer Seereise verglichen wird. Nur dem tüchtigen Schiffer gelingt es, sich auf schwankem Boden zu behaupten und tragen zu lassen von den „Wogen des realen Lebens" (B 617); den weniger Glücklichen erwarten tausend Klippen (s. B 570), an denen sein Schiff zu zerschellen, er selbst frühzeitig Schiffbruch zu erleiden droht (s. B 632). Auf hoher See Wind und Wellen schutzlos ausgeliefert und dem Spiel der Elemente preisgegeben (s. B 421), gilt es, beizeiten einen sichern Ankerplatz zu finden, die Nähe eines schützenden Hafens aufzusuchen. Als ein solcher sicherer Port erweist sich der mit luxuriöser Pracht ausgestattete Binnenraum. Hören wir noch einmal Tonys Gespräch mit dem Senator: „‚Tom.... Es ist deiner Schwester nicht gut ergangen im Leben, es hat ihr übel mitgespielt. Alles ist auf mich herabgekommen, was sich nur ausdenken ließ.... Aber ich habe alles hingenommen, ohne zu verzagen, Tom.... Denn immer, wenn Gott mein Leben wieder in Stücke gehen ließ, so war ich doch nicht ganz verloren. Ich wußte einen Ort, einen sicheren Hafen sozusagen, wo ich zu Hause und geborgen war, wohin ich mich flüchten konnte, vor allem Ungemach des Lebens...'" (B 606; vgl. 251).

War die Welt draußen erfüllt von Lärm und Kampfgeschrei, so umgibt uns inmitten üppig ausstaffierter Kulissen Ruhe und Frieden. Die Räume der Beletage bewähren sich als friedvolle Zuflucht und schützender Hort (vgl. S. 132/33). — Ein Hauch idyllischen Friedens (s. B 443; 512; 678/79) liegt über den umhegten Gärten[20]. Hier verbringt man die Jahre der Kindheit, die Zeit sorglosen Spielens vor Eintritt in das Leben, da die Welt draußen noch in gebührendem Abstand verharrt (s. B 452/53). Hier, unter den schützenden Zweigen des Walnußbaums, am Rand des friedlich plätschernden Springbrunnens, in unbildenloser Idyllik, ziehen Tonys Mädchenjahre vorüber, bis der Anruf des Lebens sie in der Person Bendix Grünlichs erreicht[21]. Hier, im Garten, suchen noch die Erwachsenen Ruhe und Zuflucht vor den Sorgen und Nöten des Daseins[22]. — Nicht anders ist die Atmosphäre des Seebades ruhig und heiter-friedevoll (s. B 142; 653), Tonys Aufbruch nach Travemünde trägt alle Anzeichen einer Flucht. Ihren Frieden zu haben (s. B 136), meidet sie die vornehmen Hotels und mietet sich lieber im Hinterzimmer des Schwarzkopf'schen Häuschens ein. Travemünde ist Ferienasyl, ein Ort sorglosen Müßiggangs fernab von den ernsten Geschäften des Lebens (s. B 129). Hier gewinnt sie ihre frühere Unbekümmertheit zurück (s. B 139), hier genießt Hanno nach dem „sorgenvollen Einerlei unzähliger Schultage vier Wochen lang eine friedliche und kummerlose Abgeschiedenheit ..." (B 653).

d) Das Prunkgebäude als Fluchtburg und belagerte Festung

Es ist der feindliche Zudrang der Menge, unter dem das Prunkgebäude sich in eine Art belagerter Festung verwandelt. In dieser Situation ist alles an einer möglichst vollkommenen Absicherung des Innern gelegen. Fenster und Tür erlangen augenblicklich entscheidende Bedeutung. Das Fenster zumal erweist sich weniger als Stelle des Übergangs (von drinnen nach draußen)[23]

[20]) Vgl. die idyllischen Szenen auf den Tapeten des Landschaftszimmers.

[21]) Sein Erscheinen wird durchaus als Störung empfunden, er selbst als Eindringling gezeigt. Sein abschließender, sehr weiter Schritt, mit dem er herantritt, mutet an wie das Übersteigen einer letzten, unsichtbaren Barriere (s. B 98 u. 103).

[22]) s. B 442 ff; 494; 570/71; 678 ff; dazu 489/90; 512.

[23]) wie etwa in den Dichtungen Josephs von Eichendorff mit ihrem Hintergrund von Natur, von weiter Landschaft. In ihr sind die Wandertypen zu Hause, die alle seine Geschichten bevölkern. Mit den Städten zugleich meiden sie den geschlossenen Raum überhaupt. Das Betreten eines Zimmers ist für sie allemal mit Unlustgefühlen, nie mit Erleichterung verbunden. Statt sich seines Schutzes zu versichern, sucht man dem Gefühl bedrückender Enge zu entgehen. So gilt der erste Gang des Eintretenden dem Fenster. Es öffnen, heißt die Weite einlassen einer gänzlich andersartigen, nicht feindlich drohenden, vielmehr lockenden Welt. Man hat im Hinblick auf diese stereotype Reaktion von Klaustrophobie gesprochen — Richard Alewyn, Eichen-

denn als Grenzscheide, die die reine, festliche Atmosphäre innen trennt von der gänzlich anders gearteten Lebensluft draußen. Denn was uns jenseits dieser Schwelle erwartet, ist nicht irgendein anonymes, neutrales ‚Draußen', es ist die Wirklichkeit, belastet mit all den Kennzeichnungen, die wir bislang ermitteln konnten.

Aufgabe des Festraums ist es, Kälte und Härte, den Ansturm rohen, robusten Lebens abzuhalten. Sie fällt am schwersten dort, wo Alltag und Festlichkeit, Welt des Kampfes und Hort idyllischen Friedens getrennt sind einzig durch ein Stück gebrechlichen Glases (s. Krull 95)[24]: Das Fenster wird in Zeiten der Bedrohung zur schwächsten, verwundbarsten Stelle der ‚Feste' Binnenraum. Hier ist denn auch der Angriffspunkt, auf den der Zugriff feindlichen Lebens sich konzentriert. Kälte und Regen nehmen den Wind zum Bundesgenossen, bereit, jeden Augenblick ins Innere zu stürzen (s. B 746). Und ebenso findet die Zerstörungswut des Pöbels hier rascheste und leichteste Befriedigung. Daß dem Fenster des Sitzungssaals überdies jede Gardine, jeder schirmende Behang fehlt[25], macht die Gefährdung der Bürgerschaft — eigentlich ist es nur um Lebrecht Kröger und dessen Schwiegersohn zu tun — nur noch augenfälliger. Ein Steinwurf, wie er die Scheibe des Tuchladens zertrümmerte, würde genügen, die Schranken zu durchbrechen und die Wartenden der Meute draußen schutzlos preiszugeben. Die Fäuste, die man schwingt, die Steine, die man aufrafft, sie sind nichts als die bildhafte Verdeutlichung der natürlichen Härte und Grausamkeit des Lebens[26]. Daß es ein Schlächterbursche ist, der den Stein schleudert, läßt den

---

dorffs Dichtung als Werkzeug der Magie. In: Neue Deutsche Hefte 43, 1958, S. 984 —. Entsprechend wären die Mann'schen Helden mit ihrer Vorliebe für verschlossene Fenster und Türen, ihrem Bedürfnis nach hermetischer Absicherung der Klaustromanie zu bezichtigen.

[24]) Vgl. die Glastüren B 13; 40; 63; 310; 443; 776. Glas als Bestandteil der Einrichtung kehrt wieder an Tischen (s. KH 144. Krull 198; 324), Vitrinen (s. Krull 324) und Schränken (s. KH 144; 249. Krull 384). Es unterstreicht den Eindruck des Gebrechlichen, der von den zierlich kleinen Möbeln ausgeht und darf als bezeichnend gelten für den psycho-physischen Habitus der Bewohner. Die Reizbarkeit und krankhafte Überfeinerung Samuel Spoelmanns etwa läßt sich an seiner Vorliebe für Kunstgläser ablesen, unter deren Kollektion Klaus Heinrich „überzarte Glasblüten auf unendlich gebrechlichen Stielen" entdeckt (KH 249. vgl. Krull 94; 236).

[25]) s. das gleichzeitige Fehlen von Schloß und Türgriff B 191.

[26]) In gleicher Richtung hat man die Pöppenrader Vorfälle, im Aufprall der Hagelkörner auf die Scheibe des Einfallenden Lichtes gegenwärtig (s. B 509), zu verstehen. — Vgl. Grünlichs rüdes Verhalten seiner Gattin gegenüber: Im gleichen Moment, da seine Sanierungspläne gescheitert sind, läßt er alle Verstellung fallen, schreit er die Wahrheit heraus, die Tony zutiefst verletzt und den Bruch endgültig macht. Das Scheppern des Porzellans — es ist die zartgrüne Vase der Spiegeletagere, nicht der bronzene Teller, der zu Boden geht (s. B 239) — erinnert fatal an das Schüttern der Wagenfenster bei Abfahrt aus Lübeck (s. B 172), das sich angehört hatte, als fielen alle Hoffnungen (der Braut) klirrend zusammen.

Schluß zu, die Welt sei beschaffen „wie ein Schlachthaus, wo die ‚Schwachen‘ der restlosen Vernichtung zugeführt werden“ (AuN 502).

VI. Das Schicksal der Bewohner der repräsentativen Sphäre

a) Beschleunigung des Verfallsprozesses durch zunehmende Verhärtung und Verdüsterung des Lebens

Der von Generation zu Generation deutlicher werdenden vitalen Abschwächung läuft eine zweite Entwicklung parallel: die zunehmende Brutalisierung des Lebens. Dürfen wir dem Erzähler Glauben schenken, dann war noch das 18. Jahrhundert eine Epoche friedlichen, idyllischen Neben- und Miteinanders, eine Zeit behaglichen, heiter sorglosen Daseins. Die Behäbigkeit des alten Buddenbrook, Lebrecht Krögers heitere Leichtlebigkeit sind wie ein schwacher Abglanz vergangen glücklicherer Tage. In den Tapisserien des Landschaftszimmers ist ein Hauch jener Ära überkommen, sie selbst versehen mit den Zeichen des Späten und Gewesenen[27]. Mit der Sonne, die hinter den idyllischen Szenerien versinkt, ziehen dunkel drohende Wolken am Horizont auf. Im Übergang zum 19. Jahrhundert verdüstert sich das Antlitz der Welt, die Lebensluft verhärtet sich.

Dieser atmosphärische Wechsel wird bei Beschreibung der Billardpartie gegen Ende des ersten Buches greifbar deutlich. Vom Eßsaal aus ist der Konsul mit einem Teil der Gäste — bis auf Grätjens alles Vertreter der jüngeren Generation — in den Billardsaal aufgebrochen, derweil die alten Herren, Monsieur Buddenbrook, sein Freund Hoffstede, Pastor Wunderlich sich erst noch ins Landschaftszimmer zurückbemühen. Indes man dort dem Hausherrn beim Flötenspiel lauscht, kommen auf dem Schauplatz im Hintergebäude die Billardpartien in Gang. Aber es scheint, als habe man über dem Ernst der Gegenwart die Kunst rechten Spielens verlernt. Ein gereizter Ton ist in allem Gespräch von Anfang an unüberhörbar. Weinhändler Köppen zumal, ohnehin nur schwer zum Mitmachen zu bewegen, echauffiert sich im Streit der Meinungen. ‚Kriegerisch‘ auf sein Queue ge-

[27]) Während die Friedenszeit hier, zu Anfang des Romans, noch alle Züge des eben Vergangenen trägt, wirkt sie gegen Ende hin in unerreichbare Fernen gerückt. Es ist eine grausame Ironie, die Hanno auffordert, inmitten wachsender Verrohung, die Schrecknisse des Schulbetriebs vor Augen, ausgerechnet die (ovidischen) Verse vom goldenen Zeitalter zu zitieren (s. B 758).

stützt, steht er da in streitbarer Attitüde (s. B 42 u. 43)[28]. Gerade recht, da der Disput in hitzige Wortgefechte auszuarten droht, sind Hoffstede und Wunderlich zur Stelle, „zwei unbefangene und muntere alte Herren aus sorgloserer Zeit" (B 43). Ihr Erscheinen genügt, die Spannung zu lösen und einer befreienden Heiterkeit Platz zu machen, jener (einst so geläufigen) Stimmung, in der rechtes Spiel[29] allein gedeihen kann[30].

Nirgends zeichnet die Verhärtung der Wirklichkeit sich deutlicher ab als im Bereich des Geschäftslebens. Mehr und mehr wird ein rücksichtsloser Geschäftsgeist zeitgemäß (s. KH 39/40)[31]. Die jüdische Ungebundenheit der Hagenströms triumphiert, während ideell verpflichtete Geschäftsleute, Kaufherren, die sich von Begriffen wie Treue und Würde leiten lassen, in der freien Ausnutzung geschäftlicher Konjunkturen entscheidend behindert sind (s. KH 20).

Wo der alte Johann Buddenbrook gleichsam en passant und wie im Spiel Geschäfte tätigte, fordert das Kontor in der Folgezeit den ganzen Mann. Schwere und Härte des Berufslebens wirken ‚aufreibend' (s. B 218; 371; 488; 642) und ‚abnutzend' (s. B 434; 506; 636; 671). Wie schnell neigt Thomas' Lebenskurve sich dem Ende zu. Er, der ausgezogen war, einen Platz im Leben zu erobern, muß nach anfänglichen Erfolgen schon bald ein Nachlassen seiner Spannkraft eingestehen. Jugendlicher Schwung und Frische machen lähmender Müdigkeit Platz. Die geschäftlichen Unternehmungen geraten ins Stocken. Eine zeitlang noch gelingt es, das Erreichte abzusichern, bis es zuletzt Mühe kostet, sich der immer wachsenden Konkurrenz zu erwehren. Auf eine Periode des Stillehaltens, den Versuch, die eigenen Blößen zu verdecken, folgt der Rückzug auf breiter Front, eine Kette von Demütigungen und Niederlagen, die in völligem Zusammenbruch endet.

---

[28]) Daß in Einfried just der diabetische General beim Whistspiel gezeigt wird (s. Erz 228), gehört zu den schärfsten Kontrasten der hartgefügten Tristan-Novelle: der Militär, aus der Welt des Krieges versetzt in ihr heiteres Gegenteil, die „‚vie facile'" (Betr 478).

[29]) Vgl. dazu jetzt Werner Schwan, Festlichkeit und Spiel im Romanwerk Thomas Manns. Die Entfaltung spielerischen Lebensbewußtseins von „Buddenbrooks" zur Josephstetralogie, Diss. Freiburg 1964, bes. S. 16.

[30]) Wie dem Generationswechsel ist die Verdüsterung der Welt dem Vergleich der Gestalten zu entnehmen, die gleiches Amt miteinander verbindet (s. die Prediger Wunderlich — Kölling B 77, die Poeten Hoffstede — Gosch B 189 oder die wechselnde Zusammensetzung der Lehrerschaft B 69 u. 750).

[31]) Weinschenk, in diesen neuen Praktiken versiert (s. B 545), will darum so gar nicht in den Kreis der Buddenbrooks passen. Düster hebt sein Kopf mit dem ergrauten, ehemals schwarzen Haar sich am Weihnachtsabend — der Prozeß gegen ihn steht unmittelbar bevor — von der idyllischen Tapetenlandschaft ab (s. B 551).

b) Die erschwerende Rolle des Zufalls beim Ausfechten des Lebenskampfes

Die Situation wird dadurch nicht aussichtsreicher, daß die Schläge, die auf den Wankenden einfallen, so unerwartet wie hart kommen. Der Zug des Gegners, der in diesem Falle nur Werkzeug ist des Schicksals, läßt sich unmöglich vorausberechnen. Geht man gewappnet und auf alles gefaßt einher, so geschieht mit Sicherheit nichts (s. B 770). Erst wenn die Aufmerksamkeit erlahmt, die Anspannung nachläßt, schlägt das Schicksal zu, bricht das Unglück herein auf den wehrlos Überraschten, „grausam, unerwartet, übergewaltig und lähmend“ (B 768)[32].

Im Leben wie im Glücksspiel kommt dem Dämon Zufall (s. NSt 95) die entscheidende Rolle zu. Selbst der gewiegteste Spieler hat es nicht in der Hand, den Ausgang einer Partie entscheidend zu beeinflussen. Grünlich etwa ist bei aller Regsamkeit und Findigkeit am Ende erfolglos, ein armer Tropf, ein betrogener Betrüger. Daß die Entdeckung seiner Machenschaften ausgerechnet an einem Spieltisch vonstatten geht, scheint uns in zweierlei Hinsicht bedeutsam: Einmal soll das Odium des Anrüchigen, das dem Spiel anhaftet, ablassen auf die geschäftliche Sphäre. Der Konsul etwa, der nur saubere Geschäfte tätigt, spielt nie, selbst dann nicht, wenn er Gelegenheit und Muße dazu hätte (s. B 140)[33]. Zum andern ist im Bild des grün bezogenen Klapptisches (s. B 220/21 u. 229. Erz 228. Z 120), an dem man einem unsichern Glück nachjagt, ein Symbol gesetzt für die Launen des Schicksals, für die (durchaus inkalkulablen) Wechselfälle des Lebens.

c) Der Untergang höherer Menschheit und der Triumph sieghafter Brutalität über das Edel-Zarte: Interpretation des letzten Ganges Thomas Buddenbrooks zu Zahnarzt Brecht

Über den Ausgang des Kampfes um die Selbstbehauptung geben die Ereignisse um Thomas Buddenbrooks Ende verläßlichen Aufschluß. Das Kapitel, in dessen Verlauf der physische Niederbruch des Helden erfolgt (X, 7) — eine Unzahl leitmotivischer Verknüpfungen schießt in diesem Augenblick zusammen — wirkt ungewöhnlich schon durch die Art seines Ein-

[32]) Vgl. B 219; 379; 383; 403; 574.

[33]) Sein Nachfolger hält es darin nicht anders. Nur einmal, in der Unruhe, die dem Entschluß zum einzig zweifelhaften ‚Coup‘ seiner Laufbahn voraufgeht (s. B 491), sehen wir Thomas für Augenblicke am Spieltisch des Kabinetts mit Kartenspielen und einer Anzahl knöcherner Anlegemarken beschäftigt (s. B 489).

satzes. Es ist Sonnabend, d. h. Markttag, und diesen Umstand nimmt der Erzähler zum Anlaß, ein breites Gemälde von dem Treiben just unter den Fenstern des Rathauses zu entwerfen. Die Beziehung zwischen draußen und drinnen, Vorplatz und Sitzungssaal ist, wie so oft, die des Kontrastes: hier Szenen des Volkslebens, dort das Patriziat, die (adligen) Spitzen des Gemeinwesens versammelt. Freilich reicht der Nachweis kompositorischer Prinzipien allein nicht hin, die Notwendigkeit einer solchen Passage an eben diesem Ort, zu eben diesem Zeitpunkt bündig zu erhärten, zumal frühere Gelegenheiten — wir haben das Zentrum der Stadt oft genug passiert — ungenutzt vertan wurden. Nimmt man das Ganze vordergründig realistisch, muß es wie ein erratischer Block, wie ein lästiges Hemmnis wirken im Strom der Erzählung, der hier, gegen Ende des Romans, längst rascher zu fließen begonnen hat. Der Gedanke liegt nahe, die geschäftige Szenerie rings um den Brunnen, Lärm und Trubel des Marktes als ein Gleichnis des Lebens, seiner rastlosen Umtriebe (s. Erz 719) aufzufassen. Nicht nur verlöre der Einschub, so gesehen, alsbald sein Störendes, er wäre mehr noch der Vorbereitung künftigen Geschehens dienlich.

Denn das Bild des Lebens, das aus diesen scheinbar so absichtslosen Zeilen erwächst, aktualisiert all die drohenden Züge, von denen bislang die Rede war. Es werden die Stände der Fleischer erwähnt, jener finstern Kerle, die „mit blutigen Händen" ihre Ware abwiegen (B 698). Von da schweift der Blick hinüber zum Fischmarkt, um mit dem Moment des gefährlich Feindlichen (s. die spitzen, blutigen Messer der Fischweiber) zugleich die Härte der Wirklichkeit (Verkaufsbrett) in Erinnerung zu bringen (s. B 699; vgl. 32). Richtig gelesen, bewähren die abschließenden Worte — gemeint ist das ängstliche Fortschnellen jenes Butts „auf das schlüpfrige, von Abfällen verunreinigte Pflaster..." (B 699) — sich als heimliche Vorwegnahme der nahenden Katastrophe[34]. — Mit der Doppelbödigkeit des Eingangs ist der Schlüssel gefunden zum Verständnis aller weiteren Vorfälle des Kapitels: Hinter der Turbulenz des Vordergrundes verbirgt sich nicht mehr und nicht weniger als das endliche Scheitern hoheitsvoller Menschheit an der schäbigen Gemeinheit des Lebens.

Wenn Senator Buddenbrook an diesem Tage das Rathaus vor Ende der Sitzung verläßt, führt sein Weg in die Mühlenstraße zur Praxis des Zahnarztes Brecht. Von Hannos häufigen Visiten dort haben wir die Tretmaschine neben dem Operationsstuhl in Erinnerung (s. B 532). Rein assoziativ stellt die Wortfügung ‚Tretmühle' sich ein; nicht von ungefähr, denn in der Tat will der Erzähler sie auf das Leben angewandt, als sein Inbegriff

[34]) Vgl. die vorausliegende Beschreibung des Tauwetters B 698. Nicht nur gibt der zerlaufende Schnee den Schmutz der Straße frei, er begleitet verdeutlichend einen Vorgang des Endens und der Auflösung.

verstanden wissen (s. Z 534). Wohl bleibt der Eingriff, dem Thomas sich auf diesem Stuhl unterzieht, auf die Zähne beschränkt, die Schmerzen indes, die er dabei leidet, sind die des Lebens, dessen Grausamkeit und Schwere im Bild der Tretmühle drastischen Ausdruck gefunden haben[35].

Aus früheren Kapiteln ist die leitmotivische Nutzbarkeit gerade der Zähne geläufig (vgl. S. 101 u. 107). Thomas' Zahnreihen waren niemals sonderlich gesund und kräftig. Ihre Beschaffenheit hat sich mit den Jahren nur verschlechtert. Der Zahn, an dem er schließlich zugrunde geht, erweist sich bei der Untersuchung als „‚außerordentlich defekt...'" (B 705), so sehr, daß dem Arzt nur die Extraktion übrigbleibt. Der Versuch mißlingt, und Ausgraben und Entfernen der Wurzeln werden in Aussicht genommen.

In den vereinzelt stehenden Bäumen der Stadtgärten hatten wir den bildgewordenen Stammbaum eines Geschlechts vermutet. Wurzeln, Stamm und Krone konnten dabei gleichermaßen bedeutsam werden. Wo das Wurzelwerk sichtbar aus dem Boden hervortritt — dies ist regelmäßig bei alten, absterbenden Exemplaren der Fall — hat die Verbindung zur Natur, zum nährenden Erdreich sich in gefährlicher Weise gelockert. Bloß liegen die Wurzeln der Bäume, die den Hang hinauf die Quelle des Au-Flüßchens umwachsen (s. B 363; 359). Schräg über den Abgrund geneigt, rufen sie den Eindruck des Hinfälligen, die Vorstellung baldigen Niederbrechens hervor; halb entwurzelt, zeugen sie von Alter und Müdigkeit des Geschlechtes, dem Tony angehört[36].

Was im Brecht'schen Operationssaal letztlich zur Debatte steht, ist erneut nichts als ein Vorgang der Entwurzelung. Thomas weist den Vorschlag des Arztes von sich, weil er fühlt, daß die Tortur des Ausgrabens und Entfernens der Wurzeln das Ende bedeuten würde. Niemals war er, der Enkel, wie der alte Johann Buddenbrook, wie Senator Castorp „eine schwer zu fällende, im Leben zäh wurzelnde Natur" (Z 30)[37]. Jetzt zumal steht er

---

[35]) In gleicher Weise ist Sesemi Weichbrodts Wohnsitz am Mühlenbrink Nr. 7 bezeichnend (s. B 87). Tonys Lehrerin gehört zu den kindlich zarten Naturen, die die Berührung mit den Härten des Lebens schmerzlich empfinden. Da die Siebenzahl gleichbedeutend ist mit langer Dauer, ja fast Ewigkeitswert besitzt (vgl. ihre Verwendung im „Zauberberg" oder den Josephsgeschichten), geht aus der genauen örtlichen Fixierung ihres Anwesens die Endlosigkeit jener Strecke hervor, die Sesemi die Fron des Lebens weiter wird dulden müssen.

[36]) Schon ihre erste flüchtige Berührung mit dem andern Geschlecht ist von derlei Hinweisen begleitet. Hier sind es die als Liebesversteck dienenden alten Bäume „gleich hinter dem Burgtore, die nur lückenhaft mit Mörtelmasse gefüllt waren" (B 87), deren hohle Stämme und spätsprießendes Laub (s. Erz 561. Betrogene 24/25) Alter und Überlebtheit des Buddenbrook'schen Namens andeuten.

[37]) Nicht mehr die urkräftige Eiche (s. B 628. dazu AuN 444), ein Walnußbaum steht im Garten des Fischergrubenhauses.

„nicht auf den festesten Füßen ...'" (B 705)[38]. Die vorhergehende Mißhandlung des Kiefers — mit letzter Anstrengung versuchte er der ziehenden Bewegung des Arztes standzuhalten, sich an den grünen Lehnen des Operationsstuhls festzuklammern (s. B 703 u. 704) — hat ihn den Rest von Widerstandskraft gekostet. Das Herausbrechen der Wurzeln würde ihn jeden Haltes berauben, die letzten Lebensbindungen zerreißen und seinen sofortigen Tod zur Folge haben.

Bei dem Versuch, den kranken Zahn mitsamt den Wurzeln zu entfernen, passiert ein folgenschweres Mißgeschick, eine „Katastrophe . . ., die die Sachlage nur verschlimmerte . . .": Unter dem Griff des Arztes bricht die Krone des defekten Zahns heraus (B 704; vgl. 715). — Von Brecht vorläufig entlassen, gelangt der Patient in reduziertem Zustand bis zur oberen Fischergrube. Während er das linksseitige Trottoir hinuntergeht, befällt ihn eine plötzliche Übelkeit. Der Gedanke, in der Schänke gegenüber eine Stärkung zu sich zu nehmen, läßt ihn auf den Fahrdamm hinaustreten. Hier, in der Mitte der Straße, hilflos und aller Stützen beraubt, ereilt ihn der Zusammenbruch: „Er vollführte eine halbe Drehung und schlug mit ausgestreckten Armen vornüber auf das nasse Pflaster. Da die Straße stark abfiel, befand sich sein Oberkörper ziemlich viel tiefer als seine Füße. Er war aufs Gesicht gefallen. . . Sein Hut rollte ein Stück des Fahrdammes hinunter" (B 706).

Auch das Motiv des Absturzes läßt sich bis in früheste Partien des Romans zurückverfolgen. So vage und konturlos die räumlichen Angaben sonst immer sein mögen, in einer Richtung, der der Vertikalen, lassen sie nach Zahl und Deutlichkeit kaum Wünsche offen. Das landeinwärts ansteigende Terrain der Stadt ist genutzt, mit Hilfe von Richtungsanzeigen (nach ‚oben' bzw. ‚unten') Auf- oder Abstieg der einzelnen Sippen ins Bild zu rücken[39]. Danach setzt der Niedergang der Buddenbrooks, dessen letzte Station wir hier miterleben, schon früh, mindestens mit Bau des neuen Stadthauses ein. Haus und Senatorenamt sind nur mehr scheinbarer Aufstieg. Die Lage des neuerworbenen Grundstücks in der unteren Fischergrube, der eindeutige Höhenverlust — das Haus in der Mengstraße ist wesentlich höher gelegen — macht die tatsächliche Situation, den inneren Abstieg unzweifelhaft.

---

[38]) Vgl. den seltsam hüpfenden Gang, der ihm eigen ist (s. B 430) und der gerade auf dem Wege zu Brecht auffällig hervortritt (s. B 700).

[39]) Den sinnbildlichen Gehalt räumlicher Zeichen erkannt zu haben, ist das Verdienst Anna Hellersberg-Wendriners (s. S. 16), nur daß sie von diesem (richtigen) Ansatz aus sich zu abenteuerlichen Folgerungen versteigt. Sosehr man der schiefen Ebene Bedeutung beimessen darf, sowenig Grund besteht, daraus etwas wie ‚Glaubensentsicherung' ableiten zu wollen.

Den Abstand von niederem Volk zu hoheitsvoller Menschheit auch räumlich sinnfällig zu machen, hat der Dichter das Leben gern und oft im Bilde des Amphitheaters gesehen (s. B 191; 359; 763). Auf den obersten Stufen, hoch über dem groben, rohen, unbewußten Leben thront der erlesen zarte, vergeistigte Mensch. Die Feindschaft der gemeinen Menge gewinnt nun etwas Niederreißendes (s. KH 85), sie macht sich bemerkbar im gierigen Zugriff der Hände, in der geheimen Lust, den herausragend einzelnen „zu sich hinabzuziehen, ihn bei sich unten zu haben“ (KH 108)[40]. — Zur Zeit des Ausflugs nach Schwartau sind die Buddenbrooks — und dies nicht nur räumlich — von der skrupellosen Betriebsamkeit der Hagenströms ein- und überholt worden (s. B 360/61). Auf dem glatten (s. B 371), zusehends schlüpfriger werdenden Boden (s. B 492; 647) geschäftlicher Transaktionen wissen sie nicht mit der gleichen Standfestigkeit wie jene zu agieren. Sie kommen zu Fall und stürzen, um im Bild zu bleiben, die rutschigen Hänge (s. B 647. Erz 571), die Stufen amphitheatralisch-hierarchischen Weltaufbaus hinab in Chaos und Dunkel. — Diesem unaufhaltsamen Sog nach unten ist Thomas im Augenblick seines Sturzes erlegen. Endlich ist es dem Leben gelungen, sein Vorzugskind zu Fall zu bringen. Was sich in jenem Vorfall auf der Straße ereignet, es ist der Triumph sieghafter Brutalität über das Edle und Zarte (s. RuA 270). Dem Absturz aus hoheitsvoller Sphäre entspricht das frühere Ausbrechen der Zahnkrone. Thomas ist bei diesem scheinbar belanglosen Zwischenfall in Wahrheit zu dem Zahnstück des Abzeichens seiner Hoheit, der Krone, verlustig gegangen, verlustig an das Leben[41]. Der Kampf um die Behauptung im Lebensstreit hat mit der totalen Niederlage des königlichen Helden geendet.

Es sind die äußeren Begleitumstände, die diese Niederlage so umfassend wie schmachvoll machen. Da er direkt aus der Ratsversammlung kommt, trägt Senator Buddenbrook zuletzt offiziöse Kleidung: zum Frack weiße Glacéhandschuhe und weißseidene Krawatte (s. B 700). Lassen wir den offiziellen Anlaß beiseite, so ist weiß hier (zu der des Festes) die Farbe der Reinheit. Und so wären Ort und Umstände seines Falles am Ende nicht zufällig gewählt. Als man ihn aufhebt, ist sein Pelz „mit Kot und Schneewasser bespritzt. Seine Hände, in den weißen Glacéhandschuhen, lagen ausgestreckt in einer Pfütze“ (B 706). Thomas' Ende meint den Sturz aus wirklichkeitsreinen Höhen hinunter in den Schmutz des gemeinen Alltags.

---

[40]) Vgl. die Belagerung der Bürgerschaft. Die Sitzung kann nicht eröffnet werden, weil angesichts der Gefahr, auf den oberen Sitzreihen von der Straße aus gesehen und zur Zielscheibe von Steinwürfen gemacht zu werden, die Mehrzahl der Anwesenden sich weigert, ihre Plätze einzunehmen und lieber in der Sicherheit der untersten Bänke verharrt (s. B 195 u. 96).

[41]) Vgl. das Blut, das er nach diesem Malheur in „die blaue [Blau als Farbe des Lebens!] Schale zu seiner Seite“ spuckt B 704.

Das Ende reinen, festlichen Wesens im Kot der Straße[42], die Dissonanz zwischen Sein und Schicksal, Leben und Sterben hätte nicht schneidender sein können. Thomas, an dem man ein Leben lang nicht ein Staubfäserchen hat sehen dürfen, — es ist fürwahr „‚ein Hohn und eine Niedertracht'" (B 707), daß das Letzte so kommen muß. In der grotesken Zuspitzung meinen wir die Verbitterung zu spüren, die dem Dichter hier die Feder führt, eine heimliche Erregung, die erst im Bericht der Totenfeier, der als späten Apotheose gedachten pomphaften Aufbahrung (vgl. das starke Hervortreten des reinen Weiß B 716) abklingt.

Der Arzt, im Augenblick des Brechens der Krone wie der Tod aussehend (s. B 704), ist tatsächlich niemand anderes. Daß er sich der Gestalt des Zahnarztes bedient, inmitten banal-bürgerlicher Umgebung auftritt (s. dazu Erz 74), ist so ernüchternd wie stimmig. In bürgerlich-gewöhnlichem Habitus verliert seine Erscheinung allen Glanz, alle Größe und Schönheit und erinnert so noch einmal daran, daß es das gewöhnliche, niedere, gemeine Leben ist, an dem der Held hier zugrunde geht.

Wir haben das Markttreiben als Gleichnis des Lebens kennengelernt. In dieses Porträt bleibt ein letzter Zug nachzutragen: die Vorstellung von der kerkerhaften Enge des Daseins. Unterwegs in die Mühlenstraße kommt der Senator an dem Brunnen vorbei, wo die Fischhändler ihre Ware feilhalten. „Dort saßen ... beleibte Weiber, die ihre naßkalten Gefangenen hüteten und die umherwandernden Köchinnen und Hausfrauen mit breiten Worten zum Kaufe einluden" (B 698). Die Fische leben fast alle noch. In engen Wassereimern, tiefen Bütten zusammengedrängt, warten sie auf das Wort des Käufers, das sie von ihren Qualen erlöst, ihren Ängsten ein Ende bereitet (s. B 699). — Am Ziel seines Weges, im Wartezimmer des Zahnarztes, ist ein weiteres getan, die Enge des Lebens zu veranschaulichen[43]. Eintretend wird Thomas von der krächzenden Stimme eines alten Weibes begrüßt. Es ist Josephus, der im Hintergrund des Raums in seinem Bauer hockt (s. B 702) und, während der Patient ungeduldig wartet, „mit Knacken und Knirschen in das ihn umgebende Gitter" beißt (B 703)[44]. Dieser Papagei spielt im Leben Hannos eine bedeutsame Rolle. Seine Fabelerscheinung beschäftigt die Phantasie des Knaben über die Besuche bei Brecht hinaus (s. B 531/32). In den Märchen seines Freundes wird er zu einem verwun-

[42]) Vgl. die einzelnen, ganz seltenen Schneeflocken, die später, während des Begräbnisaktes „in großen, langsamen Bogenlinien vom Himmel herab" kommen und deren kristallreines, makelloses Weiß bei Auftreffen auf den Erdboden in wässerigen Schmutz zergeht (B 719).

[43]) In dem Umstand, daß, was früher (vgl. S. 134) als Geborgenheit erschien, nun negativ als Gefängnis gesehen wird, macht sich der ambivalente Charakter aller Aussagen und Wertungen des Dichters bemerkbar.

[44]) Vgl. die käfigartige Rattenfalle als Symbol für die Enge des Lebens KH 69.

schenen Prinzen, den es zu erlösen, aus den Klauen eines bösen Zauberers zu befreien gilt (s. B 539). Mensch und Tier sind, als Geschöpfe des einen Willens, einander nah verwandt. Für den Papagei zumal entfällt der einzig gravierende Unterschied, der die übrige Tierwelt vom Menschen sondert (s. Krull 145): die Unfähigkeit zur Sprache. So liegt der Vergleich zwingend nahe: Der Vogel will dem geistigen Auge „,als Larve und schwermütige Verzauberung des Menschlichen scheinen . . .'" (Krull 312). Wie er gefangen sitzt in der Enge seines Käfigs, fühlt Thomas sich umstellt von der Begrenztheit des Lebens. Wie er verschlagen scheint aus Märchenlanden in diese öde Stube, ist der Mensch gebannt in das, was man Leben nennt, jene schmerzliche Enge, in der nur die Hoffnung bleibt auf Erlösung[45].

Die Enge des Lebens ansichtig zu machen, ist der Schauplatz unseres Romans wie kein anderer geeignet. Der ursprünglich bescheidene Rahmen Lübecks hat sich trotz neuer, anwachsender Vorstädte erhalten. Mauern und Tore lassen den mittelalterlichen Kern noch erkennen. In diesem begrenzten Umkreis ist alles in der Nähe (s. AuN 292). Auf engen, winkligen Gassen[46], vorbei an schmalbrüstigen, gleichsam ineinandergedrückt wirkenden Häusern, hat man den Raum innerhalb der alten Wehre im Handumdrehen ausgeschritten. Man ist eigentlich immer am Ziel. Von der Haft seiner engen Vaterstadt hat Thomas Mann rückblickend gesprochen (s. AuN 444). Tonio Kröger löst sich daraus (s. Erz 289), und wenn Thomas Buddenbrook aus freien Stücken ausharrt (s. B 683), heißt das nicht, daß er die Enge seiner Umgebung weniger schmerzhaft empfände.

Wenn das Verlassen der Stadt, das Passieren der Tore verbunden ist mit Gefühlen befreiten Aufatmens (s. B 120), wird umgekehrt der Heimkehrende die Enge des Fleckens um so drückender erleben, zumal, wenn er nicht von irgendwoher, sondern von Travemünde aus nach Hause zurückfindet. Denn Travemünde ist gleichbedeutend mit dem Erlebnis der See, des Großräumigen, der unendlichen Weite. Diese Begegnung im Herzen, muß die Gewöhnung an heimische Enge um so schmerzhafter werden. Die Fahrt von Travemünde nach Lübeck gleicht der Versetzung aus dem Ferienparadies zurück in den Lebensalltag. Dessen Begrenztheit hervorzuheben, wird die Reiseroute zwar nicht genau, aber doch an markanten Punkten

[45]) Die Krankheit des reichen Spoelmann ist das Leiden an den Härten des Lebens. Der Tod wäre Erlösung von allen Schmerzen. Er aber bleibt an dies Leben gebunden, verstrickt oder verzaubert darin. Zum Beweis ist die Bettdecke, in die gehüllt der Kränkelnde auf der Terrasse verweilt, mit Papageien durchwebt und in der (grünen) Farbe des Lebens gehalten (s. KH 314).

[46]) Mit steigender Bewußtheit wächst das Gefühl der Enge. Als Tonio, gereift und seiner selbst bewußt geworden, heimkehrt in die Vaterstadt, erscheint das Ganze ihm so „winzig und winklig . . .! Waren hier in all der Zeit die schmalen Giebelgassen so putzig steil zur Stadt emporgestiegen?" (Erz 307/08; vgl. 308 u. 308/09).

bezeichnet[47]. Jenseits der Fähre folgt der Wagen der Israelsdorfer Allee, passiert den Jerusalemsberg... Die Anspielung auf das Volk Israel und seine Geschichte ist deutlich; die Heimkehr in die Stadt soll an jüdische Gefangenschaft erinnern. Der Wagen rollt durch das Burgtor, „neben dem zur Rechten die Mauern des Gefängnisses aufragten ...“ (B 163). Und diese Passage aus Tonys Reisebericht kehrt wörtlich wieder bei Hannos Einzug in die Welt des Schulzwangs und der Hagenströms, ergänzt (und in ihrer Wirkung gesteigert) durch den sehr aktuellen Zusatz über den Verbleib des inhaftierten Branddirektors (s. B 661)[48].

Mit Thomas' Untergang ist, zumindest für diesen Roman, das Schicksal hoheitsvoller Menschheit entschieden. Gesiegt hat der gemeine Alltagstyp der Hagenströms. Wenn am Ende alle Geschäfte in dessen Hand sind (s. B 694), so ist das wirtschaftliche Übergewicht nur Ausdruck der bestehenden Machtverhältnisse. Rücksichtsloser Geschäftsgeist hat den Sieg davongetragen über den Adel der Seele (s. Betr 335). Was zurückbleibt, ist ein entadeltes Menschentum (s. AuN 344), was heraufkommt, eine Zeit mushikhafter Negierung des Helden (s. Betr 495. Erz 619. AdG 206), die Herrschaft des Chauffeurtypus (s. KH 285/86), demokratische Nivellierung aller bestehenden Distanzen (s. B 692/93).

Durch seine Entstehungsgeschichte bedingt, hat unser Roman zwei Helden (vgl. S. 68). Hanno erreicht nicht mehr das Lebensalter, in dem er selbst in das Geschäftsleben eingreifen könnte. Um auch ihn mit den Widrigkeiten des Daseins konfrontieren zu können, mußte die Schule sich zu einem Symbol der Wirklichkeit ausweiten. Am Ende des Buches steht sie „an Stelle des Lebens selbst in seiner höhnischen Härte[49] und Gewöhnlichkeit ...“ (AuN 568). Wenn Hanno vor ihr versagt, versagt er „am Leben überhaupt, dessen Symbol und vorläufiger Abriß die Schule ist“ (Betr 567).

Zusammenfassung: „Buddenbrooks“ als Sammlung von Lebensbildern

Im Rückblick erweisen die „Buddenbrooks“ sich als eine einzige Sammlung und Folge von Bildern des Lebens. Schule und Geschäftsleben, Marktszene, Spielsaal und Ordinationszimmer, alles kann sich enthüllen als Gleichnis und Spiegel der Wirklichkeit. Man hat Thomas Manns Erstling

[47]) und zwar stets auf dem Rückweg, nie während der Hinfahrt!

[48]) das Leben als Strafanstalt vgl. Erz 298.

[49]) Zu Härte und Kälte lernt er durch die Schule vor allem die empörende Ungerechtigkeit des Lebens kennen (s. B 753/54; 756 ff).

einen Kaufmannsroman genannt[50] und einem Buch wie Gustav Freytags „Soll und Haben" an die Seite gestellt[51], sehr zu Unrecht. Denn die geschäftliche Welt, wo immer sie angesprochen wird, ist nur einer der Vordergründe dieses Werks. In ihr sieht der Dichter in verstärktem Maße jene Züge hervortreten, die ihm für das Leben allgemein bezeichnend scheinen. Das Leben ist „streng, grausam und böse zu jeder Zeit und an jedem Ort" (Betr 461), es zeigt sich am unerbittlichsten und unidyllischsten im geschäftlichen Alltag. Indem der Geschäftsbetrieb „seinem rücksichtslosen und unsentimentalen Verlaufe" nach zum „Abbild des großen und ganzen Lebens" avanciert (B 487), wächst die vermeintliche Kaufmannsgeschichte sich aus zu einer umfassenden Abrechnung mit den Bedingnissen des Daseins.

Das Porträt der Wirklichkeit, das sich auf dem Hintergrund der Romanhandlung abzeichnet, läßt an Düsternis nichts zu wünschen übrig. Das Leben ist hart und kalt und damit grausam, es ist robust und laut, derb und plump, roh und brutal, böse und feindselig, es beleidigt die Nase und beschmutzt Hand und Seele, und mit dem allen ist es für jede zartere Menschheit unerträglich. Die Kritik, die es sich von dieser Seite her gefallen lassen muß, ist denn auch vernichtend: Die Welt fällt rundweg der ästhetischen wie sittlichen Verdammung anheim. Das Leben ist unschön, häßlich und hassenswert in höchstem Grade, man fühlt sich angewidert und von Ekel und Abscheu geschüttelt (s. B 757; 759; 762). Es ist ordinär, gemein und voller Niedertracht. Und wenn dies alles sehr subjektive Urteile sind, Urteile von aufs höchste reizbaren Ausnahmeexistenzen (s. B 567)[52], so werden sie allzu oft und beredt vorgetragen, als daß der Dichter dabei ganz unbeteiligt sein könnte. So er nicht expressis verbis einstimmt in den Chor der Verdammung, im Schicksal seines Helden und Namensvetters ist eben dies Urteil implizit enthalten. Denn wiewohl er Thomas einen schmählichen Untergang bereitet, ist er doch niemals einverstanden damit. Im Gegenteil wird sein Schicksal ausgemünzt zu unüberhörbarer Anklage. Wo die Wirklichkeit so beschaffen ist, daß zarten, edlen Naturen kein Raum, keine Lebensmöglichkeit verbleibt, sind nicht sie, sondern das Leben selbst ins Unrecht gesetzt.

---

[50]) Als solcher wurde er Gegenstand der Antrittsrede eines Wirtschaftswissenschaftlers — Fritz Neumark, Wirtschaftprobleme im Spiegel des modernen Romans, Frankfurt 1955 —, fand seinen Platz in historischen Abrissen, so bei Helene Laxy, Der deutsche Kaufmannsroman von Thomas Mann: Buddenbrooks (1901) bis zur Gegenwart (1926), Diss. Bergisch-Gladbach 1927 oder Wolfgang Kockjoy, Der deutsche Kaufmannsroman. Versuch einer kultur- und geistesgeschichtlichen genetischen Darstellung, Straßburg 1932.

[51]) Vgl. Heinrich Spiero, Geschichte des deutschen Romans, Berlin 1950, S. 533.

[52]) Starke, tüchtig-normale Menschen wie Hannos Schulkameraden fühlen sich offensichtlich wohl und zu Hause im Leben (s. B 762), empfinden seine Härten nicht oder nehmen sie als naturgegeben hin.

B. DIE STÖRUNGEN IM WIRKLICHKEITSVERHÄLTNIS DES DICHTERS UND IHRE WURZELN

I. Geist als Bewußtheit: Thomas Manns Beobachtungstheorie

Diese Auffassung und Bewertung des Lebens ist — man kann es nicht oft genug betonen — für einen ‚Realisten' nun allerdings erstaunlich. Die Suche nach ihrer Entstehung führt uns weiter zur Frage nach den spezifischen Voraussetzungen, der Wesensart Mann'schen Künstlertums überhaupt.

Wie wir sahen, rührt der Adel, den seine Helden für sich in Anspruch nehmen dürfen, zumindest was das Frühwerk angeht, von Gnaden des Geistes. Körperliche Abschwächung, wie sie gegen Ende einer langen Generationenfolge hervortritt, hat allemal den Aufstieg aus erkenntnisloser Dumpfheit zu wachsender Bewußtseinshelle zur Folge. Die Verfeinerung des Sensoriums, jene positive Auswirkung physischen Verfalls, scheint in erster Linie dem Gesichtssinn zugute zu kommen. In dem Maße, in dem der Spätgeborene seine geistige Unschuld verliert, wächst die Fähigkeit zur Beobachtung, zu durchdringender Erkenntnis. Am Ende dieser Entwicklung ist ein Höchstmaß an Hellsicht erreicht, ein Scharf- und Weitblick, dem in der Welt der Erscheinungen nichts mehr verborgen bleibt[53].

In den „Buddenbrooks" tritt die Fähigkeit zu kritischem Beobachten mit der vorletzten Generation bestimmend hervor. Wo die Klarheit des väterlichen Auges getrübt war vom Schleier des Gefühls, ist nüchtern distanzierte Wachsamkeit für Thomas' Weltverhältnis bezeichnend. Nicht zu vergessen Christian, dessen Späße und Albernheiten sich ebenso wie der wissende Ernst des Bruders von Beobachtung nähren und diese in „karikierend vorführende Nachahmung" übersetzen (Nachlese 33). Unübertroffen endlich ist die Wachheit des beobachtenden Sensoriums im Falle des letzten Buddenbrook (s. B 651; 410).

Blickt man über den Umkreis unseres Romans hinaus, so ist die Fähigkeit zu eindringlichem Beobachten zumeist den Künstlern vorbehalten. Was

[53]) Über den Ursprung dieses Vermögens ist keine restlose Klarheit zu erlangen. Während es einmal scheint, als seien die Leiden zarter organisierter Menschen einzige Quelle der Erkenntnis (s. NSt 100), kann das Abhängigkeitsverhältnis sich ebensowohl umkehren, so daß nun Bewußtheit es ist, die das Leiden hervortreibt (s. AdG 336).

die Gestalten Tonio Krögers, Spinells, Aschenbachs und noch Leverkühns bei aller individuellen Verschiedenheit miteinander gemein haben, ist eben ihre Helläugigkeit und Wahrnehmungsnervosität, — womit sie nichts anderes widerspiegeln als die charakteristische Befähigung ihres Herrn und Meisters. Erkenntnis, aus Beobachtung gewonnen, hat Thomas Mann wiederholt als Quell und Nährboden seines künstlerischen Schaffens bezeichnet. Die Bemerkung über Fontane, der als Schaffender „nicht auf den Rausch, sondern auf Erkenntnis gestellt" gewesen sei, sie fällt mit gleicher Berechtigung auf den Interpreten[54] zurück (AdG 484).

Dichten aus dem Geist und dem Bewußtsein, dies ist ihm über die eigene Arbeit hinaus, wo nicht für jedes Schaffen, so doch für den Begriff modernen Künstlertums zutiefst bezeichnend. Anfänglich in Lessing (s. AuN 165), sodann beispielhaft in Nietzsche sieht er den Typus des modernen Verstandespoeten verkörpert. An Nietzsche vor allem bewundert er die Einheit von Künstler und Erkennendem, ihm schreibt er das Verdienst zu, Kunst und Erkenntnis einander stärker als je zuvor und bis zu solchem Grade angenähert zu haben, „daß man sich gewöhnte, den Begriff des Künstlers mit dem des Erkennenden zusammenfließen zu lassen ..." (Betr 79)[55].

a) Konzentration auf das Detail

Die Aufmerksamkeit des erkennenden Künstlers richtet sich auf Welt und Menschen zugleich, doch ist auf ihn, den Menschen, „fast alles Interesse gesammelt, alle Blickschärfe gerichtet ..." (AuN 309). Angesichts dieses Gegenstandes läßt die Frage, was vom menschlichen Erscheinungsbild als interessant genug empfunden wird, eingehend studiert und beobachtet zu werden, eine so allgemeine wie vorläufige Beantwortung zu: niemals das Ganze einer Gestalt oder auch nur ein größerer Teilaspekt[56], wie Gesicht,

---

[54]) Vgl. die Skepsis, die dieser schon früher (1906), um seine Meinung „Über den Alkohol" befragt, der ‚Stimmung' fördernden Wirkung solcher Stimulantien gegenüber bekundet hatte sowie das Eingeständnis, wie wenig er für sein Teil sich auf den physischen Rausch verstehe (s. RuAe II, 678/79).

[55]) Aus der direkten Nietzsche-Nachfolge ist der Dichter-Schriftsteller Mann zu begreifen. Dem breit fließenden Strom seiner kritischen Produktion entspricht auf künstlerischem Gebiet die auffällige Bevorzugung der Romanform. Als intellektualer Roman, in dem der Gedanke „erlebnishaft durchblutet, die Gestalt vergeistigt" erscheint (AuN 143), repräsentiert er die Stufe schöpferischer Bewußtheit — im Gegensatz zum un- oder teilbewußten Schaffen früherer Epochen (s. AdG 427; 390/91).

[56]) Die Bedeutung der anatomischen Einzelheit für die Personenbeschreibung, Thomas Manns additive Schreib- und Kompositionsweise betont Victor Lange, Betrachtungen zur Thematik von Felix Krull. In: GRM XXXI, 1, 1956, S. 215-24, vgl. bes. S. 218.

Kopf oder Körper; vielmehr sind es stets und ständig Einzelheiten, die hervorgekehrt und ins Licht gerückt werden. In dem Augenblick, da Herr Brecht sich auf dringendes Ersuchen Thomas Buddenbrooks endlich zur Behandlung bereit findet, erscheint — gemäß dem Willen des Erzählers — nicht der Kopf, sondern „der graumelierte Schnurrbart, die Hakennase und die kahle Stirn des Zahnarztes in der Tür zum Operationszimmer" (B 703). — Entsprechend bietet der Körper sich dem forschenden Auge nicht als eine Einheit dar, sondern als eine Summe von Teilregionen und Extremitäten. Es ist, als sei hier ein Anatom und nicht ein Porträtist am Werk.

b) Ergebnis: Ausgefallene Details

1. ‚Elend' — körperliche Verunstaltungen

Was aber ist dem ‚Anatom' besonders teuer? Wie sehen die Details aus, die sein Interesse erregen? War das Beispiel des Zahnarztes bloß willkürlich gewählt, das Zusammentreffen der Stichworte ‚ergrautes Barthaar', ‚krumme Nase' — krumm und hart wie der Schnabel eines Papageis (s. B 532) — ‚kahle Stirn' mithin ein Werk des Zufalls oder mehr?

Von allen Einzelheiten der Gesichtsbildung gilt der Nase die wohl größte und entschiedenste Aufmerksamkeit des Betrachters. Eine Sammlung und Sichtung ihrer Erscheinungsformen aber ergibt dies: Es begegnet das menschliche Riechorgan übergroß und von hängender Länge (Christian), andererseits kurz, gedrungen von Bau (s. B 337; 514), mit zu dicken, fleischigen Flügeln (s. Erz 169; 223. J 65; 228; 1517) oder so schwach und rudimentär entwickelt, daß es „wie ein kleiner, platter Knopf" im Gesicht sitzt (B 294). Aus Länge und Magerkeit entsteht ein Gebilde, das bei heftiger Bewegung des Kopfes nachgerade beängstigend wirkt und sich handhaben läßt, wie man sonst nur Messer gebraucht (s. B 788). Auffallend platt auf der Oberlippe liegend, wie bei Hermann Hagenström (s. B 65; 361; 424; 507; 623) oder Doktor Sammet, deutet sie auf jüdische Abstammung hin (s. KH 29), meint also über das ästhetische Manko hinaus einen Makel des Geblüts. Gewissenhaft wird jede unregelmäßige Bildung verzeichnet, die Hakennase (s. B 703) so gut wie jene, die mit einem Höcker behaftet (s. B 270; 458; 712) oder eingedrückt und zur Stülpnase aufgeworfen ist (s. B 743), bis sie zuletzt in monströser Abartigkeit, gänzlich deformiert und verunstaltet als ‚Kartoffel' (s. B 179) und knollige Wucherung (s. Erz 188. J 879) erscheint. — Bei leidlich regelmäßigem Wuchs findet sie sich von Sommersprossen übersät (s. B 11) oder böse verfärbt, womit auf passionierte Trinkfreudigkeit ebensowohl wie auf chronische Verschnupfung angespielt sein kann; letzteres im Falle Groblebens, des Speicherarbeiters, „an dessen magerer Nase zu jeder Jahreszeit beständig ein länglicher Tropfen hängt, ohne jemals hinunterzufallen“ (B 414/15). Der Blick, der nach schiefem Sitz (s. J 1338), nach naiver Rötung vergeblich Ausschau hält, wird endlich die Warze am Nasenflügel dankbar fixieren und in dieser Mißlichkeit einen unbedingten Anreiz zur Mitteilung sehen (s. B 98; 111; 114; 170). Fazit: Lassen wir die Fälle leitmotivischer Nutzung (vgl. S. 113) außer acht, so bleibt nichts zurück als ein ebenso kompletter wie einseitiger Katalog unschöner und abseitiger Formen, eine Summe von kleinen und großen Schäden und Mißhelligkeiten.

Ähnlich negativ fällt das Ergebnis aus, sobald das Organ des Beobachtens selbst Gegenstand der Beobachtung wird. Da sind die Augen ganz merkwürdig gerötet (s. B 67; 179; 293), entzündlich (s. B 415; 743) oder zum Triefen neigend (s. B 506), liegen sie ungewohnt tief in den Höhlen (s. etwa B 37; 218) oder treten hinter Brillengläsern kurzsichtig bemüht — um nicht zu sagen ‚glotzend‘ — hervor (s. B 753). Gravierende Defekte werden aufgezeigt, wie die Crux des Rechenlehrers Tietge, der „auf eine unmögliche Weise in sich hineinschielte, was er durch Brillengläser, rund und dick wie Schiffsluken, zu korrigieren suchte ...“ (B 534; s. 752). — Von der auf die Augen versammelten Blickschärfe ‚profitiert‘ noch deren nächste Umgebung: Entzündete Augen sind beschattet von grindigen Lidern (s. J 237), unterlegt von erschlafften Hautsäcken oder beutelartigen Anschwellungen (s. B 514; 521), überwölbt von Brauen, die sich der Beschreibung aufdrängen bei wattebauschartig übertriebener (s. KH 9) so gut wie bei gänzlich fehlender Ausbildung (s. Krull 28).

Daß winzig kleine Ohren ohne Läppchen der Idealform entsprechen, kann man einzig der flüchtigen Beschreibung einer Charge — Graf Trümmerhauff aus „Königliche Hoheit“ — entnehmen (s. KH 83). Offen führt der Dichter nahezu ausschließlich solche Verwirklichungen vor, die von dieser Forderung durch unziemliche Größe (s. B 294. KH 57. Z 433)[57] wie fleischig ausgearbeitete Läppchen (s. J 65) tunlichst abweichen, Ohren, aus deren Muscheln womöglich graues Gestrüpp hervorwächst (s. KH 57. Erw 44), die sich — bedauerlichste und zugleich häufigste aller Entstellungen — durch abstehenden Sitz unschön hervortun (s. B 743. Erz 231. Z 12; 757). In Sievert Tiburtius’ Porträt vereinigen sich Übergröße und abstehender Wuchs zu absonderlicher Wirkung: „Seine Ohrmuscheln waren groß, äußerst abstehend, an den Rändern weit nach innen zusammengerollt und oben so spitz wie die eines Fuchses“ (B 294. vgl. dazu KH 84). Immer darf ein Naturspiel wie das einseitig forcierten Wachstums — auf Grund der abträglichen Wirkung auf die Harmonie des Gesamtbildes — ‚liebevoller‘ Aufmerksamkeit gewiß sein. Thomas Mann verhält sich hier nicht anders

[57]) Unter den Brüdern Josephs schwärmt Sebulun von Seefahrten zu Leuten „mit so großen Ohren, daß sie den ganzen Körper bedecken ...“ (J 502).

als Professor Cornelius seinem Töchterchen gegenüber: entlarvend, wo er zu bewundern vorgibt, wissen doch beide, daß Lorchens Ohren unter dem Versteck seidenfeinen Braunhaars „verschieden groß sind: das eine hat richtiges Verhältnis, das andere aber ist etwas ausgeartet, entschieden zu groß. Der Vater holt die Ohren zuweilen hervor, um sich in starken Akzenten darüber zu verwundern, als hätte er den kleinen Schaden noch nie bemerkt ...“ (Erz 628).

Auch beim Abtasten der unteren Gesichtshälfte fördert nimmermüdes Beobachten eine Fülle von Abnormitäten zutage. Der Blick verweilt da, wo die Gegend unterhalb der Nase allzu gewölbt erscheint (s. J 65), auf Tonys immer ein wenig hervorstehender Oberlippe etwa; er beschreibt ein zu breites (s. LW 119) oder zu kleines Mundwerk (s. B 11), Münder von hölzerner Dürre (s. Krull 124. LW 119) oder stark aufgeworfene, wulstig und wie gepolstert anmutende Lippenpaare (s. B 459); die einen, weil sie nicht recht vorhanden, die andern, weil sie, um als schön zu gelten, entschieden schmaler hätten sein dürfen. Unschöne Gewohnheiten werden notiert: ein allzu sorgloses Hängenlassen der Unterlippe (s. B 209; 454; 544. Krull 112/13), das dem Mund einen schlaffen und törichten Ausdruck verleiht; oder deren Vor- und Rückschieben, eine Unart, die den ursprünglich günstigen Eindruck neutralisiert oder ins Negative abwandelt (s. Erz 86). Augenblicke sind festgehalten, da ein Mund zu wässern beginnt (s. LW 119), Feuchtigkeit sich in den Mundwinkeln des Sprechenden einstellt (s. B 248; 286) oder die Unterlippe zum Spritzen neigt (s. F 128/29). Schnappschüsse gelingen wie das Konterfei Glutbauchs — Obergärtner Pharaos — die das Opfer bloßstellen und im allerungünstigsten Lichte zeigen, just dann nämlich, wenn das Gesicht des Mannes zusammenschrumpft und die Mundpartie sich „in eigentümlicher Entstellung“ gegen die Nase emporhebt (J 879).

Bleibt das Kinn, das der Beachtung immer dann gewiß sein darf, wenn es nicht recht oder allzu ausgeprägt, als kuglige Frucht (s. J 536; 701) oder entstellendes Doppelkinn (s. B 623. Z 436) vorhanden ist. Herr Permaneder etwa hat bei aller Gesichtsfülle nur ein verschwindend kleines Kinn (s. B 337), und auch im Falle der Konsulin ist es zu kurz und wenig entwickelt, ja dies Manko wird, neben andern kleinen Schönheitsfehlern, das eigentlich Buchenswerte an ihren Zügen: „Das Charakteristische an ihrem Gesicht mit der etwas zu langen Nase und dem kleinen Munde war, daß zwischen Unterlippe und Kinn sich durchaus keine Vertiefung befand“ (B 11. vgl. Z 933).

Der Hals, der ein solches Bukett von Mißhelligkeiten trägt, steht dem Haupte in dieser Hinsicht nicht nach. Er ist dürr, faltig und hager (s. B 463; 745), ein Übelstand, der den Kehlkopf groß und über Gebühr hervortreten läßt und Gelegenheit bietet, seine Wanderungen während des Sprechens angespannt zu verfolgen (s. B 516). Nicht schöner ist der zweite häufig anzutreffende Befund: Kurzhalsigkeit, ein formloses Ineinander von Kopf und Körper, ein Hals, der keiner ist, der den Kragen beengt und faltenwerfend im Nacken überquillt (s.KH 18)[58].

Vom Halsansatz abwärts bietet der menschliche Körper sich dem Auge nicht mehr unverhüllt dar. Anstelle physiognomischer Mängel sind es nun Schäbigkeit oder Nachlässigkeit der Toilette, die im Prozeß des Beobachtens zutage treten. Spuren häufigen Getragenseins, blanke Stellen am Rock oder Beinkleid (s. B 209; 456), fehlende Knöpfe (s. B 535), Flicken (s. B 535; 736/37) und Flecken (s. B 456; 749. Erz 345/46) werden ans Licht gezerrt und der Nachrede anheim gegeben. Kein schadhafter Kragen (s. Erz 188. KH 191), kein verwaschenes Halstuch (s. LW 10), keine abgenutzte Krawatte (s. Z 81) oder abgeschabten Handschuhe (s. Erz 188), bei denen der Erzähler nicht gern und absichtsvoll verweilte.

Der nach Außerordentlichem dürstende Blick dringt tiefer, sucht unter verhüllendem Tuch die Körperformen. Vorübergehend an gesunden, stimmigen Maßen, zeichnet er die Silhouette da nach, wo sie aus der Façon gegangen ist, wo ein magerer Hals, zwischen armseligen Schultern steckend, den Eindruck der Verwachsenheit hervorruft (s. B 64; 513). Sesemi Weichbrodt, der namenlose Kontorlehrling, der kleine Herr Friedemann, der Hypnotiseur Cipolla, sie alle tragen an einem solchen Leibesschaden, einem Defekt, der, wie im Falle des Cavaliere selbst den Brustkorb in Mitleidenschaft ziehen kann, so daß ein weit ausladender Buckel mit einer spitzen und hohen Brust[59] korrespondiert und nun nichts mehr in Ordnung ist, vorn nicht und hinten nicht (s. Erz 674).

Von den Extremitäten genießen die Hände entschieden den ‚Vorzug'. Es geht dem Dichter hier ebenso wie Hans Castorp, beide haben „viel Sinn und kritische Aufmerksamkeit für Hände" und sind gewöhnt, auf diesen Körperteil zuerst ihr Augenmerk zu richten (Z 110). Schön ist das schmal-vergeistigte Edelpfötchen, als Richtmaß nicht einmal von den Buddenbrooks erreicht, deren Hände bei aller Feingliedrigkeit immer ein wenig

[58]) Die minutiöseste Beschreibung setzt auch hier die größte Entstellung voraus. Von Herrn Permaneder erfahren wir: „Unterhalb des kleinen Kinnes lief eine steile Linie in die schmale weiße Halsbinde hinein ... die Linie eines kropfartigen Halses, der keine Vatermörder geduldet haben würde" (B 337).

[59]) Zu den Mißhelligkeiten des Rumpfs gesellt sich das Unverhältnis der Gliedmaßen. Als der bucklige Kontorlehrling dem Senator die Pöppenrader Hiobspost überbringt, schlenkert er „den einen seiner unnatürlich langen, dünnen Arme in übertriebener Weise hin und her ..., um sich das Ansehen zuversichtlicher Lässigkeit zu geben ..." (B 510). Die Arme dieses, und nicht nur dieses Krüppels sind von der Magerkeit eines Stockes (s. dazu Z 414), auslaufend in embryonische Handgelenke (s. dazu J 786), das ganze Wesen gestellt auf Beine von unterschiedlicher Länge (s. Erz 366. KH 113) bei beliebiger Wölbung nach innen (s. Erz 399) oder außen (Christian).

zu breit bleiben (s. etwa B 46). Mit wachsendem Umfang muß die Hand, zumal bei kurzen, breiten Fingern (s. B 755; 753), zunehmend grob und plump (s. B 746/47) wirken. Rauh (s. KH 73) und runzlig von Haut (s. B 210; 236; 753), gelten große Handflächen schließlich als unverkennbare Abzeichen einer niederen, harten Geburt (s. KH 226). — Wo ein matter, zartweißer Teint dem Schönheitsideal der Zeit entspricht, reicht bloße Hautrötung hin, das Urteil ‚unschön' zu provozieren (s. B 210; 236; 415; 713; 746). Wie immer man einen solchen Übelstand zu kaschieren sucht, hier ist alle Mühe vergebens (s. Erz 324). Dürr, verfroren und wie gichtisch aussehende (s. B 713) Hände täte man besser, den Blicken gänzlich zu entziehen wie jene, denen tendenziöse Scharfsicht Trauerränder unter den Nägeln (s. B 501) oder das Laster des Fingerkauens (s. B 743. Z 110) bescheinigt.

Wo der Hang zum Anschwärzen und Verschimpfieren menschlicher Erscheinung keinen direkten Ansatzpunkt findet, kommt ihm mit fortschreitendem Romangeschehen Hilfe von dritter Seite zu: die ‚vergarstigende' Macht der Zeit (s. Erw 30). Ihre Minierarbeit wird namentlich an drei neuralgischen Stellen sorgsam und eingehend verfolgt: Zeit nimmt das Haar von der Schwarte des Hauptes, Zeit macht die Zahnreihen schadhaft und unvollständig, Zeit läßt die Figur stärker werden. Was unter ihrem Meißel von Jahr zu Jahr entschiedener hervortritt, sind die Kümmernisse des Alterns. Die Skala reicht vom ausgehenden Stirn- oder Wirbelhaar bis zum Bloßliegen der Schädeldecke, von der vereinzelten Lücke zu gänzlichem Zahnausfall, von der Andeutung wenigen Schmers bis zu abstoßender Fettleibigkeit. Wenn Hermann Hagenström in der Mengstraße erscheint, das Haus der Buddenbrooks an sich zu bringen, hat sein früh entfalteter Hang zu üppigem Wohlleben unübersehbare Folgen gezeitigt: „Er war so außerordentlich fett, daß nicht nur sein Kinn, sondern sein ganzes Untergesicht doppelt war, was der kurz gehaltene, blonde Vollbart nicht verhüllte, ja, daß die geschorene Haut seiner Schädeldecke bei gewissen Bewegungen der Stirn und der Augenbrauen dicke Falten warf" (B 623).

Der Blick, vom Ganzen gelöst und konzentriert auf Details, auf Teilaspekte der menschlichen Gestalt, liefert als Ergebnis eine Unsumme unschöner Einzelzüge. Es beginnt bei geringfügigen, kaum merklichen Abweichungen, einer Nase, die zu groß ausfällt, Wangen, die zu aufgetrieben wirken, einem Hals, der zu lang, einer Figur, die gar zu klein und beleibt erscheint. Aber all diese kleinen Mängel und Abstriche summieren sich, werden gravierender und augenfälliger, wachsen sich aus zu handfesten Defekten, zu einem Wust von Verunstaltungen und Deformationen. Ein verunzierender Leberfleck (s. Z 72), ein Stück Ausschlag an der Stirn (s. Erz 156), die Entstellung, die ein Gerstenkorn dem Auge zufügt (s. Z 238), ein Lippenleiden, das die Gestalt nicht anziehender macht (s. LW 246), die ekelhafte Brandwunde am Körper eines nicht minder abscheulichen Jungen (s. Erz 665), derart abstoßende Einzelheiten werden mit einer Art schauerlicher Genugtuung registriert. Gibt es am Ende überhaupt noch tadelfreie Gesichter, normal gebaute Figuren? Kein rhetorischer Zweifel, eine Frage vielmehr, die man nur unter Vorbehalt bejahen darf, mit der Einschränkung nämlich, daß körperliche Wohlbeschaffenheit sich hoffnungslos in der Minderheit befindet. Nicht das ordnungsgemäß gebaute und funktionierende Organ, der Fehler, die Störung, Schielauge, Blähhals oder Klumpfuß stehen im Vordergrund des Interesses, die Entstellung, die Anziehungskraft des Unvollkommenen triumphiert. Ein abstoßender Reiz geht davon aus, eine schlimme Betörung, die dem ‚Realisten' Mann nur schlecht zu Gesicht steht.

2. ‚Komik' — Ticks und Marotten — Die Weisen des Komischen bei Thomas Mann — Nähe zu Karikatur und Groteske

Dem Katalog von Verunstaltungen tritt ergänzend zur Seite die Marotte, eine Form des ausgefallenen Details, daran in den „Buddenbrooks" — wieder einmal — kein Mangel ist. Im Gegenteil, Lübeck ist recht eigentlich eine Stadt der Originale, bevölkert von Leuten mit ebenso abartigen wie lächerlichen Gewohnheiten. Tony stöbert sie auf, die ‚Schirmmadame', „eine ganz winzig kleine Frau mit großem Kopf, welche die Gewohnheit hat, bei jeder Witterung einen ungeheuren, durchlöcherten Schirm über sich aufgespannt zu halten"[60], die alte Puppenliese, „die in einer engen Twiete bei der Johannisstraße mit wollenen Puppen handelt und allerdings ganz merkwürdig rote Augen hat"; endlich jenen bleichen, bartlosen Menschen unbestimmbaren Alters, „der morgens mit einem traurigen Lächeln in der Breiten Straße zu lustwandeln pflegt" und nichts dafür kann, „wenn er gezwungen ist, bei jedem plötzlichen Laut, den man ausstößt . . ., auf einem Beine zu tanzen" (B 67)[61].

Nun wäre dies pittoreske Völkchen mit all seinen Verschrobenheiten keiner weiteren Erwähnung wert, kehrten diese nicht in ähnlicher Form noch im Zentrum der Mann'schen Figurenwelt wieder: als „tic nerveux"[62]

---

[60]) Vgl. Ida Jungmanns spleenige Vorsicht, auch „beim sichersten Wetter einen langen, offenen Regenmantel nebst Regenschirm" zu tragen (B 359).

[61]) Zu ihnen gesellt sich im nächsten Roman ein „Kleinrentner mit purpurner Warzennase", Fimmelgottlieb geheißen und kenntlich an „einem stereotyp und zwanghaft ausgestoßenen Vogelruf" (RuAe II, 317); und noch im „Faustus" wiederholt und komplettiert Thomas Mann diese Liste durch „eine kostümlich ganz aus der Zeit fallende Person namens Mathilde Spiegel, mit rüschenbesetztem Schleppkleid und ‚Fladus' . . ., ein Frauenzimmer, das geschminkt, aber fern von Unsittlichkeit, entschieden zu närrisch dazu, begleitet von Möpsen in Atlasschabracken in irrer Hochnäsigkeit die Stadt durchwanderte" (F 54).

[62]) Dazu Max Rychner, Thomas Mann. Rede zu seinem 80. Geburtstag. In: Jahresring 55/56, S. 49-64, vgl. bes. S. 53.

in Thomas' mißbilligendem Emporziehen einer Braue[63], bedenklicher in Christians zwanghafter Vorstellung, linksseitig seien all seine Nerven zu kurz, als Kuriosität, die uns ein Kopfschütteln abnötigt, wie das Herumwenden der Hand seitens der Konsulin[64]. — Exzeptionell herzlich verlaufen jedesmal Sesemis Abschiedsszenen, wenn sie, die beinah jeden Tag als ihren letzten anzusehen gewohnt ist, ihr jeweiliges Gegenüber ungern ohne Kuß und Segen entläßt. Komisch mutet dieses ihr Gebaren außer durch Übertreibung noch durch die stereotype Wiederkehr an, dadurch, daß Verhalten und Worte sich trotz wechselnder Partner in all und jeder Situation völlig gleich bleiben. — In der nämlichen Weise mechanisch und recht eigentlich widersinnig-komisch hält Grobleben die Gewohnheit durch, zu jeder Jahreszeit, und sei es im glutheißen Sommer, einen wollenen Schal um den Hals zu tragen (s. B 415; 504). — An Tony erheitert gerade die stereotype Würdenpose, ihr gleichbleibend hoffnungsloser Versuch, den Kopf zurückzunehmen und in eins damit das Kinn auf die Brust zu drükken. — Grätjens' vielgerühmte Kennerschaft in Kunstdingen sieht sich ironisch in Zweifel gezogen durch die Denunzierung der albernen Art, „beständig eine seiner hageren Hände nach Art eines Fernrohrs zusammengerollt vors Auge" zu halten, „als prüfe er ein Gemälde" (B 19; s. 23). — Pastoren und Lehrer geben ein ganzes Geschlecht ab von Leuten mit „einigen drolligen Eigentümlichkeiten" (B 775). Eigentlich ein kleiner, körperlich unherrlicher Mann, ist Tiburtius namentlich zur Zeit seiner Brautwerbung bestrebt, dieses Manko durch die erdenklichste Pflege seines Barthaars zu kompensieren. Zwar ist dies Abzeichen der Männlichkeit trotz allen Bemühens dünn und schütter geblieben (s. B 293), doch hat er das Vorhandene zu eindrucksvoller Länge heranwachsen lassen. Es kommt schließlich dahin, daß diese Überlänge lästig zu werden beginnt, Bequemlichkeit und Eitelkeit in Streit miteinander geraten. Wo immer jene erste Schwäche obsiegt, geschieht es, daß er — zu seiner Erleichterung und unserer Erheiterung — die Enden seines Backenbartes „nach beiden Seiten hin über die Schultern" legt (B 293/94; s. 296; 412). — Was Hannos Zeichenlehrer angeht, so sucht er mit Zähigkeit den Eindruck eigener Haarpracht auf-

[63]) s. B 121; 163; 244; 252; 263; 330; 352; 384; 415; 442; 459; 502; 571; 678; 700. Vgl. Tiburtius' ebenso unerwartetes wie unerfreuliches Aufreißen der Lider, bei dem die Augäpfel „sich in ungeahnter Weise erweitern, größer und größer werden, hervorquellen, beinahe herausspringen ..." (B 294; s. 412).

[64]) Wer des Dichters Angst kennt vor dem naiven, direkten Hervortreten des Gefühls, wird den Verdacht nicht los, daß dieser Gestus und sein Ausdruckswert, die betonte Herzlichkeit, ironisch aufgefaßt sein will. Verglichen mit der normal zu erwartenden Gebärde — Emporführen des Handrückens zu Händedruck oder Kuß — erscheint das Darbieten des Handinnern als pervertierte Bewegung (vgl. dazu KH 10. Z 132), die in der Umkehrung absonderlich, in der Übertreibung — ganz weit wird die Handfläche herumgedreht — komisch wirkt.

rechtzuerhalten, ein ganz unnützes Bestreben, da sein Autor derlei Sorgen nicht im mindesten zu teilen bereit ist. Herr Drägemüller, so wird berichtet, „besaß zwei Perücken, eine mit längerem und eine mit kürzerem Haar; hatte er sich den Bart scheren lassen, so setzte er die kürzere auf ..." (B 774). — Geradezu unwiderstehlich wird der Angriff auf unsere Lachmuskeln, sobald die Manien und Wunderlichkeiten des Buddenbrook'schen Prokuristen zur Sprache kommen, jenes vollendeten Pedanten, der in aller Unschuld allmorgendlich eine Viertelstunde benötigt, um sich, „unter Schnurrbartstreichen, Räuspern und bedächtigen Seitenblicken, eine Zigarre anzuschneiden und die Spitze in seinen Geldbeutel zu versenken. Des Abends, wenn die Gaslampen jeden Winkel des Kontors taghell erleuchteten, unterließ er es niemals, noch eine brennende Stearinkerze auf sein Pult zu stellen". Und da die Zeit zu den augenfälligen Mängeln auch die unschönen Charakterzüge schärfer hervortreten läßt, wachsen die Umständlichkeiten des alternden Markus sich zuletzt ins Fabulöse, kaum noch Glaubhafte aus. Nach jeder halben Stunde verläßt er seinen Arbeitsplatz, „um sich zur Wasserleitung zu begeben und seinen Kopf zu begießen" (B 485; s. 277), während man sich in der Stadt erzählt, „daß er zur Winterszeit, bevor er ausgehe, nicht nur seinen Paletot und Hut, sondern auch seinen Spazierstock sorgfältig am Ofen wärme ..." (B 723).

Mit Aufzählung dieser Marotten sind wir bei der andern Hälfte jener berühmten Formel angelangt, mit der Thomas Mann die Ergebnisse künstlerischen Beobachtens gelegentlich selbst umschrieben hat als „Komik und Elend" (Erz 290)[65]. Nächst den düstern treten die komischen Seiten des Lebens im Prozeß des Beobachtens schmerzlich zutage. Je größer die Sensitivität eines Menschen, desto unfehlbarer sein Gespür für die geheime Komik alles Wirklichen. Am Engländer, diesem Prototyp verfeinerten Menschentums[66], werden wir folgerichtig des kühlen, humoristischen Blicks gewahr (s. AuN 496), erfahren, daß das Komische von jeher seine, des Angelsachsentums starke Seite gewesen sei (s. AuN 501). An Hans Reisiger, dem Dichter-Übersetzer, rühmt Thomas Mann den „erquickenden Sinn für das Komische im Dasein ..." (Nachlese 205), und er erklärt diese Gabe aus der seltsamen, fast geheimnisvollen Affinität des Freundes zum Englischen (s. Nachlese 206). Als er seinen Rüdiger Schildknapp mit Reisigers Zügen versah (s. Nachlese 208), wurde die Figur wie ihr Vorbild ein begeisterter Verehrer alles Englischen und Meister parodischer Nach-

[65]) Körperleiden sind darin ebenso angesprochen wie Verirrungen der Seele, die soziale Not umschlossen zugleich mit der sittlichen Verschuldung. Das Auge des psychologisch geschulten Dichters durchdringt die Schale der Dinge „bis dorthin, wo sie kompliziert und traurig werden" (Erz 284). Es ist dieser ‚traurige' Scharfblick (s. AuN 207), der den stereotypen Zug müder Melancholie hervorruft auf den Gesichtern der Wissenden.

[66]) s. J 1414. RuAe II, 173. AuN 780. Betr 481.

ahmung. In ihrer heitern Gesellschaft findet Adrian Leverkühns durstiger Sinn für alles Komische die rechte Befriedigung. In den „Buddenbrooks" bewährt der anglomane Christian vor allem sein Geschick im Erfassen komischer Schwächen.

Zu dem Leiden an Schwere und Mühsal des Lebens hat der Dichter auch diese „kompensierende Anlage zur Lustigkeit und Lustigmacherei" (Nachlese 33) mit seinen Geschöpfen gemeinsam, ja er übertrifft sie darin allesamt. Noch den unscheinbarsten Dingen weiß er eine momentan überwältigende Komik abzugewinnen (s. F 228). Was er von seinem Goethe sagt, der das Komische stets mit solcher Drastik und Natur, so köstlicher Beobachtung und unfehlbarer Wiedergabe zu bringen weiß (s. LW 127), es gilt ebenso und mehr noch für ihn selbst. Wo immer er bei anderen komisches Können gewahr wird, ist seine Bewunderung ungemessen. Während der Jahre seines Amerika-Aufenthalts kam es zu wiederholten Begegnungen mit Chaplin. Geradezu enthusiastisch wird da die vis comica dieses genialen Clowns gefeiert (s. EF 181) und versichert, ihm, dem Dichter[67], sei unter Menschen, in Gesellschaft mit einem solchen Virtuosen in der Mitte noch stets geholfen[68].

Ob es etwas von sich aus Komisches gibt, ist eine alte Streitfrage. Was Thomas Mann betrifft, tut man gut daran, die Diskussion darüber ruhen zu lassen und das Augenmerk statt dessen auf die Normen und Wertsetzungen zu richten, die sich bei Lektüre seiner Bücher ausmachen lassen. Denn von ihrer Kenntnis her läßt sich allein bestimmen, was alles ironisch beleuchtet und komisch verstanden sein will. Lächerlich wirkt, formal gesprochen, jede Verletzung des Herkömmlichen. Beginnen wir bei jenen Abweichungen, die sich sofort und gleichsam mit der Elle nachprüfen lassen.

Orientiert auf die normale Menschengestalt, das Durchschnittsmaß hin wirken alle Abweichungen des Wuchses komisch, die übertriebene Länge etwa des Maklers Grätjens, der, als er an der Festtafel vom Stuhl emporkommt, seinen Toast auszubringen, gar kein Ende nehmen will (s. B 35). Umgekehrt ist Sesemi Weichbrodt durch Verwachsenheit klein, unter Mittelmaß, und in diesem Betracht eine närrische Kreatur (s. dazu J 1190). Ihrer Unterwüchsigkeit entsprechend lebt sie in einer Art Miniaturwelt, in einem mehr als kleinen Häuschen, umgeben von puppigen Habseligkeiten, Büchern „in drolligen Formaten . . .", die so winzig sind, „daß man nicht ohne Vergrößerungsglas darin lesen konnte" (B 568). Und doch bringt ihre spaßhafte Verminderung (s. dazu J 1054) sie in ständigen (erheiternden) Konflikt mit den Größenverhältnissen dieser Erde. Alles ist zu hoch

[67]) für den das Komische nur in der Spielart des Lächerlichen existiert.

[68]) Vgl. dazu Erika M a n n s biographische Notiz im Vorwort (S. XI) zum ersten Band der Briefe Thomas Manns.

angebracht für sie: Nur mit Hilfe zweier Kissen gelingt es ihr, die Tafel der Pension zu beherrschen (s. B 89/90), während sie im Umgang mit Erwachsenen die Zehenspitzen zu Hilfe nehmen muß (s. B 249; 307; 370), um den Stirnkuß zustande zu bringen.

Komisch wirkt neben der Disproportion der Länge jedes Abweichen vom gewohnten Breitenmaß. Dick und darum scherzhaft von Erscheinung, dabei vom komischen Fach (s. Krull 91) ist der stellungslose Bassist, den Krulls Mutter als ersten Gast in der neu eröffneten Frankfurter Pension empfängt. Gleichfalls ein Mann vom Bau, ein Schauspieler diesmal, erregt im Verlauf der Musterung „durch fette ... Erscheinung viel verstohlene Heiterkeit ...“ (Krull 107). In den „Buddenbrooks“ ist Permaneders unförmige Figur zur Zielscheibe des Spottes ausersehen. Des Bauches wegen genötigt, „ziemlich weit vom Tische entfernt“ zu sitzen, bewegt der Hopfenhändler sich bei Tafel und anderswo mit der „Unbeholfenheit eines Mannes, der einen dicken und steifen Hals hat ...“ (B 342). Die Einschränkung seiner Bewegungsfreiheit führt zu erheiternden Zwischenfällen, so, wenn er sich, den Bewegungen des flinkeren Gesprächspartners folgend, diesem mühsam und mitsamt dem Lehnsessel zudreht (s. B 339) oder unterwegs nach Schwartau eine komische Furcht vor dem Aussteigen an den Tag legt (s. B 359). Viele Figuren Thomas Manns wirken so, als seien sie durch einen Zerrspiegel gesehen. Ihr Anblick gleicht jenen Bildern, an denen man sich beim Besuch eines Panoptikums ergötzt. Als seien sie von einer Reihe von Vexierspiegeln umstellt, wandeln sie lächerlich zerdehnt oder komisch in die Länge gezogen, mit Händen wie Schaufeln und übermäßigen Füßen in lachhafter Entstellung durch den Raum der Dichtung.

Anlaß zur Heiterkeit liefert jeder Verstoß gegen jedwedes Herkommen. Dazu bedarf es nicht erst bewußten Tuns, schon fremdes Sein reicht hin, Spott in den Mienen der Einheimischen wachzurufen. Wie den Ägyptern der Josephsgeschichte alles Fremde drollig ist (s. J 738), beginnt für die Alteingesessenen unseres Romans östliche und südliche Exotik unmittelbar jenseits der Grenzen der engeren (norddeutschen) Heimat. Als Permaneder in Lübeck auftaucht, finden die Damen Buddenbrook ihn alsbald ‚forchtbar‘ komisch (s. B 346; 347), mokieren sie sich ungeniert über seine Art, sich zu geben, zu sprechen, über seinen Aufzug, die Uhrkette auf seiner Weste mit jenem „wahren Bukett ... von Anhängseln aus Horn, Knochen, Silber und Korallen ...“ (B 336/37). Und zweifellos haben sie von ihrer Warte aus recht; denn wenn auch stolz getragenes Zeichen landsmannschaftlicher Herkunft, ist diese ganze Sammlung doch zugleich ein eklatanter Verstoß gegen die Forderung unauffälliger Eleganz. — Tadellose Korrektheit, von Thomas Buddenbrook zeitlebens demonstriert, gilt als weitere conditio sine qua non. Und erneut ist Herrn Permaneders Anzug weit entfernt davon, diesem Anspruch zu genügen. Allein seine Beinkleider müßten, um halbwegs zu passieren, entschieden länger sein, so lang zumindest, daß die breiten und derben Stiefel nicht ferner ungeniert darunter hervorschauen könnten (s. B 337). Wo immer sonst die fehlende Länge des Gehrocks (s. B 753), die Enge der Hosen (s. B 209), Kürze der Ärmel (s. B 740) kritisch beleuchtet wird, und dies ist namentlich bei Hannos Lehrerschaft der Fall, sind diese Ausstellungen berechnet, die angestrebte Würde des Auftretens zu untergraben und systematisch ins Lächerliche zu ziehen.

Wo formvoll gesittetes Betragen als ein unbezweifelter Wert gilt, müssen Verstöße dagegen, wie sie dem Hopfenhändler zum Entsetzen Ida Jungmanns in aller Unschuld unterlaufen (s. B 341; 343), naturgemäß Gelächter erregen. Der einfache Mann, mit dem Codex gesellschaftlichen Verhaltens nur von fern und unzureichend vertraut, wirkt, so er in ungewohnt vornehme Umgebung gerät, komisch gerade in seinem ängstlichen Bestreben, nichts falsch zu machen, sich nur ja keine Blöße zu geben. Als müsse er sich die Regeln des Anstands mühsam erst ins Gedächtnis rufen, verbeugt Lotsenkommandeur Schwarzkopf sich dem eleganten Grünlich gegenüber „kurz, ruckartig und mit einem Ausdruck, als wollte er sagen: ‚So macht man es ja wohl!'“ (B 156; s. 160).

Inmitten aristokratisch-konservativer Gesellschaft bekommt der Nichtzugehörige, der Außenseiter und Emporkömmling einen Spott zu kosten, der durchaus nicht nur harmlos ist. So müssen Weinhändler Köppen und Gattin es sich ihrer zutäppischen Manieren wegen gefallen lassen, vom alten Johann Buddenbrook nie ohne spürbare Moquerie behandelt zu werden. Laufend gibt die gesellschaftliche Unerfahrenheit Weinschenks Anlaß zu den komischsten Zwischenfällen,etwa, wenn der Direktor am Hochzeitstag auf dem Wege zum Altar „nur *ein*mal“ auf Erikas lang herabwallenden Schleier tritt, dies eine Mal aber seitens des Erzählers unbedingt Erwähnung finden muß (B 462)[69].

„Buddenbrooks“ sind nur ein erstes Beispiel dafür, mit welch nachtwandlerischer Sicherheit es dem Dichter gelingt, die komischen Aspekte eines jeden Stücks Wirklichkeit hervorzuheben. Später, wenn er seinen Arbeiten überlieferte Stoffe, geprägte Viten zugrunde legt, wie in den Josephsge-

[69]) Neben Formfehlern und linkischem Benehmen verraten Parvenus sich am häufigsten durch Unsicherheiten des Geschmacks. Da zeigen die von Hugo Weinschenk angekauften Gemälde lauter „Stilleben von Eßwaren und unbekleidete Frauengestalten“ (B 464), bevorzugt Hermann Hagenström zum zweiten Frühstück statt gewöhnlichen Brotes „Zitronensemmel: ein weiches, ovales Milchgebäck, das Korinthen enthielt, und das er sich zum Überfluß mit Zungenwurst oder Gänsebrust belegte... Dies war so sein Geschmack“ (B 65; s. 247; 361; 424; 455; 624; 627), heißt es lakonisch dazu, und woher sollte er's schließlich auch haben, ist doch seine Mutter eben jene „Dame mit... den größten Brillanten der Stadt an den Ohren...“ (B 64), Laura Semlinger, die sich mit der für Neureiche typischen Erscheinung hemmungsloser Prunksucht ebenso blamiert wie nachmals Tochter Julchen (s. B 137; 361).

schichten, dem Goetheroman oder der Gregoriuslegende[70], haben wir Gelegenheit, die Entstellungen ins Lächerliche zu beobachten, die der alte Stoff in modernen Händen erfährt: Jaakob wird uns vornehmlich gezeigt im Stande der Demütigung oder Lachhaftigkeit, Goethe erleben wir krabbelnd im Straßengraben, ein Anlaß, bei dem uns versichert wird, wie erheiternd es doch sei, an einem Großen das Menschliche — sprich: Allzumenschliche — wahrzunehmen (s. LW 76).

Wenig bedarf es, die genannten komischen Züge zu steigern in Richtung auf die Karikatur. Christian etwa, begabt für die lustige Imitation (vgl. dazu F 436), im Besitz parodistischer Talente (vgl. dazu Erz 618) und Gaben burlesker Travestie (vgl. dazu Krull 400), tut sein Leben lang nichts anderes, als seine Mitmenschen zu beobachten und die Beobachtung in lächerliche und zugleich geistreiche Karikaturen umzumünzen (vgl. dazu Erz 119).

Die Nähe dieser Technik zur Zeichnung, und zwar zur komischen Zeichnung, ist bereits mehrfach[71] bemerkt worden, zumal da Thomas Mann selbst gelegentliche Aperçus zu diesem Fragenkomplex beigesteuert hat. In einem Brief an Wolfgang Born, Illustrator des „Tod in Venedig", nennt der Dichter es „eine schmeichelhafte und rührende Erfahrung, ein Werk seines Geistes durch eine sinnenunmittelbarere Kunst, die bildende... etwa..., aufgenommen... zu sehen" (Briefe I, 184); umgekehrt zeugen diese kommentierenden Paraphrasen zeichnerischer Bemühungen, wir nennen nur das schöne Vorwort zu Masereels „Stundenbuch", von erstaunlicher Einfühlungsgabe und einer kennerischen Versiertheit, die auf tiefinnere Verwandtschaft mit diesem Kunstzweig schließen lassen. Wenn er schließlich Masereels Holzschnittfolge einen Roman in Bildern nennt (s. AuN 512), wählt er damit eine Bezeichnung, die man ohne Zögern auch auf sein Werk anwenden könnte.

Nun hat Thomas Mann nicht nur zeichnerische Bemühungen kommentiert, er hat gelegentlich selbst gezeichnet. Während des Sommers 1897 entstand in gemeinsamer Arbeit der Brüder Heinrich und Thomas jenes „Bilderbuch für artige Kinder", als Konfirmationsgeschenk für Schwester Carla gedacht. Das Original ging 1933 verloren, doch reicht das wenige zufällig Erhaltene hin, gewisse Stilzüge deutlich zu machen: Die Tendenz zur Karikatur ist unverhohlen[72]. Wenig später, und also noch inmitten

---

[70]) Dazu die Hamburger Antrittsvorlesung Karl Stackmanns, Der Erwählte. Thomas Manns Mittelalter-Parodie. In: Euphorion 53, 1959, S. 61-74.

[71]) am deutlichsten bei Max Rychner, Thomas Mann. Rede zum 80. Geburtstag. In: Jahresring 55/56, S. 52.

[72]) Vgl. dazu auch das Zeugnis Erika Manns, wonach der Vater damals Karikaturen lieferte, die lebhaft an den ihm noch unbekannten Kubin erinnert hätten (Briefe I, 468).

der Arbeiten an den „Buddenbrooks", wurde Thomas Mann gründlich mit der karikaturistischen Zeichnung bekannt: Seine vorübergehende Tätigkeit als Lektor des „Simplizissimus" brachte ihn nach der Rückkehr aus Italien mit einer Schar hervorragender Könner des Zeichenstifts zusammen. Namentlich greifbar werden für uns Arnold und Gulbransson, Kubin und Th. Th. Heine, Eduard Thöny, Ferdinand von Reznicek... Die Vermutung liegt nahe, sie möchten den jungen Dichter in seiner Art zu sehen und das Geschaute wiederzugeben bestärkt haben. Seine literarische Produktion zeigt denn auch von Anfang an jenen „kühnen, treffenden, delikaten und wahrhaft lustigen Strich", wie er ihn später an Karl Arnold, dem Schöpfer des ‚Schlaraffenland'-Buches, gerühmt hat. Sie setzt voraus jene Haltung der „Kritik und ästhetisch-moralischer Reizbarkeit vor der Erscheinung" (Briefe I, 265), die er jenem zurechnet. So erscheint es denn heute rückblickend alles andere als zufällig, daß des Dichters literarische Gehversuche im ‚Simpl' abgedruckt wurden, jener Zeitschrift, die er selbst bei Gelegenheit ihres fünfundzwanzigjährigen Bestehens als das künstlerischste Witzblatt Europas (s. Briefe I, 265), ja als das beste überhaupt in der Welt (s. Briefe I, 439) gefeiert hat. Die Neigung zu karikaturistischer Sehweise, immer schon vorhanden, sie fand sich in dieser Umgebung bestärkt und bestätigt[73]. — In den „Buddenbrooks" tritt sie am deutlichsten hervor gegen Ende, in jenen (zeitlich freilich am frühesten liegenden) Passagen über Hannos Leiden und Untergang. In der Schilderung der Lehrerschaft gewinnen die für die Karikatur typischen verzerrenden Züge die Oberhand. Wie Hanno und Kai sich den Lehrkörper vorstellen als eine Art Ungeheuer von widerlicher und phantastischer Gestaltung (s. B 751), so zeigen dessen einzelne Vertreter für unser Auge lächerlich überzeichnete Eigenheiten, deren jede die Aufnahme in ein Kuriositätenkabinett verdient hätte.

Wir haben gesprochen von der Isolierung des Details. Gesellt sich seine Verabsolutierung hinzu, d. h. wird die (komische) Einzelheit wichtiger als das Ganze, der Zusammenhang, in den sie hineingestellt ist, so bewegen wir uns im Bereich des Grotesken. ‚Grotesk' ist ein so häufig gebrauchtes Wort im Sprachschatz Thomas Manns, daß man darauf verzichten kann, die Belege der Reihe nach vorzuführen. Statt dessen sei auf eine Briefstelle verwiesen, darin er den Gesprächspartner Gerhart Hauptmann gleichsam um

---

[73]) Über die vage, im einzelnen nicht recht greifbare stilistische Beeinflussung hinaus ist jüngst ein konkreter Fall schöpferischer Anregung bekannt geworden. Paul Scherrer (= Scherrer I, S. 288) hat unter den Materialien des Zürcher Thomas Mann-Archivs eine Zeichnung des Simpl-Mitarbeiters E. Weiner gefunden, die der Dichter eigenhändig mit „Herr Permaneder" angeschrieben und — bis in Einzelheiten und ganz im Sinne des Zeichners — als Vorlage für die Schilderung des Hopfenhändlers benutzt hat.

Entschuldigung angeht wegen der „ironischen und grotesken Kunstmittel“, die zu handhaben er gewohnt sei (Briefe I, 235). Nicht minder bezeichnend für ihn, den stets auf Anlehnung, auf Bestätigung seiner Eigenart bedachten, daß er den Zug zum Grotesken bei jedem seiner geistigen Leitsterne wiederfindet. Schopenhauer ist ihm „ein Bürger mit dem Stich und Stigma des Genies, das seine Figur ins Groteske hebt...“ (AdG 332; s. 338; 342), Nietzsche gilt ihm zuletzt durchaus als „Karikaturist und Groteskkünstler“ (Betr 339), Wagner endlich steht dem Grotesken innerlich nahe schon in dem unbürgerlichen Extremismus seiner Natur (s. AdG 392).

Thomas Mann hat das Groteske eindeutig in der Nähe des Komischen angesiedelt. Schon der Wortgebrauch weist in diese Richtung, am deutlichsten bei Verwendung des Doppeladjektivs ‚grotesk-komisch‘ (s. AuN 501. vgl. ferner F 287; 419; 601). Grotesk wird darin verstanden in zuspitzendem, übertreibendem Sinne (s. KH 128. Krull 400), als eine Steigerung eben des Komischen ins letztlich Fratzenhafte.

Vornehmster Erscheinungsbereich solch grotesker Lizenzen ist die Natur, darum, weil sie sich nahezu jede Form erlaubt, in allen Erscheinungen sich unendlich gleichgültig ergeht. In dieser grenzenlosen Unparteilichkeit scheint sie dem Dichter ästhetisch (wie vordem moralisch) anrüchiges Gebiet, voll von Exzentrizitäten (s. F 23; 356), Faxen (s. F 358) und tollen Geheimfratzen (s. F 357. Z 397). Bei Wolfgang Kayser[74] lernen wir die Aufhebung der klaren Trennung zwischen den einzelnen Arten von Lebewesen als eines der Grundthemen grotesker Darstellung kennen (s. S 22; 197); eine Erkenntnis, die von Thomas Manns Schaffen abgeleitet sein könnte, ist doch Natur in seinen Augen voll von vexatorisch ins Zauberische spielenden Hervorbringungen (s. F 22). Gespenstereien wie das unkontrollierbare Wuchern osmotischer Gewächse, die in aller trüben Leblosigkeit lebende Pflanzen, ja menschliche Formen imitieren, sind allein und ausschließlich ihre Sache (s. F 32). Wie Adrian angesichts des Aquariums oder der Eisblumen am Fenster in Gelächter ausbricht, so bestaunt und belacht er später, als er Serenus das vermeintliche Erlebnis des Tauchabenteuers berichtet, die Monstrositäten, das Grotesk-Fremdartige des Tiefseelebens (s. F 359).

Wie die Aufhebung der Grenze zwischen belebter und unbelebter Natur verbürgt die Vermischung von Tierischem und Menschlichem von jeher groteske Wirkungen. Auch Thomas Mann hat sich ihrer bedient, zumal ja diese Scheidewand für sein Empfinden niemals sonderlich stark und fest war. Anklänge ans Tierphysiognomische finden sich bei seinen Gestalten auf Schritt und Tritt. Bezeichnend ist nun die Auswahl der Tiere, die Wahl der Masken, die er diesem Arsenal entnimmt, um sie seinen Menschen vor-

---

[74]) Wolfgang K a y s e r , Das Groteske. Seine Gestaltung in Malerei und Dichtung, Oldenburg 1957.

zuhalten. Wir verzeichnen den Mops und die Bulldogge, Spinne, Frosch und Ratte, Schwein, Affe, Ziege, Schaf und Esel, von Exoten Rhinoceros, Känguruh und Tapir . . ., lauter niedrig organisierte, unschöne oder komisch wirkende Tiere, denen noch Papagei und spinnerter Uhu (s. F 527) zuzurechnen wären. Was der Autor bei ihrer Verwendung gewinnt, sind Konzentration, Aussparung und Steigerung zugleich. Er kann, wie schon die Dichter antiker und mittelalterlicher Tierfabeln dies taten, den Menschen mit Hilfe der Tiermaske auf eine einzige (negative) Charaktereigenschaft reduzieren, ohne ihn subtiler durchzeichnen zu müssen: Permaneder mit dem Äußern eines Seehunds auf die feiste Trägheit desselben, den Erbschleicher Tiburtius durch Fuchsohren auf die Heimtücke und Verschlagenheit Reinekes. Er kann andererseits lächerlichen Defekten zu grotesken Wirkungen verhelfen, wenn er die Feistheit eines Dachses, die X-Beinigkeit der Kuh gleichnishaft auf das Äußere menschlicher Wesen überträgt (s. dazu Briefe I, 265).

Proportionslosigkeit, so hören wir, sei ein der Groteske gemäßer Zug (s. Kayser 25). Man kennt die Aufhebung der anatomischen Ordnung aus Gogols Erzählung „Die Nase", darin er seinen Kollegienassessor Kowaljow dies für seine Eitelkeit unentbehrliche Requisit verlieren und zur Person verselbständigt durch die Gassen Petersburgs wandeln läßt[75]. Ganz ähnliches ereignet sich bei unserem Dichter. Soll man die Söhne Konsul Johann Buddenbrooks auseinanderhalten, so gilt Christian den Leuten von Anfang an als der ‚mit der großen Nase' (s. B 93). Und auch das ist möglich, daß jemand von diesem Gesichtsteil her seinen Namen erhält, wie Leo Zink im Personenzettel des „Doktor Faustus". Wirklich scheint die überdimensionierte Nase das einzig Bemerkenswerte an diesem Manne. In Gesellschaft ist er immerfort damit beschäftigt, sich über die hängende Länge seines stark skurrilen Organs lustig zu machen (s. F 264; 546), was ihm am eindrucksvollsten dann gelingt, wenn er das — richtig gebaute — Untergesicht hinterm Taschentuch verbirgt und so alle Aufmerksamkeit auf den grotesken Mißwuchs der oberen Hälfte versammelt.

Wolfgang Kayser ist nicht bereit, das Grotesk-Komische als legitime Form des Grotesken gelten zu lassen[76]. Vielmehr führt er eine strenge

[75]) Vgl. Kaysers ferneren Hinweis auf Morgensterns ‚Knie'-Gedicht.

[76]) Für groteske Stilzüge im Werk Thomas Manns plädieren:
Reinhard Baumgart, Das Ironische und die Ironie in den Werken Thomas Manns, München 1964, S. 101; Käte Hamburger, Thomas Mann und die Romantik. Eine problemgeschichtliche Studie, Berlin 1932 = Band 15 der Reihe Neue Forschung. Arbeiten zur Geistesgeschichte der germanischen und romanischen Völker, S. 64 u. 70; Max Rychner, Thomas Mann. Rede zum 80. Geburtstag. In: Jahresring 55/56, S. 61 u. 64; Mally Untermann, Das Groteske bei Wedekind, Thomas Mann, Heinrich Mann und Wilhelm Busch, Diss. Königsberg 1929.

Scheidung durch zwischen Karikatur und Groteske. Während karikierende Komik die Würde der Person nur auf unschädliche Weise aufhebe (s. S. 61), reiße das Groteske gänzlich und radikaler den Boden unter den Füßen fort, zeige es eine entfremdete Welt, in der die Kategorien unserer Orientierung versagen. Indem es in nichts mehr an gewohnte Verhältnisse erinnere, sei es wesensmäßig Darstellung eines nicht mehr Nennbaren, die Gestaltung des Es, und seine Wirkung die namenlosen Grauens. Geht man mit diesem Deutungsversuch einig, kann es im Werk Thomas Manns nichts wahrhaft Groteskes geben. Spricht doch des Dichters eigene Definition vom Grotesken nicht anders als von etwas Überwahrem, überaus Wirklichem (s. Betr 557). Eben dies Zitat wird denn auch, da es die Beziehung zur Wirklichkeit festhält, ja unterstreicht, vom Ansatz des Buches her als Gegenargument verwendet. Und was ist mit dem oben angeführten Wortmaterial? Es läßt, denkt man den Kayser'schen Gedankengang zu Ende, nur den Schluß zu, Thomas Mann müsse sich in der Wortwahl vergriffen und von der Sache, die er damit bezeichnete, nichts Rechtes verstanden haben.

Zweierlei ist hier richtigzustellen. Einmal krankt Kaysers Arbeit daran, den Begriff der literarischen Groteske von vornherein zu eng abgesteckt zu haben. Es geht nicht an, theoretice eine (noch dazu aus der Malerei abgezogene) Idealforderung zu erheben, die in der Geschichte der Gattung außer im 16. Jahrhundert, in der Zeit der Romantik und der Moderne von den Dichtern kaum je erfüllt wurde. Wer dies tut, sieht sich wie der Verfasser genötigt, immer wieder — im Blick auf das 19. Jahrhundert so gut wie ausschließlich — von uneigentlichen, durch Humor, Komik, Karikatur, Didaxe verharmlosten Grotesken zu sprechen. Auch im Hinblick auf Thomas Mann ist dies geschehen, was — und damit sind wir beim zweiten Einwand — nur beweist, daß das Phänomen ‚Groteske' diesmal nicht in seiner vollen Tiefe erfaßt worden ist. Geben wir also die normative Attitüde auf zugunsten der (soviel bescheideneren wie gemäßeren) deskriptiven Methode. Recht geben muß man Kayser insofern, als das Groteske für Thomas Mann keine völlige Entfremdung der Welt ins nicht mehr Kennbare nach sich zieht. Nachdem der Dichter bestimmt hat, was alles das Groteske ist, äußert er sich darüber, was es seiner Meinung nach nicht beinhaltet, nämlich das Willkürliche, Falsche, Widerwirkliche und Absurde (s. Betr 557). Wieder einmal ist an diesem Punkte seine Phantasiearmut zu greifen, die völlige Hilflosigkeit jenseits der konkreten Anschauung, die ihn auch das Groteske noch als — wenn auch verfratzte — Form des Wirklichen empfinden läßt.

Dies zugegeben, stellt das Groteske sich für Thomas Mann doch bei weitem nicht so harmlos dar, wie Wolfgang Kayser uns glauben machen möchte. Zwar meint es eine letzte Steigerung des Komischen, aber dies zugleich unter Beimischung tragisch-ernster Akzente. Verfremdung, das Unheimliche, wie Kayser es fordert, haben entscheidenden Anteil daran. Komik und Elend, einleitend als die Ergebnisse genauen Sehens benannt, vereint und emporgesteigert mit Hilfe des Kontrastes ergeben sie das Groteske. Tonio Krögers dichterische Vision, sein künstlerisches Versprechen an Lisaweta zählt auf „ein Gewimmel von Schatten menschlicher Gestalten . . .: tragische und lächerliche und solche, die beides zugleich sind", und diesen, den grotesken, sei er sehr zugetan (Erz 338). Piepsam etwa ist eine solche Gestalt, sein Auflehnen gegen das unbewußte Leben erscheint in tragischem wie komischem Licht, als ein groteskes Affentheater (s. Erz 196). — Im Gegensatz zur Groteskenovelle[77] zeigt der Roman nicht durchgehend groteske Struktur, vielmehr ist dieser Zug bestimmend nur für jeweils einzelne Szenen. Solche gibt es gleich in den „Buddenbrooks", denken wir nur zurück an den Auftritt des verwachsenen Kontorlehrlings, der bei aller Lächerlichkeit äußeren Gehabens doch eine furchtbar ernste Nachricht, das Telegramm von der Vernichtung der Pöppenrader Ernte bringt. Zur Groteske steigert sich die Szenenfolge um die Entdeckung der Grünlich'schen Machenschaften. Kesselmeyer, Grünlichs Bankier, gerät im Verlauf der Auseinandersetzung, als die Zahlungsverweigerung des Konsuls offensichtlich wird, bei aller scheinbaren Harmlosigkeit und Fröhlichkeit in immer gefährlichere Laune; ein Bajazz, der heiter wirkt wider Willen und bei aller Komik des Verhaltens furchtbare Macht besitzt, Tonys Gatten geschäftlich völlig in der Gewalt hat und sich anschickt, ganz unironisch brutalen Gebrauch davon zu machen. Schrecken und Lachreiz gleicherweise hervorrufend, ist Kesselmeyer eine echt groteske Figur.

Ereignis von letztem Ernst ist der Todesfall. Und ebenso gelangt das Werk der Zeit, die Vergarstigung des menschlichen Äußern, in diesem Augenblick zu ‚krönendem' Abschluß. Lächerliche Defekte treten nun mit letzter Deutlichkeit hervor. Die Ohren des toten Joachim, schon im Leben sein Kummer, sie stehen nach erfolgtem Übertritt in geradezu bedauerlich entstellendem Maße ab (s. Z 757). Die Wangen des Großherzogs („Königliche Hoheit") prägen sich „in seinen letzten Tagen auf entsetzlich übertriebene, wahrhaft groteske und grimassenhafte Weise aus . . ." (KH 128); Vorgänge, die ein bezeichnendes Licht werfen auf die hängende, blöde Greisengrimasse des sterbenden Lebrecht Kröger (s. B 204), die Verfratzung in den Mienen des scheidenden Konsuls (s. B 258), die Spuren des Todeskampfes im Antlitz der Konsulin (s. B 590; 610)[78].

---

[77]) Zu nennen wären nach Aussagen Thomas Manns „Der Kleiderschrank" (s. Briefe I, 13), „Der Weg zum Friedhof" (s. RuAe I, 762), „Die vertauschten Köpfe" (s. Briefe II, 131), „Das Gesetz" (s. Briefe II, 303).

[78]) An „die komischen Episoden, die in den ‚Buddenbrooks' um den Tod des Konsuls und der Konsulin kontrastreich gruppiert sind", erinnert Reinhard Baumgart, Das Ironische und die Ironie in den Werken Thomas Manns, München 1964, S. 102.

Den Tod bei aller Feierlichkeit und Würde zugleich als komische Figur zu sehen, war die erklärte Absicht des Zauberbergromans, der damit einen weiteren Höhepunkt bezeichnet in der Darstellung des Grotesken bei Thomas Mann. Dessen kühnste Ausformung freilich stand noch aus, erfolgt zwei Jahrzehnte später im „Doktor Faustus". Ein ganzes Volk, eine ganze Epoche ist hier unter das Zeichen des Endes, der Katastrophe gestellt. Und in Korrespondenz damit ist der Sinn fürs Komische nunmehr aufs Letzte geschärft. Beide Tendenzen vereint ergeben die Groteske fast als Großform. Alles erscheint in diesem Roman teils grausig, teils lächerlich. Der Düsternis des Stoffes entgegenzuwirken, hat Thomas Mann den Bericht über Adrians Leben einem Erzähler in den Mund gelegt, dessen antiquiert humanistische Gelehrsamkeit von ihm selbst parodiert wird. Kayser meint nun gerade diesen Kunstgriff bemängeln zu müssen, da die Einschaltung eines Erzählers — dieses Erzählers — eine Einschnürung und Herabminderung des Grotesken mit sich bringe. Möglich, daß sie es täte, wäre die Absicht der Durchheiterung gelungen. Die Hilflosigkeit Serenus Zeitbloms aber gegenüber dem Schicksal des Freundes, seine Starre angesichts des Grauens, in das Adrian unrettbar versinkt, macht — unbeabsichtigt und ganz im Gegenteil — die dämonische Düsternis des Stoffes erst recht fühlbar. Der Kontrast zwischen komischer und ernster Tonlage erscheint hier unheilbar tief und bis ins Groteske vorgetrieben, das Skurril-Makabre feiert Triumphe.

c) Der Akt des Beobachtens im Selbstverständnis des Dichters: Sein Anspruch auf Genauigkeit — Genauigkeit oder Übergenauigkeit?

Thomas Mann hat, wenn er auf das Besondere, die Eigenart seines Künstlertums zu sprechen kam, den Akt des Beobachtens, genauer gesagt, den sprachlichen Ausdruck, darin er seinen Niederschlag findet, nie anders als ‚genau' bezeichnet (s. NSt 16) und sein dichterisches Verfahren wiederholt ein ‚Genaumachen' genannt (s. AuN 261; 687. NSt 164; 176). Nun muß dies eine seltsame Art von Genauigkeit sein, die als Ergebnis nichts als die Unvollkommenheit alles Seienden zeitigt, wie sie sich in Komik und Elend, Marotte und Verunstaltung bewährt, in den Reaktionen von Gelächter und schwermütigem Ernst niederschlägt. Die Behauptung, der treffende Ausdruck wirke immer gehässig, das gute, will sagen genaue Wort müsse stets verletzen (s. AuN 29), dünkt uns so einseitig, daß sie nicht unwidersprochen hingenommen werden darf.

1. Thomas Mann — der ‚Überäugige'

Wie aber verhält der Dichter sich in Wahrheit zu den Objekten schauender Begier? Nicht um bildmäßigen Abstand (s. Erz 479) ist es ihm zu tun, sondern um Vernichtung der Entfernung zwischen Subjekt und Objekt, um ein Heranholen der Gegenstände zum Zwecke kritischer Herabminderung (s. LW 76). Dieses Ziel zu erreichen, versieht er sich gleichsam mit den Hilfsmitteln des Wissenschaftlers, freilich nicht mit dessen Objektivität. Thomas Manns Wiedergabe äußerer Wirklichkeit macht jedesmal den Eindruck, als habe das Geschriebene zuvor unter dem Mikroskop gelegen. Die Annäherung ans Objekt ist so groß, daß die Totale zuletzt unmöglich wird. Wie dem über die Linse seines Vergrößerungsgerätes gebeugten Forscher erschließt sich dem aus übergroßer Nähe beobachtenden Dichter nur mehr ein Teilaspekt des Angeschauten, indes die Umrisse des Ganzen mehr und mehr verschwimmen. Auf diesen partiellen Sektor aber konzentriert sich alle Aufmerksamkeit und Wahrnehmungsintensität. Daß er die größere Hälfte dem Dunkel überläßt, erlaubt ihm, alle verfügbare Helligkeit auf diesen einen Punkt zu versammeln. Das betreffende Detail erscheint alsdann in ein Weißlicht getaucht, dem nun nichts mehr verborgen bleibt.

2. Folgen gesteigerter Wahrnehmungsintensität: Scheinhaftigkeit alles Schönen — Entlarvungspsychologie

Übertriebener Nähe folgt, zumindest für Thomas Mann, Ernüchterung auf dem Fuße. Unter greller Beleuchtung zuckt die Wirklichkeit in allen Makeln und Menschlichkeiten (s. Z 184). Was das menschlich Schöne sich unter ‚Mikroskop und Quarzlampe' gefallen lassen muß, lehrt in exemplarischer Weise das Beispiel des jungen Joseph. Verständlich, daß der Strahlenkranz von Schönheitsruhm, den Gerücht und Gedicht um diese Gestalt gewoben haben, den modernen Autor übertrieben und unglaubhaft anmutet. Verständlich auch, daß er kritische Wachsamkeit und Nüchternheit empfiehlt als die einzigen Mittel, den ursprünglichen Wahrheitskern aus dem Schwall überdeckender Lobreden herauszuhören. Ließe der Erzähler sich allein von diesen Prinzipien leiten, dürfte er unseres Beifalls sicher sein. In Wirklichkeit aber ereignet sich mehr und anderes, systematisch betriebene Schlechtmacherei nämlich. Zwar geht es nicht an, Joseph im Widerspruch zu den Quellen jegliche Schönheit abzusprechen, und so bleibt das Gesicht des Knaben „liebenswürdig ... noch in seinen Fehlern", eben diese Fehler aber haben es dem Autor in unerlaubter Weise angetan, von ihnen weiß er nahezu ausschließlich zu berichten: Es sind „zum Beispiel die Nüstern seiner ziemlich kurzen und sehr geraden Nase zu dick", an den aufgeworfenen Lippen ist der Ausdruck hochmütiger Sinnlichkeit zu rügen in eins mit der Beteuerung, gerade dies nicht tun zu wollen. Ähnlich rückversichernde Einschränkung berechtigt dazu, „die Gegend zwischen Mund und Nase zu gewölbt zu finden". Dichtes schwarzes Haar läßt Josephs Ohren frei, Ohren, „mit denen es gute Ordnung gehabt hätte, wenn nicht ihre Läppchen etwas fleischig ausgeartet und in die Länge gezogen gewesen wären..." (J 65). Von aller zauberischen Schönheit Josephs bleibt nach dieser Beckmesserei wenig mehr als ein Rest von Jugendanmut (s. J 394 f), d. h. eine Schönheit minderen Grades, deren Unvollkommenheit schon aus der Eitelkeit ihres Trägers zu uns spricht (s. J 63).

Nun steht die Behandlung, wie sie Joseph zuteil wird, so wenig vereinzelt da, daß man sich fragen muß, ob denn Schönheit bei Thomas Mann überhaupt möglich und zugelassen sei. Die Antwort lautet: ja und nein. Ja insofern, als es durchaus Gesichts- und Körperzonen gibt, die die Bezeichnung ‚vollkommen schön' verdienen, ein Augen- (s. B 576), ein Lippenpaar (s. Erz 169), ein Hals „von vollendeter Schönheit" (B 11), dazu Arme, so verführerisch und herrlich wie diejenigen Madame Chauchats (s. Z 184; 198; 463). Aber, und damit kommen wir zum Nein, trotz unsäglich schöner Einzelheiten gibt es keine vollkommene Schönheit. Denn jedem rühmenswerten Einzelzug steht nun eine der früher referierten zahllosen Unvollkommenheiten gegenüber, schöne und häßliche Details stoßen aufeinander in schmerzlicher Spannung. Was uns hindert, die Erscheinung der Konsulin schön zu nennen, ist ihr zu geringes Kinn (s. B 11; 79), die etwas zu lange und sommersprossige Nase. Wo diese tadelfrei ist, wie bei Thomas, sind die Zähne „nicht besonders schön, sondern klein und gelblich" (B 18). Joachim Ziemßen wäre „geradezu schön gewesen, wenn er nicht abstehende Ohren gehabt hätte" (Z 12), sein Leib ist gewachsen, „wie es im Buche steht, der reine Apollo von Belvedere, bis auf die Haare" (Z 255). In dieser Weise geht es fort ins Große und Grundsätzliche hinein. Stets meldet sich, faßt man die ganze Gestalt ins Auge, irgendwo ein ‚aber', ‚wenn nicht', ‚bis auf', ein ‚beinahe', kurzum ein Vorbehalt. Der Körper, der zu einem schönen Gesicht gehört, ist mit Sicherheit mißschaffen (s. Erz 78/79); umgekehrt gibt die biblische Lea, mit des Dichters Augen gesehen, „ein Beispiel ab für die eigentümliche Entwertung, die ein tadelfreier Gliederwuchs durch ein häßliches Antlitz erfährt" (J 237; s. 1009; 1017; 1097). Daß in ästhetischer Hinsicht Einheit herrscht und die Anmut des Köpfchens diejenige des Wuchses bestätigt (s. Erz 727), gehört zu den fast nicht glaubhaften Glücksfällen. Wo er sich dennoch ereignet, ist die Schönheit eine solche von strenger, verbietender Art wie bei Gerda (s. dazu Thamar J 1550), von hexenhaftem Einschlag wie bei Mut (s. J 1158), eine Schönheit, der die Bewußtheit abgeht (s. Krull 407) oder die als vergehend, im Stadium der Hinfälligkeit gezeigt wird wie bei Klaus Heinrichs Mutter.

Sollte dem Beobachtenden einmal absolut nichts zu bemäkeln bleiben, weiß er doch eine letzte Auskunft, die Erinnerung nämlich an die Greuelhaftigkeit allen — auch des schönsten — Fleisches unter der Oberfläche: „‚Der Mensch, wie schön er sei, wie schmuck und blank / Ist innen doch Gekrös' nur und Gestank'" (Krull 411). Mit diesen für Zouzous Lippen[79] zurechtgestutzten Versen des Angelus Silesius macht der Autor sich ein Stück barocker Weltanschauung zu eigen. Daß das Hübsche und Schöne durch und durch hübsch und schön sein müßte, „‚massiv und aus edlem Stoff, nicht ausgefüllt mit Leimen und Unrat'" (J 542), ist nach dieser Philosophie eine so wünschenswerte wie unerfüllbare Forderung. „‚Entweder das Leben ist Täuschung oder die Schönheit. Du findest nicht beides im Wahren vereinigt'" (J 542), äußert der geheimnisvolle Führer zu Joseph, und der Autor dieser Geschichte fügt hinzu, Schönheit sei immer halb wahnhaft, begleitet von „Betrug, Gaukelei, Fopperei . . ." (J 394).

Das Theater als Stätte des schönen Scheins bietet die Möglichkeit, den durstigen Schönheitssinn zu erquicken zugleich mit der Gelegenheit, den Scheincharakter des dargestellten Schönen bloßzustellen. Jeder, der die „Bekenntnisse" gelesen hat, wird sich des Krull'schen Theaterbesuchs erinnern und der Beschreibung des Schauspielers Müller-Rosé. Er, der von der Höhe der Bühne herab, aus schützendem Abstand und von optischen wie akustischen Effekten unterstützt, dem betörten Publikum als die Verkörperung aller geheimen Wünsche, als das Idealbild menschlicher Vollkommenheit erscheint, ist tatsächlich ein aussätziges Individuum von abscheulicher Häßlichkeit und ordinärem Benehmen. In der Enge der Garderobe, da Licht und Entfernung fehlen, Fett und Schminke abgenommen sind, bleibt von dem bezwingenden Herzensbrecher Rosé nur der unansehnliche Erdenrest zurück, der Müller heißt und entsprechend banal und abscheulich ist. Der Blick hinter die Kulissen ins Antlitz der Wirklichkeit beschert uns einen Anblick „von unvergeßlicher Widerlichkeit . . ." (Krull 38). — Daß die ganze Episode nicht um dieses Schauspielers, dieses Stückes, dieses Theaters willen berichtet wird, sollte keines ernstlichen Hinweises bedürfen. Hier wie anderswo gilt das Interesse nicht dem Fach, der Branche, sondern dem Theater als Metapher. In so übertragenem Sinne freilich gewinnt es ungeheuer an Raum und Bedeutung, steht es am Ende gleichnishaft für das Wesen der ganzen Welt. Schon „Gefallen", die früheste Erzählung des Dichters, spielt in diesem Milieu: Ein junger Mensch verliebt sich in eine Schauspielerin, schwärmt und betet sie an, glaubt alle Schönheit und Reinheit der Welt in ihr verkörpert — und muß erleben, daß er sich an eine Dirne verlor, an eine von jenen, die sich um schäbiges Geld an den ersten besten, einen alternden Gecken diesmal, verkaufen. Die Enttäuschung ist so groß und grundsätzlich wie erst die Beseligung es gewesen war.

---

[79]) Leicht abgewandelt vernehmen wir sie aus dem Munde des rätselhaften Boten, dem Joseph auf seiner nächtlichen Wanderung nach Dotan begegnet (s. J 541/42).

Irma Weltner (!) heißt das Mädchen, und das Erlebnis mit ihr wächst sich aus zu Ekel und Abscheu vor der Welt schlechthin. Und nun, als Abschluß eines über sechzigjährigen Schaffens, die Wiederkehr des gleichen Themas! Noch immer ist der Schönheitsschein und das daraus resultierende Weltverlangen Krulls „das Werk eines Betruges von seiten der Welt, das Blendwerk des Schleiers der Maja“[80], und verschieden fällt nur die Reaktion, die Antwort auf diesen Sachverhalt aus.

Wer die Welt dem Theater vergleicht, ihre Außenseite nur als Kulisse hinnimmt, sieht sich genötigt, von Fall zu Fall und immer wieder hinter die Schule zu laufen, Einblicke zu tun, Vorhänge zu lüften. Für den Künstler und sein Beobachten verschieben die Akzente sich in der Weise, daß jedes Anschauen unversehens zum Durchschauen wird, einem Hinein- und Hinüberschauen hinter die Erscheinungen (s. Betr 105), einem Vortasten an den Wesenskern der Dinge. Desillusionierung ist seines Amtes, und er beherrscht es meisterlich! Durchdringender Scharfblick legt die Warze bloß, auch wo sie sich unter Puder verbirgt (s. B 170), hält die Spuren des Alterns fest, selbst wenn man sie sorgsam zu kaschieren sucht (s. B 79 u. 218; 484). Er ahnt die Anwendung von Pariser Tinktur auf die Haarpracht der Konsulin (s. B 261; 186), er allein weiß — und kennt damit das bestgehütete, selbst nächsten Angehörigen verschlossene Geheimnis — wann dieses Haar nicht mehr ihr eigenes ist (s. B 261; 592). Er entdeckt den verräterischen Unterschied zwischen grauem Bart- und braunem Haupthaar (s. B 508), denunziert die schlechtsitzende, im Nacken verräterisch abstehende Perücke (s. B 774). Wenn es bei den Zähnen Kümmernisse gibt (s. F 460), verfügt er über die Intimität eines Dentisten, weiß, wenn jemand im Lachen eine Zahnlücke verbirgt, ist im Bilde, wo künstliche Prothesen tadellose Zahnreihen vortäuschen (s. B 508). Nichts ist der magischen Kraft seiner Augen unzugänglich, nichts undurchschaubar.

Vom äußeren Erscheinungsbild in innerseelische Bezirke vorzustoßen, Worte und Taten auf ihre psychologischen Hintergründe zurückzuführen, ist ein für Thomas Mann so erprobtes wie gängiges Verfahren. Erkenntnis wird ihm weitgehend zu psychologischer Erkenntnis, so sehr, daß der Begriff der Wahrheit, der die Erkenntnissuche gilt, sich entscheidend verengt und mit dem psychologischer Wahrheit zusammenfällt (s. AdG 502). Die Suche nach dieser Wahrheit gestaltet sich insofern schwierig, als ihr ein bewußter Akt, der Wunsch nach Verheimlichung, entgegensteht. Was die Vordergründe in der Dingwelt, sind die Vorwände im Bereich seelischen Verhaltens. Sie bloßzulegen und beim rechten Namen zu nennen, wächst beinahe jede Psychologie sich unter der Hand aus zu einer Entlarvungs-

---

[80]) Zitiert bei Paul Scherrer, Vornehmheit, Illusion und Wirklichkeit (= Scherrer V), S. 5.

psychologie. Was dabei aus den Falten der Seele ans Tageslicht geholt wird, ist nicht erfreulicher als der Blick hinter die Kulissen der Erscheinungswelt. Charakterfehler und -schwächen, die unangenehmen Seiten der menschlichen Natur stehen für den Psychologen so sehr im Vordergrund wie körperliche Defekte für den Porträtisten.

Die schmerzlichen Reize der Hellsicht: Erkenntnisekel

Der Widerschein dessen, was unerbittliche Hellsicht zutage fördert, steht in den Physiognomien der mit Erkenntnis Geschlagenen zu lesen. Ein Zug von Melancholie und Schwermut ist ihnen allen gemeinsam. Die Augenpaare, müde, umschattet, mit einer Neigung zum Verschließen (s. Erz 219), sind das Auffälligste darin. Nicht feurig, eher ein wenig welk (s. Betr 105), fähig eines gewissen Seitenblicks, der durchaus nicht zum Sehen dient (s. Z 173), ist ihr Ausdruck Abwehr und Trauer. Wo die Augen naiv unbewußter Menschen frei und offen zutage liegen (s. Erz 264), wirken jene eingefallen, bedeckt von zu schweren Lidern (s. B 502; 529. Krull 246), überschattet von langen Wimpern (s. B 410; 478). Da irdische Unvollkommenheit das einzige Ergebnis ist allen Sehens, genügt es, „‚eine Sache zu durchschauen, um sich bereits zum Sterben angewidert (und durchaus nicht versöhnlich gestimmt) zu fühlen . . .'". Von dieser Reaktion des Widerwillens, des Erkenntnisekels, wie Tonio Kröger es nennt (Erz 300. vgl. AuN 207. AdG 502), bleibt die Mehrzahl der Helden sowenig verschont wie der Autor selbst (s. RuAe I, 532).

Damit erweist die Gabe der Beobachtung sich als ein durchaus zweifelhaftes Geschenk, als Auszeichnung und Fluch zugleich. Zum Zwang geworden, wird der hellseherische Blick auf die „‚abscheuliche Erfindung des Seins'" (Erz 300) als schmerzlich und quälend empfunden. Beredte Klagen werden laut über die bitteren Reize der Erkenntnis (s. Erz 411), das Wissen, zu dem sie führt, heißt einmal „‚tiefste Qual der Welt'" (Erz 211). Erkenntnis, das ist abgründige Pein, der Lebensweg des Erkennenden, er kommt einer Passion, einem Martyrium gleich (s. NSt 109; AuN 232). Adel des Geistes darf nun mit gleichem Recht ein Adel des Leides geheißen werden (s. AdG 335/36). — Fast immer geht die Qual der Beobachtung über die Kräfte des erkennenden Individuums. Die Mann'schen Helden sind allemal hamletische Naturen, „zum Wissen berufen, ohne eigentlich dazu geboren zu sein" (AdG 502. vgl. NSt 106. Betr 140). Seit „Tonio Kröger" ist mit der Gestalt des Dänenprinzen der literarische Ahnherr dieser Figurenreihe genannt, ihr Leiden durch so anspruchsvolle Vergleichung geadelt.

3. Erkenntnislosigkeit als notwendige Voraussetzung liebenden Weltverhaltens: Interpretation von Gestalt und Schicksal Tony Buddenbrooks

Den Leiden bewußten Daseins zu entgehen, bietet sich ein Mittel an: das Nichtwissenwollen, die Flucht in die Illusion. Ein frühes Paralipomenon zum „Krull" spricht davon. Zwar wird auch Felix bei der Annäherung an jenen Müller-Rosé schmerzlich desillusioniert, erlebt er die Schönheit als Betrug und Lüge (s. dazu Erz 340), aber er weiß zugleich, daß solche Ausdrucksweise eigentlich zu stark gewählt ist darum, weil die Betörten um ihn herum in aller Umnebelung insgeheim um den wahren Sachverhalt wissen. Es ist die „Einmütigkeit in dem guten Willen, sich verführen zu lassen . . .", die Felix hier erlebt und verstehen lernt als „ein allgemeines, von Gott selbst der Menschennatur eingepflanztes Bedürfnis" (Krull 40), als „eine für den Haushalt des Lebens unentbehrliche Einrichtung . . ." (Krull 41). Und diese Erkenntnis hält ihn nicht nur davon ab, der Resignation seines frühen Leidensgefährten, jenes Dr. med. Selten zu verfallen, sie ermuntert ihn recht eigentlich zur Aktivität, zu dem Vorsatz, das Betrugsverhältnis „auf Gegenseitigkeit" zu stellen. „Er hat von der Welt das Blenden gelernt und macht sich zum Ideal, zum Lebensreiz, zur Verführung ihr gegenüber — worauf sie gründlich hereinfällt. Alle fliegen wie die Mücken ins Licht. Die Welt, diese geile und dumme Metze will geblendet sein — und das ist eine göttliche Einrichtung, denn das Leben selbst beruht auf Betrug und Täuschung, es würde versiegen ohne die Illusion" (Scherrer V, S. 5).

Was hier thesenhaft verkürzt zur Sprache kommt, daß nämlich im Bereich jenseits der Illusionen, da, wo die Dinge „kompliziert und traurig werden" (Erz 284), nicht gut leben ist, daß vielmehr Erkenntnislosigkeit Voraussetzung ist aller Liebes- und Lebensfähigkeit, diese Ansicht hatte ein Jahrzehnt früher in Person und Schicksal Tony Buddenbrooks dichterische Gestalt angenommen. Tony gehört zu den Figuren, die auf alle äußere Abschirmung mit sehnsüchtigem Lebensverlangen reagieren. Hunger nach dem Wirklichen, er macht sich schon früh bemerkbar, etwa in der Freude über die Puppe, die sie als kleines Mädchen geschenkt bekommt, eine „große Puppe mit wirklichem — dies war das Außerordentliche —, mit wirklichem Haar für Antonie . . ." (B 61). Herangewachsen, macht es sich, daß sie alle Welt kennt und mit aller Welt plaudert (s. B 67). Zuletzt liegt noch der Vielzahl ihrer Ehen das Verlangen zugrunde, um jeden Preis hinauszufinden ins Leben.

Voraussetzung dieses liebenden Verlangens ist Erkenntnislosigkeit. Und im Fehlen jeglichen Scharfblicks unterscheidet sich Tony ja sehr deutlich von ihren Brüdern. Sie ist, im Urteil Mortens wie des Lesers, „‚eine Romantikerin'" (B 135), d. h. sie lebt nicht aus der Anschauung, sondern aus so schwärmerischem wie blindem Gefühl. Wiederholt wird ihr Blick als gedankenvoll (s. B 92; 250) oder sinnend (s. B 93) beschrieben, der Ausdruck ihrer Augen träumerisch (s. B 225), verständnislos (s. B 224; 148) und abwesend genannt. Träumerisch abwesend ist sie in den entscheidenden Situationen ihres Lebens. Als sie sich Morten verspricht, wirkt sie „glücklich und abwesend" (B 151), ohne Blick für das Unmögliche dieser Verbindung. In der gleichen Situation mit Permaneder blickt sie „mit ernsten und abwesenden Augen ..." (B 366). „,Du bist ein kleines Mädchen, das noch keine Augen hat für die Welt, und das sich auf die Augen anderer Leute verlassen muß ...'" (B 108), dies Wort ihres Vaters, gesprochen nach Grünlichs Werbung, es behält Gültigkeit nicht nur für die junge Tony. Noch als sie längst erwachsen ist und zu altern begonnen hat, ist diese Augenlosigkeit ihr geblieben.Man beachte nur das Pincenez, „das sie jetzt bei Handarbeiten gebrauchen mußte, aber durchaus nicht richtig aufzusetzen verstand" (B 629), jenen hilfreichen Klemmer, der ihr zu aller Zeit „gänzlich schief und zweckwidrig" auf der Nase sitzt (B 639). Kindliche Naivität, Unkenntnis des Lebens bleibt ihr ein Leben lang. In puncto Lebenserfahrung kommt sie niemals voran. Es gehört zu den liebenswürdigsten Seiten seiner Ironie, wenn der Erzähler Tony seit der ersten Scheidungsaffäre sich mit ihrer Lebensklugheit brüsten läßt und sie „scharfäugig und erfahren" nennt (B 455; vgl. 243). Sind doch alle Erkenntnisse, die sie äußert, alle Aussprüche, die sie tut, nur Ansichten und Urteile anderer, Erkenntnisse aus zweiter Hand, die sie ungeprüft übernimmt und mechanisch gutgläubig nachplappert[81].

Immerhin kommt Tony durch ihre Betriebsamkeit ständig mit der Wirklichkeit in Berührung. Der Erzähler tut darum ein weiteres, Erkenntnis zu verhindern, die Unschuld ihres Weltverhältnisses zu erhalten. Achten wir auf die eigentümlichen Sichtverhältnisse bei all ihren Ausfahrten ins Leben:
Als Tony mit ihrem Bruder nach Travemünde unterwegs ist, ist es der Staub, der die spärliche Aussicht verhüllt. Während Thomas angestrengt in die Staubwolken blickt, die die Pferdehufe aufwirbeln, nickt die Schwe-

[81]) Das unbewußt-unfreiwillige Zitat gehört zu den Stilmitteln der Ironie, ist eine versteckte Form der Ironisierung. — Leider ist die stilistische Seite der Mann'schen Ironie bislang viel zu wenig untersucht. Ansätze dazu finden sich allenfalls bei Reinhard Baumgart, Das Ironische und die Ironie in den Werken Thomas Manns, München 1964. — Bezeichnend die Haltung Beda Allemanns — Ironie und Dichtung, Pfullingen 1956 —, der zwar das Versäumnis der Kritik bemängelt, über „inhaltlich-weltanschauliche Sehweise hinaus kaum jemals zu einer stilistischen Würdigung der Ironie Thomas Manns vorgestoßen" zu sein (S. 14), dann aber um Nachsicht bittet, wenn er selbst bei Herausarbeitung ironischen Stils „auf die Demonstration am Einzelbeleg verzichtet ..." (S. 13).

ster „in träumerischem Halbschlaf“ dahin (B 121). Da sie anderntags in ihrer neuen Umgebung erwacht und ans Fenster tritt, scheint zwar die Sonne, aber der Himmel ist „ein wenig bedeckt“, der freie Blick aufs Meer von Dunstschleiern[82] begrenzt (B 130). Schneenebel herrscht auf der Straße (s. B 172), als Tony an Grünlichs Seite die Reise hinaus ins Leben wagt. In Hamburg wird sie von ihrem Gatten wie eine Gefangene gehalten. Eingesperrt in die vier Wände der kleinen Stadtrandvilla, bleiben Grünlichs Machenschaften ihr bis zuletzt verborgen. Der Morgen, an dem Kesselmeyer ins Haus platzt und ihres Mannes Zahlungsunfähigkeit ans Licht bringt, leitet einen trüben, schneedunstigen Wintertag ein (s. B 204). „Die Scheiben der Fenster waren vor Nebel beinahe undurchsichtig . . .“. Jenseits der Glastür des Salons verliert die Terrasse sich „in dem weißgrauen, undurchsichtigen Nebel . . .“ draußen (B 205). Während die Katastrophe sich vor Augen des Lesers längst abzuzeichnen beginnt, verbleibt Tony in nebulöser Ungewißheit. Die Rolle der erfahrenen Frau, in der sie sich gefällt, ist so gespielt wie die mütterliche Sorge ihres Töchterchens um das Puppenkind (s. B 220). Im Blick auf das Fenster, „hinter dem lautlos ein zarter und dichter Schleierregen sich herniederbewegte“ (B 221), muß Madame Grünlich dem Vater die totale Unkenntnis ihrer wahren Situation eingestehen (s. B 220). Aus seinem Munde erst nimmt sie die Tatsache des Bankerotts entgegen. Mit der gleichen Ahnungslosigkeit schlittert sie in die Permaneder-Episode hinein. Dunst liegt über der Stadt, als man sich zur Ausfahrt nach Schwartau rüstet (s. B 355). Eine Zeitlang scheint es, als sollte die Sonne durchkommen (s. B 357), aber dann zeigt sich der Himmel bedeckt, auf dem Heimweg kommt Regen auf (s. B 368). Das Ziel des Unternehmens ist so recht nach Tonys Art. In der romantischen Szenerie um die Au-Quelle erkennen wir ihre schwärmerisch blinde Glückszuversicht wie das gefährlich Unrealistische der geplanten Verbindung.

Was bezwecken all diese Arrangements? Der Sinn ist klar: Staub, Dunst und Nebel dienen dazu, das Draußen zu verhüllen, das wahre Antlitz der Welt zu verschleiern[83]. Klarer Tag, helles Sonnenlicht gäbe die tatsächliche

[82]) Zur Zeit der Ankunft war es die einfallende Dämmerung (s. B 128), die die Aussicht auf Priwall und Elternhaus Armgards von Schilling verwehrte. Lichtes und klares Wetter wäre nötig, daß mit der Möglichkeit des Vergleichs ihr die Schäbigkeit des eignen Aufenthalts aufginge, die kleinbürgerliche Enge, die ihr so nicht bewußt wird und das Gefühl der Unzugehörigkeit sträflich herabmindert. — Wie anders dagegen Thomas' Verhalten, der zur Zeit eben der Travemünder Affäre im Bewußtsein seiner Verpflichtungen sein Verhältnis zu Anna bereinigt (vgl. das klare und reinliche Wetter dieses Tages B 173).

[83]) Ähnliche Wirkung hat für den Binnenraum das Licht der Kerzen. Elektrischer Helle gegenüber diskret (s. B 17), verschleiernd und darum angenehm, verleiht es den Dingen, der Szene ringsum die „Weihe der Unklarheit . . .“ (Krull 296. vgl. B 23).

Beschaffenheit der Dinge preis. Die Sonne strahlt auf „Schönes und Gemeines mit gleich aufdringlicher Deutlichkeit ...'" (Erz 240). Wo er sich nach innen kehren sollte, lenkt sie den Blick ab auf die äußere Erscheinungswelt. „Alles Lebendige aber braucht eine schützende Atmosphäre, einen geheimnisvollen Dunstkreis und umhüllenden Wahn" (NSt 126). Nicht Klarsicht und Helligkeit, eine „pietätvolle Illusionsstimmung" tut not (NSt 125). Die Wirklichkeit, in die Tony hinaustritt, verliert darin an Nähe, ein bildmäßiger Abstand bleibt gewahrt (s. Erz 479), eine „schöne Entfernung" (Erz 413), und diese ist nötig, soll Erkenntnis verhindert, der Ernüchterung gewehrt und die Liebe erhalten werden (s. Betr 554. AdG 168).

Was aber geschieht dem Weltverlangen, was der Sehnsucht des Menschen? Wird sie angenommen? Darf sie Erfüllung hoffen? Wenn Tony das Leben liebt, so in der Voraussetzung, es werde sich ihr von seiner angenehmsten Seite zeigen. Allein um die schönen, festlichen Augenblicke ist es ihr zu tun, die düsteren möchte sie ausgespart wissen. Was sie auf den Ferienspaziergängen am Strande reizt, sind nicht die Quallen schlechthin, es sind die bunten Sterne daraus (s. B 141/42; 664).

Das Leben fragt nicht nach solchen Wünschen. Gleich dem Seegetier im Licht der Sonne zerrinnen die schönen Augenblicke in nichts. Alles, was Tony anfaßt, schlägt fehl. Alles, was sich ausdenken läßt an Bosheit, Niedertracht und Undank, kommt auf sie herab (s. B 574). Mit ihrer Ehrlichkeit und Offenheit, einem Geradsinn, dem es unmöglich ist, sich zu verstellen, ist Tony eine der sympathischsten Figuren des Romans. Sie ist ein gutes Kind, nicht nur in den Augen der Mutter, und hätte eben darum alles Glück verdient (s. B 321). Statt dessen ist der Erzähler mit wahrem Feuereifer bemüht, Unglück über Unglück auf sie zu häufen, ihren Glauben an Verdienst und Gerechtigkeit auf Erden Lügen zu strafen (s. B 383). Wenn Tony das wahre Wesen der Welt verborgen bleibt, der Leser lernt an ihren Schicksalsschlägen (wie später an Hannos Schulerlebnissen) des Lebens empörende Ungerechtigkeit kennen — und hassen.

Übrigens ist Tony nicht immer so blind, wie der Autor uns glauben machen will. Sie hat, namentlich Thomas gegenüber, Augenblicke psychologischer Hellsicht (s. B 473; 623; 400 ff), die sich nur schlecht zu ihrem sonstigen geistigen Habitus fügen wollen. Desgleichen wirkt ihre Vitalität — Voraussetzung ihrer Dummheit — in dieser Generation längst anachronistisch. Mit beiden Merkmalen (mangelnde Einsicht, Robustheit) würde sie viel eher zur großväterlichen Generation passen. Sollte sie nur darum mit solcher Widerstandskraft (und Naivität) ausgestattet sein, um alle Niedertracht des Schicksals auf ihr Haupt versammeln zu können? Tony bietet in unsern Augen das Beispiel eines guten Menschen, verschlagen in eine schlecht und böse gewordene Zeit. Wird der Tod ihres Bruders Anklage und Argument wider das Leben, ihr (gescheitertes) Leben ist es nicht minder.

Tony ist damit keine Hauptfigur, aber eine Figur mit entscheidend wichtiger Funktion[84]. Was ihr Schicksal belegen soll, ist die Blamage der Sehnsucht (s. Erz 411). Sie zu exemplifizieren, entstand in zeitlicher Nachbarschaft zu den „Buddenbrooks" das thesenhafte Prosastück „Anekdote". Sehnsucht ist darin nichts als „ein Erzeugnis mangelhafter Erkenntnis" (Erz 497), und der Mensch „liebt und ehrt" den Menschen nur, „solange er ihn nicht zu beurteilen vermag..." (Erz 496/97). Mit Einsetzen der Bewußtheit erwächst aus Sehnsucht Traurigkeit und endlich Haß[85]. Nicht bunt, verlockend und interessant, sondern grau, arm und unzulänglich, fad und langweilig ist dem Wissenden die Welt (s. B 640).

d) Thomas Manns tatsächliches Weltverhältnis

Gewonnen auf rein empirischem Wege, aus der für den Dichter typischen Welthaltung dringlichen Beobachtens, fand die resignierte Feststellung, daß im Grunde ja doch alles nur aus Mängeln bestehe (s. Erz 715), sich glücklich und glänzend bestätigt bei Platon, der die Schönheit aus dem Bereich der Anschauung weg ins Überirdische, Ideelle verlegt, bei Schopenhauer, für den jede Individuation allein durch den Ausschluß alles andern schon Beschränkung, d. h. Fehlerhaftigkeit bedeutet. Zwei berühmte Gewährsmänner, hinter die Thomas Mann sich da salviert, und doch glauben wir jetzt so wenig wie früher an die Genauigkeit und Objektivität seiner Betrachtungsweise. Im Gegenteil, die Reaktion des Ekels, die sie auslöst, bestärkt nur unsern Verdacht, es mit einer höchst subjektiven und anfechtbaren Haltung zu tun zu haben. Wer sagt denn, daß kein sinnlich Schönes einer genauen Nachprüfung standzuhalten vermöchte? Wieso ist es ausgemacht, daß ein schöner, vollkommener Gegenstand nur solange schön und vollkommen erscheint, wie man ihn aus Entfernung und im Vorübergehen betrachtet? Ist es nicht vielmehr so, daß seine Schönheit sich erst in näherem Umgang ganz erschließt, bei größerer Vertrautheit, eingehenderer Kenntnis sich bewährt, ja daraus nur um so strahlender hervorgeht? Wo dies undenkbar ist, wird der Verdacht zur Gewißheit, ein solcher Umstand

[84]) Dies erklärt den breiten Raum (mehrere Bücher), der ihr gewidmet ist, die Tatsache, daß sie lange Zeit stärker im Vordergrund steht als selbst Thomas. — Durch den lebhaften Kontakt zu allen andern Familienmitgliedern wird sie darüber hinaus zum Spiegel, der das Innerste ihrer Partner reflektiert. Insbesondere für Thomas ist sie eine Front, an der er sich aussprechen kann in getarnten Monologen.

[85]) Die liebenswürdigste Form dieser neuen Haltung ist noch die skeptische Blasiertheit und Resignation aller erkannten Wahrheit gegenüber, wie die Herren im Travemünder Casino sie vorführen (s. B 693. vgl. Erz 301).

möchte weniger in der Sache selbst als in der Person des Betrachtenden, seiner Art zu sehen, begründet liegen.

Auch im Umkreis des Komischen stellt der Begriff der ‚Genauigkeit‘ sich ein. Formulierungen wie ‚komisch genau‘ (s. AuN 559), ‚humoristisch genau‘ (s. AuN 687. NSt 164; 176), ‚spöttisch wahrheitsgemäß‘ (s. AdG 573) sind keine Seltenheit, von ironischer Pedanterie ist mitunter die Rede. Aber so wenig Häßlichkeit und Genauigkeit sich aufeinander reimen wollen, so wenig zwingend und selbstverständlich ist es, das Leben komisch zu finden, es „Nahbei ... kaum je ohne humoristischen Einschlag“ zu sehen (Betr 463).

1. Der ‚böse Blick‘ auf das Leben

Thomas Mann selbst hat gelegentlich zwischen „plastischer“ und „kritischer“ Genauigkeit unterschieden. Jene erste Sehweise, die „das präzise Sein der Dinge“ umschreibt, kennzeichnet das Weltverhalten des Realisten; die andere aber, jene „Genauigkeit von kritischer Spitzigkeit und Schärfe“ (AdG 136), die er davon abhebt, müßte man ihm selbst zugestehen, wenn es nicht geraten schiene, um der Deutlichkeit willen ganz auf diesen Terminus zu verzichten.

Hamlet, als die dichterische Verkörperung genauen Sehens bemüht, ist in Wahrheit der Überäugige, dem man die Antwort des Horatio entgegenhalten muß. Die Dinge so betrachten, heißt in der Tat, sie zu genau betrachten. Es ist nicht der genaue, es ist der übergenaue, der ‚böse‘ Blick „auf das Leben, oder doch auf das, was der Mensch daraus gemacht hat“ (AuN 235), der dem Dichter Thomas Mann eignet. Die Objektivität, die seinem kühl distanzierten Sehen innezuwohnen scheint, sie liegt der Bosheit so nahe, daß beide zuletzt ununterscheidbar ineinander übergehen. Von scheinbar objektivem Interesse ist es oft „nicht weit mehr zu allen Naturalismen, Bosheiten und Ironien der Erkenntnis“ (AdG 497).

Hinterhältigkeit der Mann'schen Position

Zur Boshaftigkeit gesellt sich die Hinterhältigkeit dieser Position. Madame Permaneder hat ihren Mann auf einer Schwäche ertappt, sie hat ihn ein wenig lächerlich gesehen. Er hat sich eine Blöße gegeben, kurz, seine Würde ist nicht mehr unantastbar, eine gewisse Überlegenheit ist jetzt entschieden auf ihrer Seite, und es kommt alles darauf an, daß sie sie geschickt zu nutzen versteht (s. B 395). Dies ist der Fall, die Lage des Autors seinen Geschöpfen gegenüber, und wahrlich, er weiß sie zu nutzen. Wo gibt es jemanden, der sich vor seinem gestrengen Auge keine Blöße gäbe, der sich nicht irgendwann, bei irgendeiner Gelegenheit grenzenlos kompromittierte, daß alle fernere Anstelligkeit nicht hinreicht, seine verlorene

Würde in unsern Augen zu restituieren? Alles läuft im Grunde auf ein Verfolgen, Belauern und Ertappen hinaus. Bezeichnend für diesen Sachverhalt ist eine bei Eloesser[86] überlieferte Anekdote. Danach soll Arthur Holitscher nach einem Antrittsbesuch, nach ersten sondierenden Gesprächen die Münchner Garçonwohnung des Dichters in aufgeräumter Stimmung verlassen haben. Im Bewußtsein, einen Freund gewonnen zu haben — sein Gastgeber hatte sich wie immer liebenswürdig-verbindlich gezeigt — schaut er zurück und gewahrt — einen Thomas Mann, der ihn mit dem Fernglas spähend verfolgt und, sich seinerseits ertappt fühlend, eilig die Gardinen zurückfallen läßt. Dieser heimliche Beobachtungsposten, diese Stellung des Lauerns hinter schützender Gardine hervor ist ungeheuer typisch und darin so wahr, daß alle späteren Dementis — Thomas Mann spricht von verleumderischen Märchen, die über seine Art der Menschenbeobachtung und -ausschlachtung in Umlauf seien, von Operngucker- und Belauerungsphantasien (s. RuAe I, 751) — uns nicht vom Gegenteil überzeugen. Das war der ganze Thomas Mann, war seine Attitüde, das Heranholen der Wirklichkeit, wofür das bloße Auge nicht mehr genügt und man sich technischer Hilfen, des Fernglases in diesem Fall, versichern muß. Was den Dichter an Holitschers Äußerem anzog, wir wissen es im einzelnen nicht. Vielleicht war es sein Gang, vielleicht die Haltung des Körpers, ein Schlenkern der Arme... Das Ergebnis aber liegt vor. Es hat, kaum zur Freude des Urbilds, Gestalt angenommen in der Figur Detlev Spinells.

Rücksichtslosigkeit künstlerischen Weltverhaltens —
Das Moment des Zwanghaften als Entschuldigungsgrund

Der Blick des Künstlers Thomas Mann ist so boshaft wie rücksichtslos. Er macht vor nichts und niemandem halt. Es gibt keine Tabus für ihn, verbotene Erkenntnis scheint ihm ein unbekannter Begriff. So versagt er sich nichts, den Blick auf den hohen Leib einer Frau (s. B 716/17) so wenig wie das Augenmerk auf die Tränen des Mannes (s. B 231). — Alle, die Thomas Mann aus persönlichem Umgang kannten, rühmen ihn als kultivierten, taktvollen und aufs höchste wohlerzogenen Menschen. Im schriftlichen Verkehr wirkt er betont höflich, noch die Ablehnung unzumutbaren Ansinnens, die Distanzierung von jemand Mißliebigem erfolgt indirekt, gekleidet in die Formen der Höflichkeit. Um so mehr überrascht sein Verhalten als Künstler, überrascht und befremdet bis zum Nichtmehrwiederkennen. Wo der Mensch Thomas Mann soeben noch zartfühlend und voll duldsamen Weltsinnes war (s. LW 37. Z 238), erscheint der Autor gleichen Namens bohrend unnachsichtig, erfüllt von treibender Ungeduld und durch keinerlei Rücksicht gehemmt (s. Z 99). Erwies jener sich zu taktvoller Nach-

---

[86]) Arthur Eloesser, Thomas Mann. Sein Leben und sein Werk, Berlin 1925, S. 118 ff.

sicht bereit, ist dieser unbedenklich entschlossen, alle Scheu abzustreifen (s. KH 312) und Komik vor Pietät zu setzen (s. F 222). Noch seine Zugeständnisse haben etwas Impertinentes, etwa, wenn er bei Beschreibung Adele Schopenhauers die Ankündigung, gewisse Dinge ignorieren zu wollen, mit der minutiösen Aufzählung eben dieser Details verquickt: Der klug lächelnde und in gebildeter Rede geübte Mund „konnte die hängende Länge der Nase, den ebenfalls zu langen Hals, die betrüblich abstehenden Ohren übersehen lassen ..." (LW 119). Gegen die Distinguiertheit und noble Zurückhaltung seines menschlichen Teils wirkt das erzählerische Ich aufdringlich und von geradezu unverschämtem Vorwitz, begabt mit vollendet schlechten Manieren. Will man Beispiele? Das Begräbnis der Konsulin, Szene auf dem Gottesacker: Indes der Sarg in der ausgemauerten Tiefe versinkt, beginnt Pastor Pringsheim aufs neue zu sprechen. Und der Erzähler, zeigt er sich wohl ergriffen? Während die Trauerversammlung gesenkten Hauptes den Worten des Geistlichen lauscht, schickt er unbekümmert und frei vom Druck der herrschenden Stimmung seine Blicke aus, leuchtet er ungeniert die private Seite seines Opfers an, indem er so ganz nebenbei versichert, daß jener „Pulswärmer angezogen hatte ..." (B 614). Da Pringsheim sich anheischig macht, den Segen des Himmels herabzuflehen, gibt der Referent zu verstehen, für wie wenig angemessen er diese Pose hält. Besorgtheit ums leibliche Wohl, die Vorsicht, die der Kälte des Herbsttages Rechnung trägt, sie fügen sich schlecht zur Fiktion des jenseits orientierten, allem Irdischen abgewandten Gottesmannes. Anstatt degagiert zu sein, ist Pringsheim irdisch ordinär, eine Schwäche, die auszubeuten just in diesem Moment, unter diesen Umständen ein gerüttelt Maß an Ungehörigkeit voraussetzt.

Dieser Sachverhalt zwingt zu zwei Folgerungen: Es muß eine Spaltung statthaben zwischen Mensch und Künstler, die in ihrer Radikalität an Schizophrenie heranreicht. Mensch zu sein und Dichter bedeutet offenbar zwei völlig verschiedene Seinsweisen, führt zu einem Leben gleichsam auf zwei säuberlich getrennten Ebenen. Man hat diese Zwiespältigkeit oft genug übersehen und dann den Menschen Thomas Mann zur Rechenschaft ziehen wollen für das, was das Künstler-Ich sündigte. In solcher Notlage hat der Angegriffene früh und mit Nachdruck die Notwendigkeit der Trennung von Mensch und Künstlertum betont (s. AuN 28). Sollte man hier nicht entgegenkommend sein und diese Forderung akzeptieren? Mag der Blick, den der Bürger Mann auf Welt und Menschen richtet, immerhin gut, duldsam und liebevoll sein (s. AuN 29. AdG 233), der des Künstlers ist es gewiß nicht; er ist zugleich kälter und leidenschaftlicher, rücksichtsloser und nie frei von Übelwollen.

Nächst der Radikalität besticht die Promptheit des jedesmaligen Wechsels. Was hier der Künstler vom Menschen, und zwar innerhalb der Grenzen ein und derselben Person, verlangt, ist doch dies: die Fähigkeit, von einem Moment zum andern seine bisherigen Prinzipien zu verleugnen und in eine völlig andere Maske zu schlüpfen, eine Maske, die dem vorigen Selbst im Grunde gar nicht ansteht, ja ihr stracks zuwiderläuft. Daß diese Aufgabe dennoch wieder und wieder gelöst wird, kräftigt den Verdacht, der ganze Vorgang möchte ungewollt, unbeeinflußbar und also zwanghaft sein. Auch darüber hat Thomas Mann sich ausgelassen und von einem Dämon gesprochen, der ihn als Künstler zwinge, zu beobachten (s. AuN 28), und von dem es keine Erlösung gebe, der ihm jede Abspannung verwehre noch da, wo der Menschen Blick, erblindet vor Empfindung, sich bricht (s. Erz 301). Ja, es ist dort gerade, wo andere fühlen, daß seine Fühllosigkeit und Kälte am schneidendsten hervortreten. Tonio Kröger weiß und spricht es aus, was das heißt, hellzusehen „noch durch den Tränenschleier des Gefühls hindurch, erkennen, merken, beobachten und das Beobachtete lächelnd beiseite legen müssen noch in Augenblicken, wo Hände sich umschlingen, Lippen sich finden ...“ (Erz 300/01).

Will man mit dem Dichter ins Gericht gehen, dann bedeutet dieser Zwang, diese ständige Anspannung eine gewisse Entlastung seines Verhaltens zusammen mit jenem andernUmstand, daß er den ‚bösen Blick‘ wie gegen andere so auch gegen sich selbst kehrt. Daß seine eigene Person von jener Ironie, mit der er andere verfolgt, nicht verschont bleibt, dafür liefert die autobiographische Skizze „Im Spiegel“ den wohl eindrucksvollsten Beweis. — Noch ein Letztes kommt hinzu. Der Zwang des Beobachten-Müssens bereitet Leiden und Schmerzen, und dies in einem Maße, daß der Dichter sich berechtigt glaubt, sie seinen Anklägern gegenüber als Entschuldigung, als mildernden Umstand gleichsam, ins Feld zu führen. Seht her, ruft er seinen Opfern zu, nicht ihr allein fühlt euch schmerzlich berührt im Anblick eures literarischen Selbst, auch ich, der es schuf, hatte kein Vergnügen dabei. Und er zitiert den Spruch eines Bekannten, der also angesprochen zu sagen pflegte: „‚Selig sind die Boshaften! Was mich betrifft, so magere ich ab ...‘“ (AuN 28).

2. Das abschätzige Gehör

Dem bösen Blick entspricht auf akustischem Gebiet das abschätzige Gehör. Es registriert alle Unregelmäßigkeiten des Sprechvorgangs, angefangen bei zögernden Vorlauten (s. KH 29), zaghafter Redeweise bis hin zu jenem unbeschreiblich gehemmten Lispeln (s. KH 55), in dem Klaus Heinrichs Bruder sich der Umwelt mitteilt. Dabei ist diese behinderte und schlürfende Art zu sprechen (s. Erz 225) immer noch ein Defekt minderen Grades verglichen mit der gröbsten dem Ohre wahrnehmbaren Verunstaltung, dem Stottern. Menschen mit diesem Leiden gibt es im Werk Thomas Manns eine ganze Reihe. In den „Buddenbrooks“ läßt es Oberlehrer Ballerstedts

Gesicht so dunkel anschwellen, „daß sein Bart hellgelb erschien . . ., wobei seine Lippen eine halbe Minute lang krampfhaft und fruchtlos arbeiteten, um schließlich nichts hervorzubringen als ein kurzes, gepreßtes und ächzendes ‚Nun . . .‘“ (B 740/41). Im „Zauberberg“ begegnet uns der großmächtige Stammler Peeperkorn, in der Mose-Novelle, während der Arbeiten am ‚Joseph‘ entstanden, zeigt der Held sich stockend gestauten Wesens (s. Erz 817). Im „Doktor Faustus“ fordern die Hemmungsvorkommnisse Wendell Kretschmars (s. F 62; 69) nachgerade mehr Aufmerksamkeit für sich als der Inhalt seiner hochgescheiten Reden, im „Krull“ endlich ist der ohnehin lispelnde König zu allem Überfluß noch mit einem Stotterleiden behaftet (s. Krull 375). Keines dieser Schrecknisse wird je übergangen, im Gegenteil, je peinlicher das Ringen um Artikulation und Ausdruck — man denke an Enis Sprachbehinderung nach ihrem verzweifelten Zungenbiß — desto boshaft-unnachsichtiger der Erzähler.

Die Rede unterscheidet den Menschen vom Tier, und dies um so mehr, je besser er spricht (s. Krull 145). So gilt es dem Dichter als Maßstab für den persönlichen Rang, wie einer zu reden versteht (s. Erz 680). Bildung ist eine absolute Forderung Thomas Manns an den Menschen, und man erfüllt sie vor allem durch richtiges Sprechen. Wo die Dummheit so verfolgt und gegeißelt wird wie in seinen Schriften, erweist jede Stümperei, erweist grammatisch falsches Deutsch sich als hervorragend geeignet, sie auf akustischem Wege bloßzustellen. Tonys Bewunderung des virtuosen Geigenspiels ihrer Schwägerin erfährt einen ironischen Dämpfer, wenn sie Gerda im Überschwang ein ‚gottbegnadigtes‘ Geschöpf nennt (s. B 308). Riekchen Severin (‚sie‘ und ‚ihnen‘ s. B 459) wird des falschen Gebrauchs der Personalpronomina überführt ebenso wie Herr Permaneder (‚mir‘ und ‚mich‘ s. B 352), der darin vorbelastet scheint als Angehöriger eines Volkes, das noch in seinen Prinzen falsches Deutsch redet (s. B 402).

Unverzeihlicher noch als solche sprachlichen Fehlleistungen sind die kapitalen Bildungsschnitzer, wie sie der Ignoranz vieler Zeitgenossen unterlaufen. Malheurs dieser Art passieren am leichtesten im Umgang mit Fremdwörtern, die man nicht auszusprechen weiß und also komisch-unmöglich verzerrt, wie der Lotsenkommandeur die „‚Medisangsen und Finessen . . .‘“ (B 158), auf die er sich nicht versteht, der Polizist das „‚Porteföhch‘“ (s. Erz 317), das er Tonio Kröger abverlangt oder die verzwickte Lautfolge des Begriffs ‚Individuum‘: „Er sagte ‚Individium‘“ (Erz 316), und man merkt es seiner Zunge an, daß sie froh ist, dieses Hindernis überwunden zu haben. Von Herrn Stuht, der gelegentlich etwas über die feine Aussprache des ‚ie‘-Diphthongs vernommen haben muß, hört man während der Belagerung der Bürgerschaft beständig den Ausruf „‚Unerhörte Infamje‘“ (B 195; s. 193). Solcher Kalamität zu entgehen, ist Mutter Gerngroß entschlossen, dem Schriftbild sklavisch genau zu folgen und etwa das Wörtchen ‚Flirt‘

nicht englisch, sondern mit deutschem ‚i' auszusprechen, was Hans Castorp maßlos irritiert (s. Z 431). Als es dem Dichter darum zu tun war, die Möglichkeit der Verbindung von Krankheit und Dummheit zu demonstrieren, schuf er in Frau Stöhr das berühmteste Beispiel für Verballhornung und abenteuerlichen Mißbrauch gebildeten Sprachguts.

In der Skala gebildeten Sprechens steht das Französische obenan. Es ist das Idiom der (feinen) Gesellschaft, und man bedient sich seiner bei festlichen Anlässen (s. B 14). Das Gegenteil davon und also auf der untersten Stufe rangierend heißt Dialekt, die Sprache des gemeinen Volkes (s. Krull 60/61), in den „Buddenbrooks" das Verständigungsmittel des Personals, der Dienstleute. Solchem Hütten-Messingsch (s. Erw 86. Erz 722), gleich welcher Provenienz, haftet das Odium des Ungebildeten (s. B 399) ebenso an wie das des niedrig Ordinären (s. Erw 74; 75. B 694); kann man doch gemein reden nur mit gemeinem Munde (s. Erw 98). So ist dialektgefärbtes Kaudern gewöhnlich verbunden mit breiter, allzu sorgloser Aussprache (s. B 91; 127), mit einer Nachlässigkeit, die zuletzt zu störenden, das Ohr beleidigenden Lautverzerrungen führt (s. Erz 221. Z 522). Es sind die Emporkömmlinge, die wie durch linkisches Gebaren nun durch sträflichen Jargon Anstoß erregen. Weinhändler Köppen etwa, nicht gerade einer Patrizierfamilie entstammend, fällt in dem allgemeinen Stimmenwirrwarr rings um die Festtafel dadurch auf, daß er sich „einiger Dialektschwächen ... leider noch nicht entwöhnen" kann (B 23)[87].

Wo alles Unvertraute komisch wirkt, tut dies auch fremde Mundart. Man braucht nicht erst auf den Ausländer[88] zu warten, um sich an seinen Lautfehlern zu erheitern. Der Spott des alten Johann Buddenbrook gilt Ida Jungmanns (ostpreußischem) Dialekt, ihrer Art, das ‚r' in der Kehle zu schnurren, das sie ursprünglich überhaupt nicht hatte aussprechen können (s. B 15), wie er geschmunzelt haben würde über Tiburtius' Leseproben, wenn dieser die Konsulin unterhält „mit seiner hohen, sich überschlagenden Stimme und in der drollig hüpfenden Aussprache seiner baltischen Heimat" (B 295). Permaneder nun gar redet bei seinem Auftauchen in der Mengstraße

---

87) Wenn Helmut Koopmann — Die Entwicklung des ‚intellektualen Romans' bei Thomas Mann, Bonn 1962, S. 41 ff — umspielenden Kommentar für geeignet hält, dies an sich ‚realistische Faktum' auf eigentümliche Weise zu entschärfen, übersieht er in seltsamer Verkehrung des Tatbestandes gerade die boshafte Absicht des Erzählers.

88) Ihnen gegenüber ist Thomas Mann lieber unhöflich als nachsichtig. Er erkennt sie an der tadellosen Genauigkeit der Lautbildung (s. Z 82) ebenso wie an stümpernder und radebrechender Ausdrucksweise (s. Z 206). Typische Lautfehler werden ihnen angekreidet, der Dänin Ellen Brand etwa die Angewohnheit, ‚Fleich' statt Fleisch zu artikulieren (s. Z 933); mangelnde Sicherheit bei der Wortwahl, wie sie sich zeigt in der Ausländerschwäche für das schriftsprachliche Pronomen ‚jener' (s. F 224/25).

„in einem knorrigen Dialekt voller plötzlicher Zusammenziehungen" (B 338) so „‚snaksch'" (B 336), daß die Heiterkeit des Firmenchefs und das Unverständnis der Konsulin sich die Waage halten. — Der spaßhafte Dialekt schlechthin ist das Thüringisch-Sächsische, wie es der Autor zu seinem und unserm Ergötzen zuerst im Goethe-Roman vorführt. Kellner „Mahchers" extrem lächerliche Redeweise (s. LW 208) schafft komische Atmosphäre, Adele Schopenhauers Aussprache von „Bedunien" erregt Lachkitzel (s. LW 120). Im „Doktor Faustus" muß die lächerlich redende Stadt Leipzig (s. F 239) herhalten zur Erholung vom grausamen Ernst des dargestellten Künstlerschicksals.

Eine Form nachlässigen Sprechens wie zusätzliche Quelle verstohlener Heiterkeit sind jene Wiederholungen, wie sie bei unachtsamem Sprechen unterlaufen. Wieder steht Herr Köppen paradigmatisch mit seiner Wiederaufnahme von ‚muß ich sagen' (s. B 23), seinem ängstlich verzweifelten Stoßseufzer: „‚Wenn wir hinaus wollen, drücken wir ja wol dot... drücken wir uns ja wol!'" (B 195; s. 27). Wo derartige Rückgriffe, auf bestimmte Äußerungen beschränkt, sich zu Redensarten verfestigen, leisten sie dasselbe wie die früher beschriebenen Ticks und Marotten: Sie werden zu unverwechselbaren Kennzeichen dessen, der sie hervorbringt, zu akustischen Signalements gleichsam. ‚Ahah', läßt sich Kesselmeyer vernehmen, und es ist, „da er diese Redewendung außerordentlich oft gebrauchte, sofort zu bemerken, daß er sie in sehr verschiedener und sehr eigenartiger Weise hervorzubringen pflegte. Er konnte sie mit zurückgelegtem Kopf, krausgezogener Nase, weit offenem Munde und in der Luft umherfuchtelnden Händen mit einem langgezogenen, nasalen und metallischen Klange ertönen lassen, der an den Gesang eines chinesischen Gongs erinnerte... und er konnte sie, andererseits und abgesehen von vielen Nuancen, ganz kurz, beiläufig und sanft beiseite werfen, was sich vielleicht noch drolliger ausnahm; denn er sprach ein sehr getrübtes und näselndes ‚a'" (B 209/10). Auf dem Weg zur ausgewachsenen Floskel liegt seine Manier, alle ernsten Dinge spaßhaft, höchst, höchst spaßhaft zu finden. Grünlichs Redensart ‚Das putzt ganz ungemein' (s. B 101; 128; 149), in ihrer prätentiösen Albernheit ist sie eine echte Sprachmarotte. Angelesen und sein sonstiges Sprachniveau komisch übersteigend wirkt Hermann Hagenströms ‚effektiv' (s. B 625; 626), daran man ihn mitsamt jenem entrüstet vorgebrachten „‚und warum also nicht, nicht wahr?'" (B 626) erkennt. ‚Grenzenlos borniert!' lautet Lehrer Hirtes Lieblingsredensart, und die Pointe besteht darin, daß niemals aufgeklärt werden konnte, ob dies ein bewußter Scherz war (s. B 69). Der biblische Spruch von den Lauen, die der Herr ausspeit aus seinem Munde, gehört zu den Wendungen, „für die Pastor Kölling schwärmte und die er mit Begeisterung hervorbrachte..." (B 119); komisch daran die für einen Geistlichen unziemliche Vorliebe für Derbheit und Drastik. Gosch's Alterspose lautet auf den Namen ‚schwermütige Resignation'. „‚Laß fahren dahin!' sagte er, und dies schien seine Lieblingsredensart geworden zu sein, denn er wiederholte sie beständig und oftmals ganz außer dem Zusammenhange" (B 691). Komisch wirken Permaneders verdrießliche Stoßseufzer (s. B 347), sein ständig vorgebrachtes ‚Es is a Kreiz' durch eben dies sinnlos Mechanische, erheiternd wie Grabows hilflos eintöniges Rezept ‚strenge Diät, ein wenig Taube, ein wenig Franzbrot'. — Thomas Mann hat diese Technik, seine Figuren mit festliegenden und durchweg lächerlich wirkenden Redensarten auszustatten, Redensarten, die ihnen wie Spruchbänder anhängen, über die „Buddenbrooks" hinaus beibehalten, was sich am „Zauberberg" oder dem Faustus-Roman eindrucksvoll demonstrieren ließe.

e) Intensive Nutzung des Beobachteten: Die ‚Begleitmotive' mimischen, physiognomischen und akustischen Inhalts und ihre Verwendung

Was böser Blick[89] und abschätziges Gehör zutage fördern, es findet weitgehend Eingang in jene früher (vgl. S. 98) erwähnten Begleitmotive mimischen, physiognomischen und, wie wir nun ergänzen müssen, akustischen Inhalts[90]. Immer wieder steigt mit deren Wiederkehr ein einzelnes, sei es häßliches, sei es komisches Detail zu ausschließlicher Bedeutung auf. Nehmen wir den Fall Bendix Grünlichs. So oft wird seines goldgelben Backenbarts Erwähnung getan, daß diese Einzelheit in unserer Vorstellung allmählich mit der Person ihres Trägers zusammenfällt. Deren Name braucht nun gar nicht mehr erwähnt zu werden. Grünlichs übriges Selbst tritt zurück in die Anonymität, er wird zur ‚Person mit dem goldgelben Backenbart' (s. B 108; 111; 205). Und weiter noch verlieren sich die Umrisse dieses Menschen ins Ungewisse. Wenn auf der Fahrt nach Travemünde von ihm die Rede ist, so nicht einmal mehr in der unpersönlichsten Form. Tony, bemüht, die hinter ihr liegenden Wochen schleunigst zu vergessen, hat von ihrem Peiniger nur noch die eine skurrile Einzelheit, den unnatürlich gefärbten Backenbart vor Augen: „‚ich wollte, ich könnte ein gewisses Paar goldgelber Koteletts noch einige Meilen weiter zurücklassen . . .'", äußert sie zu Thomas und darf sicher sein, daß dieser ihre Anspielung verstanden hat (B 121). Auch in seiner Vorstellung schrumpft Herrn Grün-

[89]) Er hat diesen „bösen Blick" bei Strindberg erkannt und mit dem Zusatz, jener teile ihn „mit vielen Brudergeistern in der Welt der Dichtung" (AuN 235), zu rückläufiger Übertragung geradezu herausgefordert.

[90]) Wenn Thomas Mann sie ‚Merkworte' nennt, erfaßt er mit diesem Terminus weniger die inhaltliche Seite als vielmehr die Art und Absicht ihrer Darbietung.

lichs äußeres Bild auf diese eine Chiffre zusammen. Gefärbt, so scheint es, mit dem Pulver, mit dem man sonst Weihnachtsnüsse vergoldet, stehen die Bartkoteletts symbolisch für die Falschheit dieses Menschen.

Nahezu das gesamte Personal ist mit Hilfe solcher ‚Merkworte' kenntlich gemacht, die Beschreibung zumal der Statisterie lebt davon, bleibt durchweg auf Rekapitulation wenigen Materials beschränkt. Wiederholt und immer erneut vorgebracht, werden derlei Einseitigkeiten im Verlauf der Lektüre zu Spitzmarken, die sich, den Figuren aufgesetzt, in der Vorstellung des Lesers festsetzen. Am Ende bleiben vom Ganzen einer Gestalt nur solche boshaft überzeichneten Stellen, während der übrige, größere Teil des Porträts unausgeführt bleiben oder nur flüchtig durchgezeichnet sein kann, ohne daß dies sogleich auffiele. Nicht extensive Breite, intensivste Nutzung — bei der das Verhältnis von Detail und Gesamt sich verkehrt und die Einzelbeobachtung zu überragender Bedeutung aufsteigt — steigernde Wiederholung also im Verein mit höchst subjektiven Auswahlprinzipien machen für das Gebiet der Personenbeschreibung das Geheimnis naturalistischer Wirkung aus.

II. Die (Wirklichkeits-) Schwäche des geistigen Typs als Ursache des Mann'schen Weltverhaltens

Zur Kennzeichnung des Mann'schen Weltverhaltens haben wir wiederholt von ‚Bosheit' und ‚Rücksichtslosigkeit' gesprochen. Was ist das nun für eine boshafte Gehässigkeit, die aus so rücksichtsloser Beobachtung spricht? Es ist die (Haß-) Reaktion des Unterlegenen auf das triumphierend siegreiche Prinzip. Thomas Buddenbrooks Unterlegenheit im Kampf um die Selbstbehauptung, seine Niederlage vor der sieghaften Brutalität des Lebens steht sowenig zufällig wie vereinzelt da. Sie ist vielmehr paradigmatisch schlechthin. Hieß es früher, unser Roman habe zwei Helden, jetzt wachsen beide zu höherer Einheit, zu einer einzigen Gestalt zusammen. Worin Thomas und Hanno einander entsprechen, ist ihre Bewußtheit, ihre Geistverbundenheit. Und der Geist wird in diesem Buch wie im Werk Thomas Manns überhaupt zum eigentlichen Helden, sein Widersacher Leben und Wirklichkeit. In der Auseinandersetzung aber zwischen Instinkt und Intellekt sind die Machtverhältnisse eindeutig festgelegt. Immer ist das Leben die stärkere Partei, der die Waage des Sieges sich zuneigt[91]. Ja, „wenn

[91]) Seinen wohl größten Triumph feiert es nach den „Buddenbrooks“ in „Tristan“ (s. Erz 262).

irgend etwas gewiß und erwiesen ist, so dies, daß das Leben vom Geist und von der Erkenntnis nichts zu fürchten hat und nicht jenes, sondern der Geist der schwächere[92], schutzbedürftige Teil auf Erden ist" (AdG 345). Niemals findet er sich anders als in der ihm von jeher zugedachten Rolle, „der Rolle Davids gegen Goliath, im Bilde Sankt Georgs gegen den Lindwurm der Lüge und der Gewalt" (AuN 655. vgl. Krull 128. B 318).

Was dem physisch Unterlegenen in seiner Wehrlosigkeit helfend zuwächst, sind eben Geist und Wort[93]. Dieses wird in der Hand des Schwächeren unversehens zu einer Waffe gegen das Leben (s. AuN 29. Erz 255), ist die „zarte und furchtbare Waffe des Geistes" gegen die Macht (AuN 231). Seine kämpferische Funktion klingt an in zahllosen Bildern und Vergleichen. So ist das Symbol des wortgewaltigen Dichters weniger die „süße Leyer" als vielmehr der „strenge Bogen" Apollons (AuN 29). Das gefiederte Wort, es wird „vom Bogen des Apoll ein Pfeil, der schwirrt und *trifft* und bebend im Schwarzen sitzt" (AuN 435). In seiner Schärfe, seinem Schliff und Witz gleicht es dem blanken Degen, mit dem man Paraden führt, Ausfälle macht gegen den Widersacher Leben (s. AuN 710). In dem Augenblick, da Hermann Hagenström, Tonys Todfeind, als Käufer des elterlichen Hauses feststeht, bäumt Madame Permaneder sich leidenschaftlich auf gegen die abscheuliche Perfidie des Schicksals: „Sie fand Worte, glühende und scharfschneidige Worte, und sie schwang sie wie Brandfackeln und Kriegsbeile" (B 620).

Freilich ist Poesie bei alledem keine Macht, höchstens ein Trost (s. AuN 442). Was aber der, der sich ihr verschreibt, aller Schwäche zum Trotz erreichen kann — ist seine Sprache nur scharf, glänzend und schön genug — das ist, die Welt ringsum betroffen zu machen, ihren, wie Spinell es ausdrückt, „,robusten Gleichmut einen Augenblick ins Wanken zu bringen . . .'" (Erz 255). Und wirklich ist jede geschliffene, zugespitzte Formulierung in diesem Sinne gesagt, in der Absicht gleichsam, *„als gelte es, irgendeine Gewalt zu zwingen, die Augen davor niederzuschlagen"* (AuN 710).

Die Auffassung der Kunst als einer Spät- und Verfallserscheinung, die Sicht des (wissenden) Künstlers als Décadent, als verfeinerten Schwächlings, dies ist Ursprung und letzte Wurzel jener früher konstatierten Störungen des Wirklichkeitsverhältnisses. Es ist das Ressentiment der Schwäche, das Thomas Manns Bild der Wirklichkeit entscheidend beeinflußt hat. Der Realist steht der Welt außerhalb des eigenen Selbst von gleich zu gleich

[92]) Mit dieser Ansicht distanziert der Dichter sich entschieden von den vitalistischen Tendenzen seines sonstigen Vorbildes Nietzsche (s. AuN 569. NSt 135).

[93]) Hingegen haben starke, robuste und lebenskräftige Naturen die „,Ritterdienste des Geistes'" nicht nötig (KH 91. vgl. die vollkommen unironische Rede, um nicht zu sagen, das Gestammel des großmächtigen Peeperkorn Z 828).

gegenüber, er begegnet ihr mit ruhigem Respekt. Anders der Unterlegene, der sich ihr nicht gewachsen fühlt. Sein Weltverhältnis wird notwendig hektischer sein, geladen von Affekt, getrübt von Leidenschaft. Leidenschaftliche Parteinahme[94] für die Sache des Geistes, gegen das Leben, wird aus ihm sprechen, tief-innere Erregung, zum Haß gesteigert, hineinspielen.

Das Wort errötet davon (s. AuN 231). Geschleudert gegen das Leben, wirkt es gehässig, verletzend (s. AuN 29). Wenn vom Haß noch gefragt werden kann, ob er am Ende nicht stärkeres Erkenntnismittel sei als die Liebe (s. Betr 205), im Falle der Bosheit wird dies stillschweigend vorausgesetzt. Je böser ein Wort gelingt, desto besser, sprich decouvrierender ist es (s. Betr 69)[95].

Der Haß des Unterlegenen wächst, je deutlicher das Bewußtsein der eigenen Ohnmacht lebendig ist. Je schwächer und reizbarer der Künstler sich weiß, desto größer auch sein Wunsch, es das Leben entgelten zu lassen im gehässigen Wort. Diese seine Waffe wird nun von geradezu tödlicher Sicherheit (s. Betr 79/80), die Wirkung des treffenden Ausdrucks steigert sich zu vernichtender Brisanz (s. Betr 468).

Übergroße Genauigkeit läuft zuletzt auf Kritik hinaus. Kunst bedeutet demnach umfassende Kritik, das Medium, dessen sie sich bedient, die Sprache, Kritik des Lebens schlechthin (s. AdG 9)[96]. Der be-leidigte, leidbeladene Dichter wird zum unbarmherzigen Kritiker, er tritt immer und überall in Opposition zur Wirklichkeit (s. AdG 132). Ein Zug leidender Ungeduld, kritische Aufsässigkeit dem Leben gegenüber sind seinem Amt untrennbar verbunden (s. AuN 435. AdG 440; 540).

Von hier zu Anklage und Gericht ist es nur mehr ein Schritt (s. Nachlese 36/37. Betr 468). Wo der Scharfblick des Künstlers zum richtenden Blick wird (s. AuN 511), spitzt das Ergebnis sich zu zum richtenden Wort (s. NSt 135. AdG 9). Außerhalb von Leben und Gesellschaft stehend, übernimmt der Dichter die Rolle des Anklägers und Richters, der das Leben züchtigt mit dem vernichtenden Wort. Hatte noch Nietzsche die Ansicht vertreten, es gebe „‚keinen festen Punkt außerhalb des Lebens, von dem aus über das Dasein reflektiert werden könnte'“, sein Schüler hat diesen archimedischen

---

[94]) In der Studie „Zu Lessings Gedächtnis“ hat Thomas Mann das Dichterische bestimmt als „sprachverbundene Leidenschaft, der Affekt als Sprache ...“ (AuN 163).

[95]) Bei seinen Bemühungen um die Erkenntnis Goethe'schen Wesens merkt der Dichter an, es gebe „polemisch-boshafte und aus Übelwollen hellsichtige Äußerungen, aus denen man mehr über ihren Gegenstand lernen kann als aus dem schwungvollsten Panegyrikus“ (AdG 100; vgl. 103/04).

[96]) Sprache und Kritik sind dem Dichter von jeher nahezu identisch erschienen, Dichtung bedeutet ihm „beinahe nichts anderes als Wirklichkeitskritik durch den Geist ...“ (Betr 136; vgl. 288; 531).

Punkt gefunden. Er ist gelegen im Menschen selbst, seinem geistigen Teil, im Bewußtsein zarter Menschlichkeit, die sich „das Leben, wie es ist, nicht bieten läßt, sondern es in Freiheit richtet — noch indem sie daran zugrunde geht“ (AuN 569. vgl. NSt 134/35).

Sache des Satirikers ist es, seine Kritik gerade herauszusagen. Der Künstler wird den Frontalangriff nach Möglichkeit vermeiden und dezentere Mittel bevorzugen. Das Mittel, dessen Thomas Mann sich zu seiner Lebenskritik vor allem bedient, ist die Komik (s. Betr 288. RuA 271). Wohl weiß er, daß er nichts ausrichten kann gegen das „‚gemeine ... und dennoch triumphierende Leben ...‘“ (Erz 254), aber wenn er sich schon außerstande sieht, seinen Sieg aufzuhalten, so kann er doch — mit Hilfe komischer Kunst — seine Gemeinheit und Niedertracht „aufzeigen und köstlich bloßstellen ...“ (Nachlese 195). Um dieses Effektes willen wird der geistige Mensch sich zur „Welt ... der Realität ... mit natürlicher Vorliebe humoristisch verhalten, er wird sie als Künstler pittoresk und komisch sehen ...“ (Betr 404).

Stilistischer Ausdruck solchen Verhaltens ist die Ironie[97]. Tief genug gefaßt, meint sie immer Ironie nach beiden Seiten hin (s. Betr 83; 565. AuN 101. AdG 270), unter Einschluß der eigenen Position. Ironie und Selbstironie gehören zusammen. Entsprechend steht der ironischen Sicht der Wirklichkeit im vorliegenden Falle die Ironisierung der Kunst, des Künstlers zur Seite. Leben und Geist fallen ihr gleichermaßen anheim. Solcher Haltung hat Thomas Mann, weil sie von Parteilosigkeit zeuge, es mit keiner Seite halte, gern und oft das Beiwort des Objektiven verliehen (s. AuN 392. AdG 311; 109; 278) und versucht, sie von subjektiver Willkür abzusetzen. Er hat dabei die Wirkung verschwiegen, die Ironie zeitigt und die je nach ihrem Gegenstand gänzlich verschieden ausfällt. Genau besehen ergibt sich, daß alle Ironie, „die der Geist gegen sich selber richtet, ... seinem Stolz, seinem heimlichen Überlegenheitsbewußtsein merkwürdigerweise ... wenig Abtrag tut“ (AuN 569), so gut wie nichts anhat. Erst auf Welt und Leben angewandt, zeitigt sie Wirkung: Ironie enthüllt dann die krasse Komik und Unwürde der Wirklichkeit, „im grellen Kontrast zur stillen Würde des intellektuellen Lebens“ (Betr 404). Sie gibt die selbstgefällige, weil siegbewußte Stärke der Lächerlichkeit preis, jener Reaktion, die immer noch schwerer zu ertragen ist als jede andere Schmach. Indem sie die Unantastbarkeit der Macht erschüttert, ihre geheimen Schwächen komisch bloßstellt, tröstet sie hinweg über die eigene hoffnungslos unter-

[97]) Kaum ein Begriff ist in der Diskussion um Thomas Mann mehr strapaziert und häufiger mißverstanden worden. Weit entfernt, ihn an dieser Stelle erschöpfend traktieren zu wollen, liegt uns nur daran, einen bislang vernachlässigten Aspekt hervorzuheben.

legene Position, ist sie bemüht, schwere Dinge leicht zu machen (s. RuA 195). Ironie ist, unter anderem, der Versuch, „aus einer [physischen] Not eine [geistige] Überlegenheit [zu] machen . . .“ (AdG 45).

Komik im Werk Thomas Manns entspringt kaum je dem Übermut. Selbst ‚komisch‘ ist seine Dichtung nur aus Leid und Verzweiflung (s. AuN 468). Noch wo es in übermütig frechem Angriff scheint und sein Gegenüber mutwillig verletzt, im Munde Immas etwa (s. KH 247; 280/81) oder der Aarenhold-Kinder (s. Erz 382; 388 ff), ist das komische, witzige Wort bloß Verteidigung. ‚Wehr des Witzes‘ heißt es, und das bedeutet Abwehr, Notwehr (s. Erz 388). Was es mit solcher Scharfzüngigkeit, solchem Witz auf sich hat, hat der Dichter anläßlich seiner Lessing-Interpretationen bekannt: „es steht im ganzen nicht spaßig darum. Wer witzig ist . . . vor Schmerz, für den muß der Witz etwas sehr Ernsthaft-Natürliches sein: es ist seine Art, auf die Härte und Traurigkeit des Lebens zu reagieren“ (AuN 164. vgl. AdG 17)[98].

Noch einmal: Das dichterische Wort, das boshaft treffende, komisch entlarvende, es ist die Befreiung von den Leiden des Beobachten-Müssens, psychologisch gesprochen, ein Akt der Rache, der Rache des Künstlers an seinem Erlebnis (s. AuN 29; 231. Erz 255; 303). Es ist des Schwachen einzige Möglichkeit, dem stärkeren Gegenspieler heimzuzahlen für die Nöte der Unterlegenheit. Das Porträt der Wirklichkeit, das aus solcher Reaktion entsteht, muß notwendig einseitig sein. Da seine erklärte Absicht dahingeht, zu strafen (s. Betr 548), gewinnen die lauten Farben die Oberhand. Statt realistisch zu sein, sind die Konturen (aus den angegebenen Gründen und in der angedeuteten Richtung) naturalistisch verzeichnet.

[98]) Wenig später heißt es, Lessing sei beseelt gewesen „von der tiefen Witzigkeit der Passion“ (AuN 165).

C. DISKUSSION EINES HEURISTISCH GESETZTEN ,REALISMUS DER GESINNUNG'

I. Das Schicksal der Helden: Die verschiedenen Reaktionen auf den endlichen Triumph des Lebens

a) Die Geste des Protestes

Wir sahen die Auseinandersetzung zwischen Geist und Leben stets mit dem Untergang des schwächeren geistigen Prinzips enden. Bleibt dieser Ausgang unabwendbar, so ist die Reaktion auf den endlichen Sieg des Lebens doch verschieden. Drei Verhaltensweisen lassen sich unterscheiden: Nehmen wir das leidenschaftliche Aufbegehren vorweg. Es macht Hieronymus zum Bilderstürmer (s. Erz 211 ff), spricht aus Piepsams wütendem Ausfall gegen den blonden und blauäugigen Radfahrer (s. Erz 193 ff) und noch aus Spinells Brief an seinen Widersacher Klöterjahn (s. Erz 254/55)[99]. Was die Erzählungen „Gladius Dei", „Der Weg zum Friedhof" und „Tristan" miteinander verbindet, ist der gemeinsame Ausgang, was darin jeweils gestaltet ist, ein „furchtbarer und niederschmetternder Protest gegen das Leben und seinen Triumph ..." (Erz 201). Zumindest andeutungsweise wird solche Opposition eingangs von „Buddenbrooks" laut, wenn das Gespräch der Tafelrunde sich der Gestalt Napoleons zuwendet. Anstatt wie sein Vater die Großheit dieses Mannes zu bewundern, betont der Konsul die grausamen Züge im Charakterbild des Korsen, tut er ihn als „‚Unmenschen'" ab (B 30)[100]. Was er mit der Größe Bonapartes ablehnt, wogegen er sich protestierend zur Wehr setzt, ist die sieghafte Brutalität starken Lebens, sind doch „Vitalität und Größe, Größe und *Kraft*" nahezu ein und dasselbe (AuN 158. vgl. KH 91).

---

[99]) Ein weiteres Mal ist dieser freilich ohnmächtige Protest Bild geworden im Verhalten des kleinen Mädchens aus „Herr und Hund" der Schafherde gegenüber (s. Erz 571 ff).

[100]) Aus des Sohnes unterschiedlicher Reaktion auf dasselbe Phänomen werden Verfeinerung und Abschwächung deutlich, die sich innerhalb der Familie von einer Generation zur andern vollzogen haben.

b) Widerstandslose Aufgabe des Kampfes

Nicht Größe eignet den Mann'schen Helden, sondern Hoheit, und beide unterscheiden sich wie Stärke und Schwäche (s. KH 91). Wo diese überhand nimmt, tritt an die Stelle der Auflehnung zuletzt völlige Passivität. Nicht mehr Empörung gegen das Leben, sondern Abkehr davon und widerstandslose Hingabe an die Mächte der Auflösung und des Untergangs sind die Folge (s. Erz 73). Wir kennen diese Reaktion, das Eingeständnis der eigenen Ohnmacht, das Sichgehenlassen und haltlose Versickern der Lebenskräfte aus den Erzählungen „Der Bajazzo", „Der Tod", „Der Kleiderschrank"; in unserm Roman wird sie für Christian und vor allem für Hanno bezeichnend.

c) Haltungsmoral

Zwischen lautem Protest und gänzlicher Widerstandslosigkeit liegt eine Form der Lebensbejahung, die „nicht primär und naiv, sondern eine Überwindung, ein Trotzdem, dem Leiden abgewonnen ist" (AdG 338). Es ist die Einstellung des Haltungsmoralisten, dessen, der zwar um seine Schwäche weiß, aber selbst den Untergang vor Augen kämpfend beharrt. Thomas Buddenbrook wird zum Verfechter dieser Moral, Vertreter der eleganten Selbstbeherrschung, „die bis zum letzten Augenblick eine innere Unterhöhlung, den biologischen Verfall vor den Augen der Welt verbirgt". Er verkörpert damit zugleich die dem Dichter liebste und neben dem vitalen Schlag geläufigste Figur überhaupt[101]. Aktivität und Passivität halten sich in ihr die Waage. „Denn Haltung im Schicksal, Anmut in der Qual bedeutet nicht nur ein Dulden: sie ist eine aktive Leistung, ein positiver Triumph ..." (Erz 453). Dem Versuch der Lebensbewältigung im Wissen um die eigene Unzulänglichkeit, den schließlichen Untergang, wie Thomas ihn leistet, man wird ihm das Beiwort des Heroischen nicht absprechen können. Wo Größe unmöglich geworden ist, wird solches Heldentum der Schwäche zeitgemäß, sosehr, daß der Erzähler am Ende fragen kann, ob ein anderes überhaupt denkbar sei.

Resümiert man, so bleibt für die Helden des Mann'schen Frühwerks keinerlei Lebensmöglichkeit[102]. Das Höchste ist nicht glückhafte Lebens-

[101]) Im „Tod in Venedig" hat er Aschenbach nicht nur Werke zugeschrieben, die identisch sind mit (von ihm) früher gehegten Plänen, er hat, als er die Helden dieses Schriftstellers beschrieb, zugleich seinen eigenen bevorzugten Heldentypus, den Haltungsmoralisten, umrissen (s. Erz 453).

[102]) Wir dürfen soweit gehen zu behaupten, daß der frühe Thomas Mann schlechterdings keine lohnende Daseinsform kennt. Die robusten, lebenskräftigen Typen, Gegenspieler der Geistmenschen, sie sind Ausgeburten der Sehnsucht (vgl. S. 68/69) — oder verzerrte Karikaturen.

bewältigung, sondern — wie bei Schopenhauer — ein heroischer Lebenslauf (s. AdG 338).

II. Bewußtheit als letzte Ursache von Leiden und Untergang

a) ihre krankhafte Übersteigerung

Vor Beantwortung der Frage, ob eine solche Lebensmöglichkeit später gefunden wird, müssen wir uns vergewissern, was dem Leiden und Untergang der Schlüsselfiguren letztlich zugrunde liegt. Für die „Buddenbrooks" scheint die Erklärung gefunden: Es ist die Wirklichkeit, an und vor der Thomas scheitert.

Das Leiden am Dasein, wie es bei ihm und Hanno hervortritt, es hat im Blick auf die Geschichte des deutschen Romans eine lange Tradition, wird dort zentrales, wenn nicht das Thema seit der Empfindsamkeit. Damals, im 18. Jahrhundert, war man erstmals dazu gelangt, den Erlebnis- und Empfindungsbereich der menschlichen Seele als einen Gegenstand literarischer Gestaltung anzusehen. In eins mit der (literarischen) Entdeckung des Seelenraums trat die Diskrepanz zutage zwischen innen und außen, Seele und Welt. Der empfindsame Roman stellt den Zwiespalt dar zwischen innerer Welt und äußerer Wirklichkeit, die in dieser Gegenüberstellung einhellig unter negativem Aspekt erscheint, da in ihr für seelisches Erleben kein Raum bleibt. Immerhin gibt es in dieser Not für den empfindsamen Menschen einen Ausweg. Er heißt Abkehr von der Welt und Rückzug auf das Selbst, das Ich. Entschädigung für die Leiden an der als armselig empfundenen Wirklichkeit bietet die Beschäftigung mit dem eigenen Innern, das man auszuweiten trachtet durch Lektüre von Romanen oder Erlebnis von Schauspielen.

Ist diese Auskunft noch für Thomas Manns Figuren gültig? Wäre Thomas Buddenbrook seinen Verpflichtungen als Firmenchef enthoben, könnte er ein Dasein führen isoliert und fern dem Alltag, im Schutz seines Reichtums, wäre sein Leben dann entscheidend anders verlaufen, das Ende im Schmutz der Straße ihm erspart geblieben? Die Antwort ist weniger schwierig als zu erwarten steht. Der Dichter hat sie selbst gegeben, indem er Thomas eine zweite verwandte Figur, einen Bruder zur Seite gab. Unfähig zu jeder ernsthaften, aktiven Beschäftigung, widmet Christian seine Tage nahezu ausschließlich dem Umgang mit sich selbst, der Analyse seiner Empfindungen und Gefühle. Aber die Folge ist nicht — wie in der frühen Empfindsamkeit — Erleichterung, befreites Aufatmen dessen, der dem Zwang geregelter Lebensführung entronnen ist; vielmehr verzeichnen wir als Ergebnis eine Lähmung aller gesunden Instinkte, eine Beförderung von Krankheit und keimender Zersetzung. Die Fähigkeit zu beobachten ist beiden Brüdern gemein, aber sie ist da, wo sie von der äußern Welt ab sich nach innen kehrt, als psychologische Hellsicht kein Trost, sondern neuerlicher, ja verstärkter Leidensquell.

Wenn Christian unter dem Zwang zur Introspektion mindestens ebenso leidet wie Thomas unter der Beobachtung seiner Umgebung, liegt der Schluß nahe, daß die Ursache dieser Qualen im Menschen selbst und gar nicht außer ihm zu suchen ist. Wir sagten, Thomas' Ende sei ein Scheitern an der Welt, er gehe an Leben und Wirklichkeit zugrunde. Dies ist richtig, nur darf man in der Misere des Alltags erst den Anlaß, nicht schon die Ursache seines vorzeitigen Untergangs sehen. Diese ist vielmehr im Menschen selbst, in seiner Bewußtheit gelegen. Thomas und Christian, bewußt sind sie beide, nur weiß Thomas auch noch um die Gefährlichkeit dieser Gabe. Wenn er Geschäftsmann wird, dann nicht aus Begeisterung. Im Gegenteil, diese Wendung ist lediglich Schutzmaßnahme, eine Flucht nach vorn, nach außen. Selbstreflektion, er kennt diese Neigung so gut wie sein Bruder (s. B 275). Ihr zu entrinnen, hat er seine Kräfte gewaltsam nach außen gekehrt, die Bewältigung des Lebens sich zur Aufgabe gesetzt. Seine Arbeitswut, sie ist nicht spontan, nicht freudig und gesund, sondern Selbstzweck, gedacht als Ablenkung, ein Versuch, den beobachtenden Trieb wo nicht zu betäuben, so doch zu schwächen und nach außen abzuziehen (s. B 635. vgl. Z 536. Krull 108).

b) Die Schrumpfung der Welt im Spiegel gleißender Bewußtseinshelle

Nicht die Welt ist Ursache allen Leidens, sondern Geist und Bewußtsein, der kranke Geist und das übersteigerte Bewußtsein. Schon die Disproportion der äußeren Erscheinung, das Bild der Helden mit zu großem Kopf und zu kleinem Körper, deutet eine fatale Wachheit des Bewußtseins, eine Überfeinerung der Nerven an, die „jedes Erleben zu einem Erleiden macht" (AuN 29). Thomas Mann will die Geschichte wohl einmal verstanden wissen als den Prozeß fortschreitender Bewußtwerdung. Soweit, so recht, stünde an ihrem Ende statt des normal hellen nicht ein hypertrophes Bewußtsein, das die Welt in grelles Weißlicht taucht, in eine Beleuchtung, die die Dinge verformt und das Antlitz der Menschen verzerrt.

Im Spiegel dieses Bewußtseins, das hineinleuchtet in jeden Winkel der Seele, in alle Enden der Welt, wird das Leben zunehmend geheimnislos. Die Welt schrumpft zusammen, bis zuletzt das Gefühl der Enge und Begrenztheit alles Wirklichen überwiegt. Dürftigkeit und Endlichkeit des Irdischen treibt den unbekannten Fremden einer frühen Erzählung zur Verzweiflung (s. Erz 66), und der Titel „Enttäuschung“ bezieht sich eben auf dies schmerzliche Ungenügen an einer allzu nah und geheimnislos gewordenen Welt.

Wie sein Vater leidet Hanno unter der Enge des Daseins. Das Puppentheater, das er zu Weihnachten erhalten hat, zeigt die gewünschte Ausstattung, die Dekoration des letzten ‚Fidelio‘-Aktes: „Die armen Gefangenen falteten die Hände. Don Pizarro, mit gewaltig gepufften Ärmeln, verharrte irgendwo in fürchterlicher Attitüde. Und von hinten nahte im Geschwindschritt und ganz in schwarzem Sammet der Minister, um alles zum besten zu kehren“ (B 557). Seit seinem letzten Abend im Stadttheater hat diese Oper und namentlich die dargestellte Szene es ihm angetan. Unschwer zu erraten, daß er sich mit den Gefangenen identifiziert, ihre Sehnsucht nach Befreiung inbrünstig mitempfindet. Hinter dem Minister, der erscheint, um alles zum besten zu kehren, zu lösen und zu erlösen, möchten wir den Befreier aus widrigsten Lebensbanden vermuten. Das Schwarz[103] seines Habits, es wäre dann weniger die Farbe festlich offizieller Kleidung als die des Todes[104].

Den äußeren Schranken entspricht die Begrenztheit des Innern (s. AuN 323. AdG 538). Überwaches Bewußtsein empfindet sein Ich, die Individualität selbst als Kerker (s. B 682. AuN 209). Wie der Papagei gebannt ist in das Gestänge seines Käfigs, fühlt Thomas, fühlt der denkende Mensch sich gehemmt durch die Bedingnisse seiner Individuation. In ihr sieht er nichts als das „schwerfällige, störrische, fehlerhafte uned hassenswerte *Hindernis, etwas anderes und Besseres zu sein!*“ In der Nacht nach der Schopenhauerlektüre wird Thomas momentweise des wahren Wesens der Welt ansichtig. Verglichen mit dieser Wesensschau, muß alles Tatsächliche grau, armselig und unzulänglich wirken: „War nicht jeder Mensch ein Mißgriff und Fehltritt? Geriet er nicht in eine peinvolle Haft, sowie er geboren ward? Gefängnis! Gefängnis! Schranken und Bande überall! Durch die Gitterfenster seiner Individualität starrt der Mensch hoffnungslos auf die Ringmauern der äußeren Umstände, bis der Tod kommt und ihn zu Heimkehr und Freiheit ruft ...“ (B 682).

---

[103]) Das Textbuch der Oper liefert keinen entsprechenden Hinweis.

[104]) Das schwarze, totenstille und ungeheuerlich bewachte Schloß aus Kais phantastischem Bericht ist hier (vgl. S. 122) zu deuten als Symbol einer in dunkle Erkenntnislosigkeit getauchten Welt. Kais Lebensaufgabe wird sein, aus dem Geist ein Feuer zu machen, die Brandfackel seines Wortes anzulegen an die vier Enden des (Welt-) Schlosses (vgl. den rötlichen Nebel ringsum), daß die Welt „aufflamme und zergehe samt all ihrer Schande und Marter in erlösendem Mitleid!“ (Betr 468).

III. Die Weisen der Bewußtseinslöschung als Überwindung dieser Krankheit

a) Die Flucht in den Wahnsinn

Wo Bewußtheit Quell und Ursprung ist allen Leidens, bieten Linderung alle das Bewußtsein löschenden Mittel und Mächte. Das Verlangen nach solchen Betäubungsmitteln ist groß, die Auswahl vielseitig. Sie reicht vom leidenschaftlichen Bedürfnis zu rauchen (s. B 635)[105] über die Nutzung windigen Wetters[106] bis hin zur Arbeit als Lethetrank und Narkotikum.

Eine andere Auskunft vor den Qualen bewußten Lebens ist der Wahnsinn, liegen doch die Vorteile des Wahnlebens (s. AuN 212) erneut in der Ausschaltung des Bewußtseins. In „Königliche Hoheit" erlaubt die Gräfin Löwenjoul sich als Erholung von diesen Martern bisweilen die „Wohltat" des Irreschwatzens (KH 343; vgl. 234/35; 268). Die Gesellschafterin Immas hat eine Reihe schwerster Schicksalsschläge erleiden müssen, die immer klaren Sinnes zu bestehen über ihre Kräfte geht. Hier wie anderswo[107] ist Narrheit nur die Schutzmaßnahme einer schwachen, ungeschützten Natur, die sich unfähig zeigt, „es mit Leben und Wirklichkeit aufzunehmen, einer Natur, die die Welt nicht aushält, durch jede Berührung mit dem Gemeinen aus der Fassung geworfen wird und Zuflucht im Wahnsinn findet" (Nachlese 71. vgl. Z 641).

b) Die heilende Wirkung des Schlafes

Die natürlichste Art, den Regungen des Bewußtseins zu entfliehen, ist der Schlaf, die tägliche Einkehr „in die süße und wiederherstellende Heimat des Unbewußten ..." (Krull 320). Fast im Übermaß sind die Helden Thomas Manns diesem Labeschlaf ergeben. Die Begabung dafür verbindet noch so unterschiedliche Naturen wie Hanno Buddenbrook und Felix Krull (s.

---

[105]) Thomas' Vorliebe für scharfe Zigaretten (s. B 122) geht später auf Hanno über (s. B 776).

[106]) Vgl. den Druck des feuchten Seewindes Erz 307, der des heimkehrenden Tonio Kopf schwer, seine Gedanken müde, sein Bewußtsein schläfrig macht Erz 308. — Die rechte Wirkung freilich erhält dieser Wind erst draußen am Meer, wo er „frei und ohne Hindernis" daherkommt, die Ohren umhüllt und einen „angenehmen Schwindel" hervorruft, „eine gedämpfte Betäubung, in der das Bewußtsein von Zeit und Raum und allem Begrenzten still selig unterging ..." (B 656; vgl. 142; 148. Erz 319. Z 775).

[107]) Die Verrücktheiten des edlen Collie-Hundes etwa sind gleichen Ursprungs (s. KH 262/63).

Krull 14/15. vgl. Erz 57). Wo der Nachwuchs robuster und lebenskräftiger Eltern seine Vitalität lauthals bekundet (s. Erz 249; 262), kommen spätgeborene, lebensschwache Geschöpfe merkwürdig still zur Welt (s. B 60 u. 62; 411), zögernd gleichsam, als trügen sie Bedenken, „das Dunkel des Mutterschoßes mit dem hellen Tage zu vertauschen ..."[108]. Hanno und Felix, sie sind in der frühen Zeit ihres Daseins „dem Schlummer und Halbschlummer in einem den Wärterinnen bequemen Grade zugetan" (Krull 14. vgl. AuN 667). Je größer späterhin die Not des Tages, desto dringlicher das Bedürfnis, sich zu verlieren in traumloses Vergessen (s. B 660/61. AuN 669). In der Nacht, die dem Schulmontag vorausgeht, ist Hanno entschlummert „so tief und tot, wie man schläft, wenn man niemals wieder erwachen möchte" (B 730). Noch als draußen der Morgen dämmert, finden wir ihn schlafend mit „tief und fest gesenkten Wimpern, mit dem Ausdruck einer inbrünstigen und schmerzlichen Hingabe an den Schlaf" (B 731).

Mit solcher Schlaffähigkeit sind die Helden wieder nur Porträt ihres Schöpfers. In der autobiographischen Skizze „Süßer Schlaf" hat der Autor sich in dieser Hinsicht völlig mit ihnen identifiziert. Die Abhandlung ist ein einziger Hymnus auf den Schlaf und seine wohltuenden Wirkungen. Hier spricht einer, der die Nöte hellsichtiger Bewußtheit am eigenen Leibe verspürt, in Worten von bestürzender Offenheit. In der Metapher der grellen und zehrenden Flamme des Bewußtseins (s. AuN 668) ist die Überhelle so gut wie die schmerzliche Qual dieses Sehens angedeutet[109]. Die Zeit des Sonnenlichts, dessen Helle die Sinne zur Wachheit anhält, der Tag, wird ein Zustand der Pein geheißen (s. Erz 159), das Leben bei bewußten Sinnen einer beschwerlichen Wanderung, ja zuletzt einem Passionsweg verglichen: „Wir treten ... aus neidloser Nacht in den Tag und wandern. Die Sonne sengt uns, wir schreiten auf Dornen und spitzem Gestein, unsere Füße bluten, unsere Brust keucht. Entsetzen, wenn die glühende Straße der Mühsal ungeteilt, ohne vorläufiges Ziel, in greller Unabsehbarkeit vor uns läge! Wer hätte die Kraft, sie zu Ende zu gehen? Wer sänke nicht in Entmutigung und Reue dahin? Aber die heimatliche Nacht ist eingeschaltet, vielmals, vielmals, in den Passionsweg des Lebens ..." (AuN 667. vgl. B 778 u. 79).

---

[108]) In dieser Richtung ist auch die ‚Hemmungsbildung' zu interpretieren, jene Verzögerung bei der Entwicklung des Fruchtkeims, die Klaus Heinrich eine verkümmerte (linke) Hand einträgt (s. KH 30/31).

[109]) Flammenqualen (s. Erz 740) überwachen Bewußtseins verfolgen Hanno bis in den Schlaf hinein. Was ihn aus seligem Vergessen auffahren läßt, als stünde er in Flammen (s. B 533), ist die immer lebendige Furcht vor den Schrecknissen des Lebens.

c) Der Tod. Seine symbolische Bedeutung als (umfassende) Befreiung aus den Fesseln von Raum, Zeit und Individuation — Sterben als Verlöschen des Bewußtseins, als Durchgang zu wahrem, befreitem Leben

Kein Wunder, daß die Schar der Leidenden und Todesmüden sich nach umfassend endgültiger Erlösung sehnt, nach einem Schlaf, der nie endet, der aufgeht in der Nacht des Todes. Tod und Schlaf sind einander innig benachbart. Die Todesfigur im Kleiderschrank des Pensionszimmers — mit ihrem Mund „so süß wie die Lippen des Schlafes" (Erz 159) kann man sie ebensogut als dessen Personifizierung ansprechen[110]. Was den Tod wünschenswerter macht als jede vorübergehend nächtliche Ruhe, ist seine Endgültigkeit und Dauer; was mit ihm erreicht ist, ein Zustand immerwährender „Bewußtlosigkeit, das Ende aller Leiden" (AuN 658). Thomas bricht auf der Straße bewußtlos zusammen. Man schafft ihn nach Hause, ruft den Arzt herbei. Hoffnungen wagen sich hervor, denn noch, so scheint es, ist Leben in ihm. Aber die Augen des Senators sind gebrochen, sein Bewußtsein seit jenem Fall erloschen, und damit ist er eigentlich schon tot (s. B 711. vgl. AuN 791), obwohl sein Herz noch eine Weile weiterarbeitet. Da er aufgehört hat, bewußt zu leben, ist er faktisch aus dem Buch des Lebens gestrichen.

Unsere Erkenntnis ist geknüpft an die Bedingungen von Raum, Zeit und Kausalität. Im Sterben erweisen sie alle sich als bloße Erkenntnisformen (nicht als substantielles Zubehör der Welt), als Gesetzmäßigkeiten, die mit Erlöschen des erkennenden Bewußtseins dahinfallen. Der Tod ist damit das Erlebnis des Verblassens aller Grenzen. Räumlich gesehen bedeutet er unabsehbare Weite, Unendlichkeit. Thomas' geistiges Erlebnis des Todes macht ihn mit eben dem schwindelnden Gefühl der Großräumigkeit bekannt: „Die Mauern seiner Vaterstadt, in denen er sich mit Willen und Bewußtsein eingeschlossen, taten sich auf und erschlossen seinem Blicke die Welt, die ganze Welt, von der er in jungen Jahren dies und jenes Stückchen gesehen, und die der Tod ihm ganz und gar zu schenken versprach" (B 683/84). Was hier gedanklich vorweggenommen ist, wird sich alsbald im Faktischen bewähren. Indem der Weg des Leichenzuges das Stadttor passiert, hat Thomas die Enge seines Daseins endgültig abgestreift. Das Ziel des Zuges, das Buddenbrook'sche Erbbegräbnis, ist genau am Rand des Friedhofgehölzes gelegen (s. B 719; vgl. 268; 613). Was jenseits dieser Randzone

[110]) Daß Schlaf und Tod hier nicht Greisengestalt annehmen, vielmehr die Züge eines jungen Mädchens tragen, ist nur die sinnfällige Umschreibung des Attributs der Süße, Beweis für die Lockung, die von ihnen ausgeht.

liegt, bleibt unerwähnt und eben damit doch bezeichnet: Es ist das Nichts, positiv gesprochen die endlose Weite, in die wir den Verstorbenen hinübergegangen wissen[111].

Alles Leben untersteht dem Gesetz der Zeit. Im Moment des Todes erlischt auch die Gültigkeit dieser Erkenntnisform. Er verwandelt das Nacheinander zeitlicher Abläufe in stete Allgegenwart, in ein zeitlos ewiges Nebeneinander, in dem nichts beginnt und nichts aufhört (s. B 684). Sterben ist somit ein Vorgang der „Verewigung — Entalterung" (AuN 198).

Zugleich mit den Fesseln des Raumes und der Zeit fallen im Tode die Schranken der Individuation dahin. Es sind die raumzeitlichen Bedingnisse unserer Erkenntnis, die uns die Welt in unabsehbare Vielfalt gespalten vorspiegeln. Losgelöst von ihnen, gewinnt das Dasein ein völlig anderes Gesicht. Es erweist sich, daß Vielheit, individuelle Absonderung sowenig zu seinen Wesensbestimmungen gehören wie jene früheren Kategorien. In eins mit dem trügerischen Charakter der Erkenntnisformen (s. B 684. Erz 245/46)[112] wird der Mensch im Tode seiner Individuation als einer Täuschung gewahr (s. AdG 381). Was im Augenblick des Hinscheidens sich ereignet, ist der Wegfall der bis dahin als unüberwindbar geltenden Schranken zwischen Ich und Du, Ich und Welt. Tod heißt nun das Verschwinden jener „illusionären Scheidewand, die das Ich, in dem du dich eingeschlossen findest, von der übrigen Welt trennt" (AdG 316). Er ist die Berichtigung jenes quälenden Irrtums, das Ich sei nicht zugleich auch Du, zugleich auch Welt (s. B 681 u. 82. Erz 245). Hören wir Thomas Buddenbrooks fragendes Erahnen der Todeswahrheit: „Wo ich sein werde, wenn ich tot bin? Aber es ist so leuchtend klar, so überwältigend einfach! In allen denen werde ich sein, die je und je Ich gesagt haben, sagen und sagen werden... / Irgendwo in der Welt wächst ein Knabe auf, gut ausgerüstet und wohlgelungen ..., gerade gewachsen und ungetrübt, rein, grausam und munter ...: — Das ist mein Sohn. *Das bin ich*, bald ... bald ... sobald der Tod mich von dem armseligen Wahne befreit, ich sei nicht sowohl er wie ich ..." (B 682/83).

Im Überwinden aller äußern und inneren Schranken ist der Tod die große Befreiung und Lösung[113], die Erlösung aus irdischer Unzulänglichkeit.

---

[111]) Daß ein auf die Straße gehendes Fenster offen stände, gehört zu den seltenen Ausnahmen, die die Gültigkeit der Regel bestätigen. Erst im letzten Moment vor Eintritt der Katastrophe, des physischen Niederbruchs, wird die (sonst) schützende Geschlossenheit des Raumes als eng empfunden. Im Anhauch des Todes wächst das Verlangen nach Weite, dem das Öffnen des Fensters Rechnung zu tragen sucht (s. B 203; 705; 257).

[112]) Auch die Weltvielfalt wird nun trügerisch genannt (s. Erz 779).

[113]) Von den (Individualität) lösenden Mächten minderen Grades seien Nacht und Traum, Liebe und Musik erwähnt. Ihnen allen gemein ist die Tendenz zum Auflösen fester Konturen. Wenn der Sonnentag die Dinge entschleiert und hervor-

War das Leben schmerzlich beengt, so ist er Weite, bedeutet es Gefangensein, Haft, so er Befreiung, Entzauberung. Er bringt mit dem Ende allen Leidens zugleich ein Positives, er bringt das Glück (s. B 681), „... die Rückkunft von einem unsäglich peinlichen Irrgang, die Korrektur eines schweren Fehlers, die Befreiung von den widrigsten Banden und Schranken — einen beklagenswerten Unglücksfall machte er wieder gut" (B 682).

Freilich, ein solcher Tod, wie ihn der Dichter seinem Helden hier zuteil werden läßt, hat diesen seinen Namen kaum mehr verdient. Es ist ein Tod höchstens noch in symbolischem Sinne. Die einschneidende Schärfe, die er für christliches Denken hat, sie ist ihm genommen. Was stirbt, so hörten wir, sei das Bewußtsein. Es ist zugleich das einzige, was überhaupt sterben kann[114]. Der Tod erfaßt nur noch den geringeren Teil des Menschen, das an ihm, was der Erscheinungswelt angehört, die einmalige Sonderform, die Individuation, mit Schopenhauer zu reden, als dessen getreuer Schüler[115] sich Thomas Mann hier bewährt. Nicht dagegen berührt er dessen Wesenskern, sein Eigentliches, das, was er mit allen andern Menschen und selbst dem entferntest außermenschlichen Sein gemeinsam hat (s. AdG 319). Dieses sein An-Sich vielmehr wird im Tode erst frei „aus den bedingenden Fesseln der Individuation" (AdG 386). Sterben ist ein Abstreifen der Erscheinung, ein befreites Eingehen in das Jenseits aller Dinge, in eine höhere Ordnung, die bestimmt ist durch Unendlichkeit, Zeitlosigkeit und gestalt- und unterschiedslose Einheit.

Damit hat das Verhältnis von Tod und Leben sich umgekehrt. Da der geistige Mensch im Leben keine Daseinsmöglichkeit sah, läßt der Dichter ihn nun im Tod das Leben finden (s. AdG 325). Der Tod, er wird so recht lebenschenkend. Wo er das eigentliche Leben verheißt, ist das Sterben nur

---

treten läßt, machen Abenddämmer und Nacht die Umrisse verschwimmen, das einzelne untergehen, wird das nächtige Dunkel — im Gegensatz zum trennenden Licht des Tages — ‚einsmachend' genannt (s. Erz 245). — Vgl. das Vorherrschen der Halbtöne, das Hervortreten der Übergänge in Hannos Klavierphantasien B 524/25; 777 ff.

[114]) Eine ganz ähnliche Verlagerung des Verhältnisses von Tod und Leben hat Richard Alewyn — Über Hugo von Hofmannsthal, Göttingen 1958, S. 74 ff; 155 — für den jungen Hofmannsthal erkannt.

[115]) Tod als Durchbrechen des principium individuationis, bis dahin ist Thomas Mann den Schopenhauer'schen Intentionen gefolgt (s. AdG 326). Um so verschiedener fällt die Bewertung dieses (gleichen) Sachverhalts aus. Dem Philosophen ist Sterben unter Umständen nichts als ein fruchtloser Ausweg. Ihm, Schopenhauer, war es nicht um befreites Leben, ihm war es — radikaler — um Vernichtung des Lebens zu tun. Da aber der Kern des Menschen, sein Wille, aus dem Untergang der Individuation unbeschadet hervorgeht, bringt (seiner Ansicht nach) erst die Verneinung dieses Willens durch den Intellekt die entscheidende Lösung.

Gleichnis der Verwandlung und neuen Geburt[116]. Das Grab bedeutet nicht mehr Ende, sondern Anfang und Durchgang zu neuem, wahrem Leben.

Real oder symbolisch, der Tod ist im Frühwerk Thomas Manns letzte Auskunft auf alle Fragen, die aus der Krise der Bewußtheit, den Leiden der Individuation hervorgehen. Im Sinne des Realismus keine Lösung, bedeutet er lediglich Ausweg. Endgültig hängt der Entscheid, ob man einen ‚Realismus der Gesinnung' ansetzen darf, ab von der Frage, wie weit im späteren Schaffen des Dichters Möglichkeiten gefunden werden, der Krankheit des Bewußtseins wirksam zu begegnen, konkreter gesprochen, ob es gelingt, die Grenzen der Individualität so auszuweiten, daß das Leiden daran nicht mehr tödlich verläuft. Unendlichkeit (nach innen wie außen) schon im Leben, ein Raum diesseits des Todes täte not.

[116]) Richard Alewyn, Über Hugo von Hofmannsthal, Göttingen 1958, S. 76.

D. FORCIERTE LEBENSFREUNDLICHKEIT UND IHRE VERDÄCHTIGUNG

I. Die Haltung der Essays

a) Die (revolutionierende) Bedeutung des 1. Weltkriegs für Thomas Manns Denken und Schaffen

Die Krise der Bewußtheit und des Individualismus einer Lösung zuzuführen, war ein Anstoß von außen nötig: der Ausbruch des ersten Weltkriegs. Er erscheint dem Dichter sogleich als ein historisches Ereignis ersten Ranges, als ein blutiger Donnerschlag (s. Z 1010. NSt 168. Nachlese 173), mit der Jahrhundertwende zugleich eine Weltwende markierend (s. Betr 6; 61; 207). Bringt er doch das Ende einer weitgehend individualistischen, in der Betonung von Freiheit und Ungleichheit des Menschen notwendig aristokratischen Epoche (s. Betr 271). Was in seinem Gefolge heraufkommt, ist Weltrevolution (s. AuN 312; 567), nicht weniger, die Preisgabe individualistischer Einzelgängerei zugunsten sozialen Miteinanders, Beseitigung aller monarchisch-aristokratischen Staats- und Lebensformen zugunsten der Demokratie.

Derart radikale und weitreichende Umwälzungen gingen an den Zeitgenossen nicht spurlos vorüber. Niemand habe mehr so leben und dichten können wie bisher (s. NSt 168), hören wir. Weltwende im großen, brachte der Krieg Umschwung auch im Leben jedes einzelnen, hatte er für Thomas Mann nicht mehr und nicht weniger als das Überdenken aller persönlichen Grundlagen zur Folge (s. Betr 4; 61), zwang er zu wiederholter Selbstüberwindung, zur Absage an vieles, woran er bisher geglaubt.

b) Die geistige Wende zu Politik, Demokratie und ‚Gemeinschaft'

Greifbar wird diese Umorientierung zuerst auf essayistischem Gebiet, im Vergleich der „Betrachtungen" mit der Gerhart Hauptmann zugeeigneten Rede „Von deutscher Republik", als Ergebnis zeitigt sie die Wende zu Politik, Demokratie und Gemeinschaft. Am Eingang zur Untersuchung der Frage, ob und wie weit diese (zunächst rein gedanklichen) Korrekturen ihren Niederschlag fanden im Werk, gilt es zweierlei zu beachten: Schon die Analyse der Essays würde zeigen, daß von Gesinnungswandel zu sprechen lediglich innerhalb mehr oder minder eng gezogener Grenzen erlaubt ist. Niemals findet sich in Thomas Manns Denken ein völliger Umbruch, totale Preisgabe bisherigen Gedankenguts. Statt dessen ist das jeweils Neue immer nur das verwandelte Alte. Das dichterische Werk gewährt in dieser Hinsicht noch weniger Spielraum, noch stärker tritt hier der Konservatismus[117] des Autors hervor. Während Thomas Mann in qualvoller Selbsterforschung denkerisch nach neuen Wegen sucht, zeigt die gleichzeitige Dichtung[118] den historischen Menschen in revolutionärer Zeit. Die Arbeit erhält ihren Reiz dadurch, daß Milieu und Personnage aus der rückwärts orientierten Perspektive eines Geschichtsprofessors geschildert werden (s. RuAe I, 762). Sollte dies auch Thomas Manns Perspektive sein, sollte auch er Geschichte nicht lieben, „sofern sie geschieht, sondern sofern sie geschehen ist..." (Erz 626)? Zumindest werden Revolution und Revolutionäre von ihm nie anders als ironisch behandelt. Man denke nur an das revoltierende Volk, die zur Farce entartende Belagerung der Bürgerschaft in den „Buddenbrooks", an die komischen Widersprüche in Mortens Haltung, der zwar kühn gegen Polizei, König und Staat rebelliert, aber schon vor der väterlichen Autorität kläglich verzagt, an die luxusbedürftigen Revolutionäre vom Schlage Naphtas. Der anarchistisch gesinnte Engländer, Liftboy im „Krull", ist trotz aller Radikalismen, die er im Munde führt, ein kindlicher Junge, und seine Auflehnung wird, wie diejenige Mortens, als harmlose Kinderei glossiert und abgetan (s. Krull 155). Felix aber erhält in Thomas Manns letztem Roman anläßlich der Audienz beim König von Portugal ausgiebig Gelegenheit, seine Ehrerbietung vor der bestehenden gesellschaftlichen Ordnung wortreich darzutun (s. Krull 386/87). Und es ergibt sich, daß er nach Tun und Wesen zwar außerhalb der Gesellschaft steht, nicht aber gegen sie; vielmehr zeigt er sich freudig royalistisch gesinnt (s. Krull 367) und erhaltenden Sinnes nicht minder denn Professor Cornelius.

Zu beherzigen ist ferner der Umstand, daß beim Übergang vom Essay zur Dichtung jede Aussage an Geradsinn und Eindeutigkeit verliert. Wo er

---

[117]) Allein durch den Umstand, daß er Deutscher (s. Briefe I, 173) und ferner, daß er Dichter war, fühlt Thomas Mann sich wesentlich konservativ bestimmt. Kunst ist „eine *konservative* Macht, die stärkste unter allen" (Betr 389), immer wird sie rückwärts gewandt, reaktionär sein (s. Betr 388), heißt es in den „Betrachtungen", und in Kongruenz damit wird vier Jahre später noch einmal ausdrücklich versichert, daß des Dichters „natürliche Aufgabe in dieser Welt allerdings nicht revolutionärer, sondern erhaltender Art" sei (RuAe II, 29).

[118]) Gemeint ist die Erzählung „Unordnung und frühes Leid" von 1925.

schriftstellernd Scheu trägt, sich festzulegen, Stellungen zu beziehen, sieht er sich ‚musizierend' (s. RuAe II, 674), will sagen dichtend erst gar nicht imstande dazu. Der Künstler Thomas Mann kann überhaupt nirgends Partei nehmen. Er würde es als einen Raub an seiner Freiheit empfinden (s. Briefe I, 115). Kunst ist ihm die Sphäre der Freiheit und des Spiels, sein Mittel das ironisch getönte Wort, geeignet allenfalls zur Erzielung indirekter und halb-unverbindlicher Wirkungen (s. AuN 385). Mehrdeutigkeit, Ambivalenz, ein ständiges ‚sowohl als auch' sind die Folgen. Die Miene des Dichters wird undurchdringlich, Entschlossenheit ist nicht sein Teil, sie wird geradezu polemisch verneint (s. RuAe I, 758) zugunsten des Vorbehalts. Unter seiner Herrschaft geht von der Deutlichkeit der neueroberten Positionen vieles dahin. Kein Anlaß zur Resignation, aber ein Dämpfer doch auf allzu große Hoffnungen und eine Mahnung, die Ergebnisse denkerischen Bemühens nicht ohne weiteres auch für das dichterische Corpus vorauszusetzen.

II. Auswirkungen dieser ‚Selbstüberwindung' auf das Werk

a) Veränderte Themenstellung

Die Politisierung der Welt und des Dichters gewinnt alsbald Einfluß auf die (veränderte) Wahl der Themen und Stoffe. Der „Zauberberg" als das erste Produkt, das den Umwälzungen der Zeit Rechnung trägt, ist ein Roman weit weniger denn ein verkappter gigantischer Essay, die Fortsetzung gleichsam der „Betrachtungen". Thomas Mann selbst hat das Buch gelegentlich ein humanistisches Denkwerk genannt (s. RuAe I, 580) und damit seine Eigenart bestimmt wie die Richtung gewiesen, in der die Wandlung der Stoffwahl zu suchen ist. Die „Verliebtheit in den Gedanken der Humanität" (Briefe I, 199), die er 1922 bei sich konstatiert, führt dazu, daß Kultur und Barbarei das beherrschende Begriffspaar nun auch der Dichtung werden (s. RuAe II, 325) und die gewohnte Antithese von Kunst und Leben (zumindest vorübergehend) verdrängen. Um die Rettung der Menschenwürde geht es in „Mario und der Zauberer" (1930), den Weg aus der Barbarei zur Gesittung beschreibt die Mose-Novelle „Das Gesetz" (1942)[119], humanes Interesse wird noch als Antrieb zum Plan der Josephsgeschichten genannt[120].

[119]) die gegenläufige Bewegung der Faustus-Roman.

[120]) Vgl. Thomas Manns erklärtes Ziel, den Mythos ins Humane umzufunktionieren NSt 169/70; 177.

b) Der neue Heldentypus

1. Der ‚demokratische' Held Hans Castorp

Die Wende zur Demokratie wird auf literarischem Gebiet spürbar ferner in der Aufgabe des alten Heldentypus. Hans Castorp, der Held des Bergromans, ist erstmals keiner aus der Reihe jener wissend Leidenden[121]. Mit dem Adel des Geistes fehlen ihm die äußeren Abzeichen der Hoheit. Vielmehr ist er — bis auf die feuchte Stelle der Lunge — ein Dutzendmensch und damit rechtes Kind der neuen Zeit. In der Abgeschlossenheit des Berghofsanatoriums wird er, ein simpler junger Mann, einem hermetischen Prozeß unterworfen, geläutert und emporgesteigert zu (einiger) geistiger Bedeutung.

2. Versuch einer neuerlichen Steigerung des Menschlichen: Der ‚natürliche' Adel

Hans Castorp bleibt als Hauptfigur eine einmalige Erscheinung im Werk Thomas Manns. Die Helden der nachfolgenden großen Romane, Joseph[122] und Krull (s. 159) tragen erneut die Zeichen der Hoheit[123]. Sie sind adlig nicht anders als ihre Vorgänger, nur ist dieser Adel nun neu gefaßt. Die Wandlung beginnt, wie so oft, in der Auseinandersetzung mit Goethe. Der Weimarer Dichterfürst, er war vital, ohne ungeistig zu sein. Im Umgang mit ihm, so lange gemieden oder allenfalls in der Brechung durch das Medium Schiller gegenwärtig, erfährt der Dichter, daß es „zweierlei Erhöhung und Steigerung des Menschlichen" gibt (AdG 178), zu der geistigen eine von Gnaden der Natur. War aller Adel bislang geistbezogen (vgl. S. 49), so ist er nun ‚natürlicher' Herkunft (s. AdG 163; 188), so sehr, daß ‚natürlicher Adel' nahezu ein Pleonasmus scheint (s. AdG 177).

Derlei Naturadel kommt dem neuen Heldentypus zu. Die Ausstrahlung ihrer Persönlichkeit liegt im Vitalen, nicht im Geistigen. Schon dem äußeren Bilde nach heben sie sich unverwechselbar ab von früheren Figurationen. Joseph und Felix sind wesentlich jünglingshafte Figuren[124], nicht früh alternde Künstler, Vertreter eines Regenerationstypus (s. AuN 272; 464) im Gegensatz zu den degenerierten Gestalten früherer Tage (s. Betr 134. AuN 394). Bei alldem ist ihre Natur nicht mühelos, sie wäre sonst roh (s. AdG 238); vielmehr beweisen sie eine „aus Kraft und Infirmität" eigen-

---

[121]) gegen Paul Altenberg, der ihn in seinem Buch — Die Romane Thomas Manns, Bad Homburg v. d. Höhe 1961 — den Erwählten zurechnen möchte (s. S. 60/61).

[122]) mit dem Kraut der Erwähltheit im Haar J 1091; 444.

[123]) s. das Mal an der Stirn der Kinder als Zeichen der Erwählung Erw 21.

[124]) die, anstatt zu altern, auf dem Höhepunkt ihrer Jahre einer zweiten Jugend teilhaftig werden s. J 1770 gegen 1530/31. NSt 37. LW 352.

tümlich gemischte (NSt 17), intelligente Vitalität (s. AuN 343). Ihre Geistigkeit ist nicht intellektuell zu verstehen; auf das Leben ausgerichtet — und darin echt demokratisch — äußert sie sich als Lebensklugheit, Pfiffigkeit, Gewitztheit. Indem sie das Ideal höherer, „geistverbundener Gesundheit“ vorleben (AuN 358), Beispiele einer Lebensgestaltung liefern, „in der weder Muskeln noch Hirn hypertrophieren“ (AdG 49), bekunden sie den Einheitswillen der Zeit, die das Geistige „als ein selbstverständliches Zubehör des Lebens mit umschließt . . ., statt es nach Art der Väterzeit in Gestalt des Literarischen neben der Wirklichkeit und dem aktiven Leben ein Spezialdasein führen zu lassen“ (AuN 346).

c) Demokratisch-lebensfreundliche Werke?

1. Die zeitgewollte Absage an das Individuelle — ihre Fragwürdigkeit

Aristokratismus hatte sich geäußert namentlich als radikaler Individualismus (s. Betr 124), die Wende zum Demokratischen manifestiert sich entsprechend in der Abkehr vom Individuellen. Paradigmatisch für diesen Vorgang steht „Königliche Hoheit“. In den Figuren und Schicksalen dieses Buches „malt sich die Krise des Individualismus“ (Nachlese 172. s. RuAe I, 739), und so darf es als Ausdruck gelten „einer zeitgewollten Absage des Geistes an das Individuelle . . .“ (RuAe I, 739). Freilich, bei genauer Lektüre erscheint diese Absage alles andere als eindeutig, stellt „Königliche Hoheit“ ungeachtet eines gewissen lehrhaft antiindividualistischen Zuges (s. Briefe I, 79) „eine wahre Orgie des Individualismus dar, dessen Noblesse in vielfältigen Erscheinungen unermüdlich abgewandelt wird, und die Sympathie des Buches für die aristokratischen Monstren, die es vorführt, den bis zur Verrücktheit überzüchteten Colli-dog, den romantischen Schwadroneur Dr. Überbein und namentlich für die haltungsvolle Einsamkeit seines Helden, des kleinen Prinzen, ist unverhohlen“ (Nachlese 173. vgl. Betr 89/90. RuA 346). Ihre Sammlung hätte nicht vollständiger, „nicht liebevoll-variationsreicher sein können, wenn es als trotzig-anhängliche Verherrlichung des ‚Alten‘ gegen das ‚Neue‘ gemeint gewesen wäre, — was es zum Teil, seiner objektiven Funktion zuwider, auch war“ (RuAe I, 739). Und Klaus Heinrichs Erlöserin, Imma Spoelmann, „ist sie nicht selbst ein ‚Sonderfall‘, in ihrer Art ebenfalls eine kleine fürstliche Außerordentlichkeit? So daß man denn vor der wunderlichen Erscheinung stünde, daß zwei Einsamkeiten sich zusammentun, das Leben zu gewinnen? Unstreitig waltet da eine gewisse Gebrochenheit der Gesinnung . . .“ (Nachlese 173), ein Widerspruch, der über den Rahmen dieses kuriosen Büchleins hinaus bezeichnend ist für die Struktur aller dichterischen Aussagen Thomas Manns.

Abkehr vom Individuum, sei sie fragwürdig oder nicht, erfaßt die Hälfte erst des Wandlungsprozesses, die andre, positive Seite lautet: Hinwendung zu Gemeinsamkeit und Anschluß, zum Dienst am Menschen. Auch sie wird vollzogen erstmals in „Königliche Hoheit“, vollzogen in dem Augenblick, da Klaus Heinrich sich seiner Reinheit und sachlichen Unberührtheit begibt, Interesse zeigt für die Geschicke der ihm anvertrauten Untertanen, die ökonomischen Verlegenheiten seines Miniaturstaats eingehender Studien für wert erachtet (s. KH 340 ff). — Es folgt Hans Castorps Gedankenarbeit am blau blühenden Ort seiner Abgeschiedenheit, auf der abendlich dunklen Balkonloge; er nennt sie ‚Regieren‘ (s. Z 554; 597; 1010), und es ist das Ringen um die Vision des Homo Dei, die ahnende Erkenntnis von der Idee des Menschen, seines Standes und Staates. — Es geschieht beispielhaft in der Gestalt Josephs, daß Thomas Mann das Ich „reifend seinen Weg ins Soziale“ finden läßt, und so ist die Sorge um das Wohl anderer hier am breitesten ausgeführt[125]. Joseph wird im letzten Band der Tetralogie „zum Wohltäter und Ernährer fremden Volkes und seiner Nächsten“ (NSt 182), wird, in Analogie zu Roosevelt — von dem er manche Züge erhält — zum guten Täter, als Halt gedacht und Bollwerk gegen die furchtbar ausgreifende Aggressivität des Bösen. Seinem Aufstieg indes, so rasch er vonstatten geht, liegt sozialer Antrieb weniger denn persönlicher Ehrgeiz zugrunde, Ehrgeiz für seinen Gott (s. J 810 ff; 883; 960). Joseph wird mit dessen Hilfe Wirtschaftsminister, doch wie schon die „Buddenbrooks“ den geschäftlichen Alltag verschwiegen hatten, erfährt man von seiner Tätigkeit als Staats- und Handelsmann — nichts. Als ‚Herr des Überblicks‘ herrscht er kraft seines Wortes, seine Neuerungen sind, wie die vor Pharao entwickelte Konzeption des großen Hilfsplans, in erster Linie gedankliche Leistungen; ihre Ausführung seine Sache so wenig wie die des Autors, der sie allenfalls summarisch erwähnt, sich da, wo Josephs Tagewerk zur Sprache kommt, mehr noch als sonst des Mittels der Zeitraffung bedient.

So bleibt denn die Sorge um das Gemeinwohl einmal mehr gedankliches Experiment anstatt tätiger Vollzug. Da die Handlung überdies in fernen Ländern und Zeiten („Joseph“)[126] oder in unbestimmbarem ‚Überall und Nirgends‘ („Königliche Hoheit“) spielt, verdichtet sich der Eindruck des Unwirklichen, ja Märchenhaften. Nach Utopie und Zukunftsvision schmeckt denn auch das Fazit, mit dem der Dichter selbst den Weg seines Helden umreißt: In Joseph, hören wir, „mündet das Ich aus übermütiger Absolutheit zurück ins Kollektive, Gemeinsame und der Gegensatz von Künstler-

---

[125]) Vgl. die Schilderung Josephs als eines weltlichen Praktikus, östlicherseits ‚realistisch‘ mißdeutet bei Hans Jürgen Geerdts, Klassisch-realistische Wiederholungen im Schaffen Thomas Manns. In: Weimarer Beiträge 1962, S. 711-26; vgl. bes. S. 721/22.

[126]) Gänzlich der Zeit enthoben sind die Vorgänge im „Zauberberg“.

tum und Bürgerlichkeit, von Vereinzelung und Gemeinschaft, Individuum und Kollektiv hebt sich im Märchen auf, wie er sich nach unserer Hoffnung, unserem Willen aufheben soll in der Demokratie der Zukunft ..." (NSt 182).

Wirkliche Gestalt gewonnen hat das soziale Werk der Vorsorge und Mithilfe in keinem seiner Werke. Sozialistisch orientierter Kritik (Julius Bab) gegenüber gesteht er dieses Manko denn auch freimütig ein. „Daß das Soziale meine schwache Seite ist, — ich bin mir dessen voll bewußt", heißt es 1925 im Hinblick auf den „Zauberberg" (Briefe I, 238). Sofern sie die individualistischen Tendenzen seines Schaffens betraf, war Thomas Manns Selbstüberwindung so wenig eindeutig wie überzeugend. Als Künstler glaubt er auch weiterhin (1926) an den Wert und die Rolle des Individuums (s. RuAe I, 623), läßt er sich das Geständnis entfahren, die eigentlichen Motive seines Schriftstellertums seien „recht sündig-individualistischer, das heißt metaphysischer ..., kurz: ‚innerweltlicher' Art" (RuAe I, 752). Sie sind es noch bei Abfassung der Josephs-Romane. Im Vordergrund steht auch dort nicht die Staatsaktion — überhaupt nicht die Aktion — sondern das private, das Seelendrama, im dritten Band das zwischen Knecht und Herrin, zuvor und später jenes zwischen Joseph und seinen Brüdern. Ethischer Individualist blieb Thomas Mann zeit seines Lebens (s. Briefe I, 160), nur daß er des Künstlers Recht auf individuelles Ethos (s. Betr 483) nun weniger stark als früher betont. Als er gegen Politik und Demokratie in Fehde lag, durfte er ‚Persönlichkeit' ungescheut „das einzig Interessante auf Erden" nennen (Betr 482/83). Wenn sich dies später verbietet, bleibt der Mensch ihm doch in erster Linie ein metaphysisches, weniger ein soziales Wesen (s. Betr 240). Die Dinge individuell sehen, ist am Ende nicht die einzige Art mehr, sie menschlich zu sehen (s. Betr 470), die Alternative aber führt nicht länger in Richtung auf das Soziale, sie liegt auf dem Wege zu Mythos und Allsympathie.

2. Die Problematik des ‚Lebensja' im „Zauberberg"

Thomas Mann hat in essayistischen Äußerungen der frühen dreißiger Jahre keinen Zweifel gelassen, von wannen er die Lebensfreundlichkeit seines Werkes datiert wissen möchte. Die Künstlernovelle von Aschenbachs Untergang war die letzte, die den Tod im Titel trug und zum Thema hatte. Es folgt der „Zauberberg" und damit ein „Buch ideeller Absage an vieles Geliebte, an manche gefährliche Sympathie, Verzauberung und Verführung, zu der die europäische Seele sich neigte und neigt und welche alles in allem nur *einen* fromm-majestätischen Namen führt", den des Todes nämlich (RuAe I, 754).

Kritischer Blick vermißt auch an dieser Absage das Überzeugende; keineswegs ist das Lebensja über alle Zweifel erhaben, im Gegenteil. Von Krankheit und Tod handelt der Sanatoriumsroman wie kein zweiter, zum Leben führt er allenfalls sehr indirekter Weise, auf dem Umweg über Körper- und Seelengebrechen. Mit dem Helden lernen wir, daß es zwei Wege gibt zum Leben: „‚der eine ist der gewöhnliche, direkte und brave'". Er führt zu physischer Robustheit ohne Wert und wird weder hier noch sonst jemals beschritten. Der andere aber ist schlimm und voller Gefahren, „‚er führt über den Tod, und das ist der geniale Weg'"(Z XXV), der Weg auch Hans Castorps. Die Parteilichkeit der Wertung aber nährt den Verdacht, er möchte beschrieben sein mehr um der Fährnisse als um des Zieles willen; so daß denn dies Ziel — höhere, geistverbundene Gesundheit — nichts wäre als ein sophistischer Vorwand,mit dem man die Erlaubnis einhandelt, ein bedenkliches Thema um so ungestörter abhandeln zu können? Dagegen ließe sich einwenden, und Thomas Mann hat es oft genug getan, der Tod sei in diesem Roman als komische Figur gesehen (s. RuAe I, 754. Briefe I, 231) und erfahre damit erstmals die gleiche Behandlung, die früher ausschließlich dem Leben zuteil ward. Aber selbst wenn es gelungen sein sollte, den Vorgang des Sterbens zur komischen Fratze zu machen — was wir bezweifeln — bleibt der Vorwurf bezeichnend. Daß der Dichter sich just an diesem Objekt karikierend versuchte, ist der wohl schlagendste Beweis für die immer noch wirksame Macht des Todes. Die Auffassung von Krankheit und Tod als eines notwendigen Durchgangs, als der im Grunde einzigen Möglichkeit, zu Wissen, Gesundheit und Leben zu gelangen, ist nichts anderes als eine dialektische Verschleierung des alten Zustandes. Lebensfreundschaft, die vom Tode weiß (s. RuAe I, 620), bleibt allemal ein heikel Ding. Der Schriftsteller, dem diese Haltung eignet, ist damit kein einfaches Kind mehr des Lebens, sondern ein Sorgenkind allenfalls (s. RuAe I, 621), mit Betonung der ersten Hälfte des Kompositums. Durch solche Spitzfindigkeiten eingeengt, wird der Weg seiner Helden zum Grat, ihr Schreiten ein Balanceakt über Abgründen, das Ziel rückt in unerreichbare Ferne. Wie sehr gefährdet sie sind, zeigt das Schicksal Hans Castorps. Sinnlich und geistig verliebt in den Tod (s. Briefe I, 232), erliegt er nur zu willig seiner Verführung, und wenn er befreit wird am Ende, so durch äußere Einwirkung, ohne sein Verdienst. Sollte das Werk Thomas Manns lebensfreundlich heißen, müßte es andere Verwirklichungen geben.

3. Frühere Versuche: Die auslösende Rolle biographischer Anlässe

Schon früher, in den Novellen nach den „Buddenbrooks", war der Dichter auf der Suche nach neuen Wegen (s. RuAe I, 737). Seit „Tonio Kröger" (1903) ist in seinem Schaffen von Liebe die Rede, einer verliebten Bejahung dessen, was man selbst nicht ist, des Lebens also in Gestalt der Blonden und Blauäugigen. Doch ist diese Regung an ihrer Wurzel nicht zweifelsfrei. Nicht minder hektisch als die Reaktion des Hasses, ist sie diesem überraschend nahe verwandt. Wo er nichts bedeutet als vergiftete Liebe (s. Erz 126), ist sie wiederum nur versetzter, verdrängter Haß. Der neidvolle Blick des Geistes auf das Leben, er wird nur darum zur Liebe, weil er sich fürchtet, zum Haß zu werden (s. B 682. vgl. Erz 270). — Liebe zum Leben als Voraussetzung künstlerischen Schaffens, dies Postulat Tonios wird vom Autor alsbald ad absurdum geführt: Tonios Sang an das Meer, im Augenblick des Erlebens, mit liebendem Herzen vorgebracht, bricht inmitten hymnischen Überschwangs ab, muß, da Ruhe und gestalterische Distanz fehlen, notwendig unvollendet bleiben. Nicht genug damit, erweist das Fragment sich bei kritischer Analyse als ein höchst sentimentales Machwerk. — Daß zum schöpferischen Akt Lebensunmittelbarkeit gehöre, diese These wird in einer zweiten, zeitlich benachbarten Erzählung ironisch in Frage gestellt. Nach der Lesung „Beim Propheten" muß das Hungergefühl des Novellisten herhalten, ihm „ein gewisses Verhältnis zum Leben" zu unterstellen (Erz 370). Von Daniel selbst erfährt man, in seinem Fall seien alle Vorbedingungen echten Künstlertums gegeben, ein Quentchen nur scheine zu fehlen: „‚Vielleicht das Menschliche? Ein wenig Gefühl, Sehnsucht, Liebe? Aber das ist eine vollständig improvisierte Hypothese ...'" (Erz 370).

Der nächste Fall dargestellter Lebensfreundlichkeit wäre „Königliche Hoheit", insofern hier die Einsamkeit des Helden wie die Immas ihre Erlösung, ihren Weg ins Leben und zur Menschlichkeit findet durch die Liebe (s. Nachlese 172). Indes ist der Optimismus dieses Ausgangs nicht einleuchtender als der der Kröger-Novelle. Als der Roman den erhofften Anklang nicht fand, war der Dichter sogleich bereit, den heiter-persönlichen Abschluß dafür verantwortlich zu machen:„ Den Schluß opfere ich gern. Er ist wohl ein bißchen demagogisch, ein bißchen populär verlogen". Zwar soll man „an die Synthese von Hoheit und Glück ernsthaft glauben ...; aber damit ist noch nicht bewiesen, daß *ich* im Grunde daran glaube". Hält man dies dennoch für sicher, so kommt es immer noch sehr darauf an, „was man unter ‚Glück' und zumal unter einem ‚*strengen* Glücke' versteht" (Briefe I, 81). Was nun den populären Zug des Büchleins angehe, so seien ‚demokratische' Werke von ihm des Weiteren jedenfalls nicht ernstlich zu erwarten (s. Briefe I, 80).

Der Grund für die vorliegende Ausnahme aber war autobiographischer Art. 1905 war für Thomas Mann das Jahr der Eheschließung. Und wie sich ihm alles — noch das geringste — persönliche Erleben zum Roman gestaltete, so natürlich auch dies sicher nicht alltägliche Ereignis. Novarum rerum cupidus zu sein, gesteht er, gehöre zum Amt des Dichters, und „Königliche Hoheit" sei eines der Experimente seines Lebens, „ein stark autobiographisch gefärbtes, stark von persönlichen Lebensumständen bestimmtes Experiment: ich nannte es ja das Buch eines jungen Ehemannes.

Es hatte zum Gegenstand den Pakt der Einsamkeit mit dem Glück und wehrte sich optimistisch gegen das ‚Non-datur', das ‚Gibts nicht', das die Möglichkeit dieses Paktes verneinen will und ihm auch wohl in der eigenen Brust widersprach" (Nachlese 171). Wo er liebte, hatte er bislang immer zugleich verachtet. Diese „Mischung aus Sehnsucht und Verachtung, die ironische Liebe war mein eigentlichstes Gefühlsgebiet gewesen". Katja, oder Imma, wird Thomas Manns „erste und einzige *glückliche* Liebe..." (Briefe I, 53). Eine so beglückende wie beängstigende und jedenfalls ganz ungewohnte Erfahrung. Auf die Helden übertragen, bereinigt sie das zuvor unlösbare Problem, die Schwierigkeit, auf angemessene Art glücklich zu werden[127].

Ein ganz ähnliches Erlebnis scheint der Abfassung von „Tonio Kröger" voraufgegangen zu sein. Briefe aus dieser Zeit sprechen begeistert von dem Erlebnis erwiderter Freundschaft (s. Briefe I, 31; 33), schamhaft nur und als Zitat von dritter Seite wird der Terminus ‚Verliebtheit' zugelassen (s. Briefe I, 27). Wem diese Zuneigung galt, wer sie lohnte, ist nicht mit Sicherheit auszumachen (vgl. RuAe I, 521/22). Gleichviel, die Folge ist, daß Thomas Mann alsbald nur mehr am Schreibtisch verneint und ironisiert (s. Briefe I, 28). Die Vermutung liegt nahe, die Lebensfreundlichkeit des Schaffenden, der hoffnungsvolle Schluß von „Tonio Kröger" möchte am Ende ein heimliches Denkmal dieser Freundschaft sein; womit deren Anlaß geklärt, ihre Bedeutung abgegrenzt wäre. Wo autobiographische Berechtigung fehlt, gibt es zwischen Geist und Leben keine Versöhnung, nur *„die kurze, berauschende Illusion der Vereinigung und Verständigung, eine ewige Spannung ohne Lösung..."* (Briefe I, 179), deren Ausdruck die Sehnsucht ist.

Bleibt das Lebensja des Bergromans, von dessen Problematik eingangs die Rede war. Es spricht am deutlichsten aus den berühmten Zeilen, die Hans Castorp als Fazit und Gewinn seines Schneeabenteuers davonträgt: *„Der Mensch soll um der Güte und Liebe willen dem Tode keine Herrschaft einräumen über seine Gedanken"* (Z 704). Er soll, das ist ethische Forderung, so wenig geleistet wie gestaltet und visionär geschaut allenfalls im Traum. Wie wenig Hans Castorp der neuen Einsicht im Grunde gewachsen ist, lehrt seine (schon komisch zugespitzte) Vergeßlichkeit: „Beim Diner griff er gewaltig zu. Was er geträumt, war im Verbleichen begriffen. Was er gedacht, verstand er schon diesen Abend nicht mehr so recht" (Z 706). Dem Helden ungemäß, ist diese Maxime ganz und gar Eigentum des Dichters. Schon vom Druckbild her sticht sie von ihrer Umgebung, den sie umschließenden Zeilen ab. Und dieser optische Unterschied ist nur Hinweis

[127]) Vgl. das ‚kleine Glück', will sagen die innere Zufriedenheit des Herrn Friedemann (Erz 81 ff) oder der frischvermählten Madame Grünlich B 172.

auf Tieferes, auf die völlige Andersartigkeit der Darbietung nämlich. Inmitten eines auch sonst dem Essay verpflichteten Werkes ist diese Passage nun reine Essayistik. Nur darum ist sie eindeutig, ein Stück Ethik, nicht Religiosität (s. RuAe I, 644), guter Wille, nicht Todverfallenheit. Und so läßt sich am Kontrast dieses einen Satzes zu seiner Umgebung die Gefahr verdeutlichen, der man sich aussetzt, wenn man Selbstkommentar und essayistisches Beiwerk leichtgläubig und ungeprüft auf die Dichtung überträgt.

Für die neue Haltung der Lebensfreundlichkeit lassen sich viele Gründe anführen, neben autobiographischen solche, die aus der Zeit kommen. „Ich bin ein Mensch des Gleichgewichts. Ich lehne mich instinktiv nach links, wenn der Kahn nach rechts zu kentern droht, — und umgekehrt", schreibt Thomas Mann einmal an Karl Kerenyi (Briefe I, 354). Als ‚Menschlichkeit' und ‚Liebe' literarisch im Schwange waren — zur Zeit der „Betrachtungen" etwa — goß er Hohn und Ironie darüber aus (s. RuAe I, 747). Im Augenblick, da die Faszination des Todes überhand nimmt und man allerorten zum Untergang der Menschheit bläst, ergreift er die gegenteilige Partei (s. Briefe I, 242), macht er sich das Leben zur Aufgabe und Pflicht.

Daß ihm dieser Entschluß nicht leicht wurde, zeigt ein Blick auf sein Werk, das erfüllt ist vom Zauberlied des Todes. Der Gedanke an den Tod, er ist dem Dichter „der vertrauteste; er steht hinter allem, was ich denke und schreibe..." (RuAe I, 644). „Keinen Tag, seitdem ich wach bin, habe ich nicht an den Tod... gedacht" (RuAe I, 645), gesteht er und „meine Bücher handeln eigentlich nur von ihm" (Briefe I, 134)[128]. „Buddenbrooks" behandeln den Verfall einer Familie, das Absterben adliger Lebensform; der „Zauberberg", Roman der Reifezeit, spielt in Sanatoriumsmilieu. „Joseph", das Werk des Sechzigjährigen, ist noch einmal „eine Verfalls- und Verfeinerungs-Geschichte" wie der Erstling (Briefe I, 390). Bedrängt, ein Stück daraus vorzulesen, wählt er unbedenklich „einen Todesfall", in der sicheren Überzeugung, „darin... nun einmal stark" zu sein (Briefe I, 402).

Um die Konzeption des „Zauberberg" befragt, nennt er „Todesromantik plus Lebensja" als die bestimmenden Themen (Briefe I, 151). Dichterische Gestalt gewonnen hat nur der erstere Komplex; Lebensfreundlichkeit ist allenfalls als Ethik da, vorhanden nur als pflichtmäßiger Entschluß[129], und

---

[128]) Aus dieser Todvertrautheit heraus spricht Thomas Mann gelegentlich davon, ärztliche (wie priesterliche) Existenz hätten von jeher zu seinen inneren Möglichkeiten gehört (s. Briefe I, 165).

[129]) Ähnlich unterscheidet Karl Smikalla — Die Stellung Thomas Manns zur Romantik, Diss. Würzburg 1953 — zwischen ethisch gefordertem und künstlerisch zu leistendem Lebensdienst (vgl. S. 86; 149 ff).

beschränkt darin auf die Essays[130]. Die Kommentare zum „Zauberberg", sie sind Äußerungen des guten Willens zu Zeit- und Lebensdienst (s. Briefe I, 218), das Buch selbst ist es kaum[131]. Will sein Schöpfer in politicis nur das Lebensfreundliche (s. Briefe I, 280), als Künstler steht er dem Tode näher, ist ihm die Neigung vertraut, alle Dinge in seinem Licht und Zeichen zu sehen (s. RuAe I, 644). Lebensfreundlichkeit sinkt dann zu bloßer Lebenswilligkeit und geringerem ab. Wie schwer selbst diese errungen ist, lehrt ein Ereignis wie das Erscheinen des Faustusromans. Daß seine lebenverleugnenden Tendenzen ethischer Forderung gegenüber einen katastrophalen Rückfall bedeuten, steht außer Zweifel. Und ebenso reicht die Existenz dieses Opus hin, jeden Versuch, den „Zauberberg" als ein Buch des Abschieds deklarieren zu wollen, in das Reich der Legende zu verweisen.

d) Lösungsversuche der mittleren und späten Schaffensperiode:

1. Die Josephsromane: Abkehr vom Individuellen zum Mythischen — Mythos als Möglichkeit der Aufhebung des Individuums im Typus

Die Grenzen des Individuums auszuweiten, wurden nach dem „Zauberberg" zwei Wege beschritten, zunächst der in mythische Gefilde, alsdann der Versuch einer Anverwandlung von Ich und All.

Der jugendlich forcierte Individualismus des Anfangs wird abgelöst von einem allmählich wachsenden Interesse fürs Religionshistorische und Mythische (s. AuN 751/52). Daß diese Wendung möglich wurde, mußten Überpersönliches[132] und Privates, Weltwende und Lebenswende in eins fallen. 1914, im Jahr des Kriegsausbruchs, wurde Thomas Mann 40 Jahre alt. Er war kein ganz junger Mensch mehr, und den Jahren entsprechend begann „der Geschmack an allem bloß Individuellen und Besonderen, dem Einzelfall, dem ‚Bürgerlichen' im weitesten Sinne des Wortes allmählich abhanden" zu kommen (NSt 166). Jugend sei notwendig individualistisch und nur dies, heißt es rückschauend in der Tischrede zur Feier seines Fünfzigsten Geburtstages (s. AuN 288). Nun, im fünften Jahrzehnt seines Lebens, rückt das Interesse am Überpersönlich-Typischen in den Vordergrund. Die Arbeit an den Josephsromanen beginnt.

---

[130]) Walter Hartung — Thomas Mann und das Bürgertum, Diss. Bonn 1949 — will die Lebensfreundlichkeit eindeutig beschränkt wissen auf die Essays: „Vergleicht man die schriftstellerischen und die dichterischen Werke, so überwiegen die lebensoptimistischen Äußerungen in den pädagogisch-tageskritischen Schriften. Das beispielhafte Verantwortungsbewußtsein des Dichters drängt bewußt den Pessimismus ... in die Symbolwelt der Dichtung zurück" (S. 106).

[131]) allenfalls in der Ironisierung des Todes s. Briefe I, 231/32.

[132]) Gemeint ist die nunmehr ‚verringerte' Bedeutung des Individuums.

Man hat Thomas Mann[133] des öfteren leis vorwurfsvoll angesprochen, wie um Himmels willen er ausgerechnet auf diesen abseitigen Stoff verfallen sei (s. NSt 163). Eine so einfältige wie überflüssige Frage, geht doch die Adaption des scheinbar so Fremden aus der Problematik des Jugendwerkes bündig hervor. Der Schritt vom Individuellen ins Mythische, mit dem der Dichter eine neue Stufe seines literarischen Lebens betrat, ist zugleich ein Schritt vom Besonderen weg ins Allgemeine, vom Individuellen ins Typische (s. AdG 514). Denn „das Typische ist ja das Mythische schon, insofern es Ur-Norm und Ur-Form des Lebens ist" (NSt 166/67) und umgekehrt. Es ist recht eigentlich die „Einsicht in die Identität dieser beiden Begriffe, des Typischen und des Mythischen, die dem ganzen Werk zugrunde liegt (Briefe I, 390).

Ein weiteres kam hinzu. Was den aufs höchste bewußten späten Dichter am Mythos reizte, es war, außer der Nähe zum Typisch-Allgemeinen (s. NSt 180/81. AdG 516/17) der Hauch des anfänglich Unbewußten. Wiederaufnahme biblischen Stoffes, damit tauchte er ein nicht nur in historisch entlegenere Welten, er wechselte über gleichsam auch in eine frühere Zeit des Tages, jene Phase, die dem Aufgang der Sonne voraufliegt. Was er betrat, war eine Landschaft, getaucht in das milde, weiche Licht des Mondes. Die Vorteile, die er dabei einhandelte, liegen auf der Hand. Er ließ die schmerzliche Klarheit des Sonnenlichts zurück zugunsten eines Zustandes minderer Genauigkeit (s. J 17), darin Linien und feste Umrisse verfließen, die Konturen verschwimmen und wohltuendes Ungefähr sich ausbreitet. Es war, mit einem Wort, der Vorteil des Traums gegenüber dem des Wachseins. ‚Träumerisch' ist nun ein häufig gebrauchtes Epitheton in den Josephsgeschichten. Je nüchterner, tagheller die einst beschworenen Welten, desto größer die Wohltat träumerischer Ungenauigkeit. Was der Weltzustand im Zeichen des Mondgestirns verstattet, ist Identitätsverwechslung, das träumerische Ineinanderfallen von Personen und Begebnissen, ‚Mondgrammatik', ermöglicht durch den Umstand, daß das „Ich sich nicht als ganz fest umzirkt erwies, sondern gleichsam nach hinten offenstand, ins Frühere, außer seiner eigenen Individualität Gelegene überfloß und sich Erlebnisstoff einverleibte, dessen Erinnerungs- und Wiedererzeugungsform eigentlich und bei Sonnenlicht betrachtet die dritte Person statt der ersten hätte sein müssen" (J 122/23).

Der dämmrigen Helle der Welt entspricht die schwankende Bewußtseinslage ihrer Bewohnerschaft (s. J 128). Thomas Mann erzählt hier von Leuten, „die nicht recht wissen, wer sie sind", Leuten, die zwischen Ich und Nicht-Ich weniger scharf unterscheiden als wir es tun, da für sie „das Leben des Einzelwesens sich oberflächlicher von dem des Geschlechtes sonderte, Geburt und Tod ein weniger tiefreichendes Schwanken des Seins bedeutete ..."

[133]) wie bei Erscheinen von „Königliche Hoheit" s. RuAe I, 734.

(J 128). Was sie „Geist und Bildung nennen, ist gerade das Bewußtsein, daß ihr Leben die Fleischwerdung des Mythos ist, und ihr Ich löst sich aus dem Kollektiven etwa so, wie gewisse Figuren Rodins sich aus dem Stein losringen ...“ (NSt 180/81). Dies aber, „wer der einzelne wesentlich, außer der Zeit, mythischer- und typischerweise“ ist, weiß man ganz genau (J 201), so viel Unklarheit im übrigen hinsichtlich des individuellen und zeitlichen Loses herrschen mag. Jaakobs Rollenbewußtsein etwa, seine mythische Bildung tritt zutage als Feierlichkeit und würdiges Sinnen (s. J 581). Nicht als „Verlust an Geschlossenheit und Einzeltum“ empfindet er „seine Ausdehnung und sein Verfließen ins Immer-Seiende, das in ihm wiederkehrt und in dem es sich wiedererkennt“, sondern als Wohltat und Weihe (J 1721).

Indem er von Menschen erzählt mit offener Identität, die Frage erörtert, ob denn etwa „des Menschen Ich überhaupt ein handfest in sich geschlossen und streng in seine zeitlich-fleischlichen Grenzen abgedichtetes Ding“ sei (J 123), genießt der Autor selbst die Vorteile der Entpersönlichung. „Vom Individuellen loszukommen ist immer Wohltat“ (RuAe I, 629), heißt es in der Rede zur Verleihung des Nobelpreises. Die Traktierung des Mythos war ein Anlauf dazu, eine Vorkehrung dagegen, daß es dem Einzel-Ich zu eng und heiß wurde hinter der Maske des Lebens (s. J 1033/34). Sie bot die ersehnte Möglichkeit „der Aufhebung der Individualität im Typus“ (AdG 590). Thomas Mann selbst hat uns ermächtigt, in dieser Vorsorge den geistigen Nerv der ganzen sonderbaren Veranstaltung zu erblicken, jenen Punkt, von dem der stärkste Reiz auf seine künstlerische Unternehmungslust ausging (s. RuAe I, 768/69).

Und doch bleibt es nicht bei der Zelebrierung des Mythos (s. Briefe I, 390). Es war des Dichters unseliger Hang zum Psychologisieren, der ihn auch nach Abschluß des „Joseph“ nicht zur Ruhe kommen ließ. Die Sucht, allem, das er begreift, Bewußtsein einzuhauchen, macht ihn zu einer Art von intellektuellem Midas. Thomas Mann und die Bibel, das war Lebensspäte, die sich im menschheitlich Frühen sympathisch ergeht (s. J 1086). Spuren blieben zurück, die Welt, die er aufs Neue beschwor, verlor dabei ein gut Teil ihrer geistigen Unschuld, Bewußtsein als Wissen um die Identität mit dem mythischen Vorbild genügt bald nicht mehr. Neben Jaakobs biedere Würdenpose (s. Briefe I, 358) tritt Josephs witzig-berechnendes Verhalten (s. J 581). Josephs Verhältnis zum Mythos ist freier und leichter, lockerer auch, sein Umgang mit ihm besteht in Scherz und Anspielung (s. J 707)[134]. Kühn und ohne Scheu spielt er mit allerlei Nachfolge, nutzt das träumerisch-duldsame Entgegenkommen der Umwelt zu nur halb er-

[134]) Vgl. dazu Werner Schwan, Festlichkeit und Spiel im Romanwerk Thomas Manns. Die Entfaltung spielerischen Lebensbewußtseins von „Buddenbrooks“ zur Josephstetralogie, Diss. Freiburg 1964, S. 71-79 u. 166 ff.

füllten und darum hochstaplerischen Identifikationen (s. Briefe I, 271). Josephs Seele ist, um das frühere Bild fortzusetzen, träumerisch und intelligent zugleich (s. J 817). Darin steht er dem Dichter näher als alle übrigen Gestalten. Sein Spiel ist das Spiel des Autors mit dem Mythos. In dem Maße, in dem er Souveränität und Abstand gewinnt zur Welt seiner Väter, erliegt der Narrator der Versuchung, die ehrwürdige Benommenheit mythischen Personals, Eliezers Unsicherheit etwa, wer und was alles er ist, komisch zu behandeln. So jung und morgendlich der gewählte Stoff schien, bei Joseph angelangt, ist die Erzählung einmal mehr die Geschichte eines Spätlings und Enkels. Indem sie den Schauplatz wechselt, die Weiden Kanaans verläßt und überschwenkt nach Ägypten, ist sie eingekehrt auf historischem Boden, angelangt in einem Reich des Endes und der wunderlichen Vergreistheit. Damit war ein Äußerstes erreicht. Während die Aneignung des Mythos mit seiner Auflösung endete, brachen die Leiden an der Individuation, vorübergehend beschwichtigt, aufs Neue hervor.

2. Der „Krull" als letzte Antwort auf die offenen Fragen des Jugendwerks — Entgrenzung diesseits des Todes auf Kosten einer Entwirklichung der Welt ins Märchenhafte

Der Versuch, die Grenzen des Individuums ins Kosmische zu verlängern, das Ganze wiederum im Individuum leben zu lassen (s. RuAe II, 37), steht noch aus. Diese letzte und gültigste Antwort auf die offenen Fragen des Jugendwerks verbirgt sich an einer Stelle, wo man sie am wenigsten vermuten würde, wir meinen die „Bekenntnisse des Hochstaplers Felix Krull"[135].

Wurde das Dasein in den „Buddenbrooks" als peinvolle Haft empfunden, die Leiden der Bewußtheit als Leiden an der Begrenztheit alles Irdischen dargestellt, dies Buch bringt die Erlösung von allen Hemmnissen, ist bei aller Leichtigkeit des Tons der ernste, umfassende Versuch einer Verrückung und Erweiterung der Grenzen des Menschlichen.

Durchbrochen werden als erstes die äußeren Schranken des Raumes. Die Auflösung der Familie, sonst Zielpunkt des Geschehens, ist nun gleich eingangs vorweggenommen. Mit der Lösung aus allen familiären Bindungen wird Krull wesentlich zum Reisenden. Anders als in den „Buddenbrooks" führen seine Abenteuer uns auf eine Fülle von Schauplätzen. Aus kleinstädtischem Rahmen (Eltville) begleiten wir ihn über Frankfurt in die Metropole Paris. Welt und Mensch kommen sich in dieser Stadt auf halbem Wege entgegen (s. Krull 279), zumal wenn der Schauplatz ein Hotel, ein Ort der Einkehr, der Begegnungen großen Stils ist. — In der Rolle

[135]) Der Kürze halber wird das Buch künftig als Einheit behandelt, ohne auf den frühen Entwurf und die spätern Wandlungen und Weiterungen der Grundidee einzugehen.

des Marquis de Venosta begibt Felix sich weiter nach Lissabon, um auf den Spuren früherer Entdecker (s. Krull 301/02), als eine späte ‚Seelilie' gleichsam (s. Krull 304), eine großangelegte Reise anzutreten, die ihn — so war es geplant — durch vier Kontinente (s. Krull 79)[136], d. h. (unter Ausschluß Australiens) um den ganzen Erdball an seinen Ausgangspunkt zurückführen sollte.

Daß der Weg in räumliche Fernen zugleich eine Reise ist in die Tiefe der Zeit, in die Vergangenheit[137], wird Felix gleich zu Beginn seiner Ausfahrt bewußt, wenn sein kurioser Reisegefährte ihm Portugal als ein Land von großer Vergangenheit beschreibt (s. Krull 301). — Nun kommt Zeit, wie wir wissen, nach Meinung des Dichters niemals objektives Sein zu (s. Z 94; 490. KH 361). Im „Zauberberg" etwa wird alles getan, ihren vermeintlichen Wirklichkeitscharakter in Zweifel zu ziehen. Was sich als wahre Form des Seins offenbart, ist statt zeitlicher Abfolge ein zeitlos ewiges Nebeneinander, stehende Ewigkeit, ein magisches nunc stans (s. B 684. Z 263; 776. AdG 304)[138]. Nicht von ungefähr wird Felix am Tisch des Speisewagens mit dem Direktor eines naturhistorischen Museums bekannt. Die Einladung zum Besuch seines Instituts, dessen Räume alle je existenten und zwischenein verlorenen Formen tierischen (s. Krull 347 ff) und menschlichen Seins (s. Krull 351 ff) beherbergen, der Rundgang darin liefert einen einzigartigen Anschauungsunterricht für die These, daß auf Erden „immer alles gleichzeitig und nebeneinander versammelt sei..." (Krull 365)[139]. — Größte raum-zeitliche Ausdehnung wird dem Helden in jenem kosmischen Gespräch mit Kuckuck[140] zuteil, darin dieser ihn mit den schwindlichten Dimensionen des Weltalls bekanntmacht (s. Krull 314 ff).

---

136) Die genauere Reiseroute erwähnt „die beiden Amerika, die Südsee-Inseln und Japan, ... Ägypten, Konstantinopel, Griechenland, Italien ...'" (Krull 285/86).

137) In übertragenem Sinne sind auch die Kostümiaden, bei denen Krull sich mit Hilfe von Tracht und Perücke den jedesmaligen Zeitaltern anzupassen scheint (s. Krull 30/31), Reisen in die Vergangenheit.

138) Die künstlerische Handhabe, Zeitlosigkeit zu erzielen, ist mit Einführung der Leitmotive gegeben. Indem sie im fortschreitenden Erzählen Zurückliegendes aufgreifend wiederholen, bewirken sie Aufhebung der Zeit, soweit dies in epischer, vom Nacheinander lebender Kunst, überhaupt möglich ist. In diesem Sinne sind Thomas Manns Romane immer zugleich das, wovon sie sprechen (s. Z XXIII).

139) Und um ihm das gleiche Erlebnis im Hinblick auf Fauna und Flora zu bescheren, wird er eingeführt in den Botanischen Garten der Stadt, der die umfassendste Sammlung ist von Pflanzen aller Klimazonen und Vegetationsepochen (s. Krull 303; 363/64).

140) Auch hier gilt die Regel: Nomen est Omen. Der Vogel, auf dessen Namen der Professor hört, ist berühmt für die Angewohnheit, seine Eier artfremden Brütern unterzuschieben. Die zwangsweise zu Eltern Erkorenen müssen nicht selten erleben, daß der ungebetene Gast heranwachsend alle gewohnten Maße hinter sich läßt, die übrige Brut gefährdet und am Ende das Nest sprengt. Hier setzt der Vergleich ein: Mit seiner Gelehrsamkeit, seiner Kenntnis des Weltalls ist Felixens Reisebekannt-

Die dritte Form der Expansion ist die des Gefühls (s. AuN 209), ihr stärkster Antrieb die Liebe. Felix' Liebesbegabung nun ist unübertroffen, die Zahl seiner amourösen Abenteuer Legion. Alle zur Schau getragene Leichtfertigkeit verschleiert indes nur die tiefe, ungestillte Sehnsucht des einen, abgesonderten Ich nach befreitem Aufgehen im anderen[141]. Krulls Liebe ist von jeher „wenig spezialisiert oder genau bestimmt" (Krull 63), statt dem einzelnen Du gilt sie dem Weiblichen schlechthin[142]. Und indem sie weniger das junge Mädchen sucht als die reife Frau und Mutter, erweist sie sich zuletzt als Heimverlangen in den Mutterschoß (s. Krull 206/07. vgl. Erz 748), in den dunklen Urgrund gestaltlosen, alleinen Seins. — Genugtuung findet sein liebendes Sehnen nicht erst im endlichen Vollzug, es weiß daneben um zartere, weniger massive und direkte Formen der Befriedigung. Auch in dieser Hinsicht stellt das Eisenbahnkapitel einen Höhepunkt dar. Kuckucks biologischer Beweis von der Einheit aller organischen Substanz (s. dazu AuN 139) soll seinen Eleven bereit und fähig machen zur Allsympathie (s. Krull 318/19).

Vergleichen wir die Helden des ersten und letzten Romanwerks miteinander, so ist Krulls Individuation unzweifelhaft glücklicher (weil weniger eng) als die Thomas Buddenbrooks. Über dem Geist-Leben-Schema stehend[143], bleibt seine Zugehörigkeit selbst in geschlechtlichem Sinne unge-

schaft geistig über jedes menschlich irdische Maß hinausgewachsen. Sternenaugen (s. Krull 300) sowie gewisse Wendungen seiner Rede bezeugen die Siriusferne, aus der sein Schauen kommt (s. Krull 408; 398).

141) Daneben bedeutet schon der bloße Namenswechsel ein Durchbrechen individueller Schranken. Jeder Name ist zugleich „‚ein Stück des Seins und der Seele'" (Erz 730), mit der Person, die ihn trägt, untrennbar verbunden (s. Krull 396). Namenswechsel ist somit immer auch Identitätswechsel (s. AdG 55), Namenstausch kommt einem Persönlichkeitstausch gleich. Der junge Felix beneidet die ältere Schwester um die Chance, wenigstens einmal im Leben ihren Namen wechseln zu können (s. Krull 65). Er für seine Person wird dies später oft genug tun, und solche Wechsel werden jedesmal verbunden sein mit dem köstlichen Gefühl der Lebenserfrischung (s. Krull 298), der Verjüngung und neuen Geburt.

142) Frauen sind nach Meinung des Dichters mehr Natur, d. h. weniger Umriß, Individuum als der Mann (s. AdG 471). So haben wir den Umstand zu verstehen, daß, wo immer die Gatten verschiedener Herkunft sind, die Frau es ist, die aus exotischen Fernen kommt. In Tonio mischt sich typisch nordisches Temperament des Vaters mit „unbestimmt exotischem Blut" von seiten der Mutter (Erz 337. vgl. Immas schillernde Blutzusammensetzung KH 310; 161 oder Roszas aufs höchste ungewisse Herkunft Krull 138). — Ihre Naturnähe macht sie zwar gesunder, ausdauernder, andererseits ist gerade sie entscheidend verantwortlich zu machen für ihr relativ untergeordnetes Dasein im Werk Thomas Manns: Als ‚Heldin' wird allenfalls die ‚vermännlichte', will sagen intellektuelle Frau vom Schlage Imma Spoelmanns zugelassen.

143) Blond und blauäugig wie die lebensvollen Gestalten, ist sein Teint der des zart-brünetten Typs, so daß es letztlich ungewiß bleibt, ob er „nun eigentlich blond oder brünett von Erscheinung sei..." (Krull 17; vgl. 79; 207).

wiß. Was er darstellt, ist der holde Augenblick des eben Noch und noch Nicht, der Übergang zwischen Knabe und Vollmann (s. Krull 206), was ihm eignet, der Reiz „,jugendlicher Früh-Männlichkeit...'" (Krull 207. vgl. Erz 478). Felix ist nicht Frau und nicht Mann, sondern etwas Wunderbares dazwischen (s. Krull 130), er ist das Menschliche[144] ungeteilt, in voller, ganzer Gestalt[145]. Was Wunder, daß er sich der Liebesbezeigungen von beiden Seiten zu erwehren hat? Diane zitiert ihn in der Liebesnacht als „,Mignon in Livree'" (Krull 202) und spielt damit an auf das Zwitterhafte, Androgyne seiner Natur.

Wodurch Felix sich vor seiner Umgebung auszeichnet, ist die Gabe der Phantasie (s. Krull 16; 17; 66; 281). Verstanden als innere Anschauung der Dinge (s. Krull 48) und also statt in nebelhafte Fernen auf Wirklichkeit gerichtet, von ihr genährt (s. AuN 378/79. AdG 528), wird sie zum entscheidenden Mittel der Lebensbemeisterung. Kraft innerer Kenntnis bleibt ihm nichts fremd, nichts unmöglich. Daß er allen Sätteln gerecht ist, die überraschendsten Situationen, schwierigste Anforderungen besteht, verdankt er allein diesem Göttergeschenk. Mit ihr gewinnt sein Wesen etwas göttlich Allumfassendes (s. dazu AuN 425). Alle Möglichkeiten der Welt (phantasieweise) in sich hegend (s. Krull 173), verfügt er letztlich nach Belieben über jede Identität (s. dazu AdG 68). Phantasie ist, mit einem Wort, Voraussetzung seines Lebens im Gleichnis (s. Krull 42).

Nun ist zwar Thomas' Individuation, seine „Absonderung vom Ganzen" (AdG 80/81) weniger glückhaft, doch trägt auch er „den Keim, den Ansatz, die Möglichkeit zu allen Befähigungen und Betätigungen der Welt" in sich (B 682). Universalität der Veranlagung ist überhaupt von früh an bezeichnend für die Mann'schen Figuren (vgl. Tonio Krögers Selbstaussage Erz 289). In diesem Punkte sind sie nicht grundsätzlich, höchstens graduell voneinander verschieden. Und gleich stark ist zu aller Zeit der Drang nach Entgrenzung, nach Entfaltung dieser Anlagen, nur daß er erst die Gestalt der Todessehnsucht annimmt, ehe er sich als liebendes Weltverlangen offenbart.

Trotz annähernd gleicher Voraussetzungen nehmen Thomas' und Felixens Weltbegegnung einen total anderen Verlauf. Krulls Leben im Gleichnis gelingt vollkommen. Wieder und wieder schafft er es, seine Phantasien (das innerlich Vorweggenommene) in die Wirklichkeit hinüberzuführen, nicht völlig zwar, aber doch so täuschend ähnlich, daß die Welt seine Produktion für die Realität selbst annimmt (s. Krull 44). Er spielt den Schulkranken (s. Krull 45 ff) mit ebenso großem Erfolg wie den Epileptiker

---

[144]) will sagen Naturhaft-Geistige.

[145]) Vgl. seine Vorliebe für das umfassend Menschliche, für Geschwisterpaare Krull 97 ff; 330/31; 355; 361 ff; 436 oder das Doppelbild von Mutter und Tochter Krull 330/31; 343; 355; 362/63; 369; 405; 407; 413; 424; dazu Z 700. AuN 774.

(s. Krull 120 ff), er mimt den Geigenvirtuosen so echt, daß das betörte Publikum nach da capos verlangt (s. Krull 25 ff), er wirkt als Kellner gleichermaßen überzeugend wie als Marquis. Und bei Fortsetzung des Romans hätte er sich unzweifelhaft in einer Reihe weiterer Verwandlungen glänzend bewährt. — Daneben Thomas: Seine Versuche in gleicher Richtung — Versuche der phantasieweisen Existenz — scheitern vollkommen (s. B 634; vgl. 287; 375/76). Ja, er weiß insgeheim von Anbeginn an um die Unmöglichkeit ihres Gelingens (s. dazu Erz 289).

Noch einmal gefragt: Was bewirkt den Untergang des einen, was den Triumph des andern? Wie kommt es, daß der Universalität der Veranlagung anfangs keine gleich umfassende Verwirklichung beschieden ist? Sicher entscheidet nicht die größere Vitalität, Energie und Zähigkeit auf seiten Krulls über Erfolg oder Mißerfolg, oder doch nicht sie allein. Am Ende ist es die Realität selbst, die den Ausschlag gibt? Es erhebt sich der Verdacht, daß, wo nicht der Mensch sich entscheidend verändert hat, es vielleicht die Wirklichkeit getan haben müsse.

Ihre Wandlung wird exemplarisch deutlich anläßlich des Diebstahls im Delikateßladen (s. Krull 54 ff), der nichts Geringeres ist als ein Griff in die Süßigkeiten des Lebens schlechthin (s. Krull 139). Daß dieser Griff aller Wahrscheinlichkeit zum Trotz gelingt, muß die Welt einen Augenblick aufhören, sie selbst zu sein. Das Wunder, das sich im Moment der Tat ereignet, ist das Versagen, das Außerkrafttreten der raum-zeitlich-kausalen Bedingungen, denen das Dasein sonst unterliegt. Felix sieht „die schwerfällige Ordnung und Gesetzlichkeit des Alltages aufgehoben, die Hindernisse und Umständlichkeiten, die im gemeinen Leben sich der Begierde entgegenstellen, auf schwebende und glückselige Weise beiseite geräumt“ (Krull 55/56). Diese Veränderung wird ‚traumhaft‘ genannt, und in der Tat kommt die Welt in so schwebender Unwirklichkeit der des Traums oder Märchens gleich[146].

Neben der Wirklichkeit her lebt Felix sein Leben der Phantasie, das zugleich ein Leben ist der völligen Freiheit (s. Krull 126/27). Es ist möglich nur da, wo dem Menschen von außen her kein Zwang entgegentritt. — Anders jene Welt, der die Verzauberung des Märchens nicht zuteil wird. In ihr ist Sein immer nur Schwersein seiner Identität (s. AdG 79). Das Leben dort wird beherrscht von dem, was sich tagtäglich wiederholt (s. Betr 95), es zeigt die Neigung, einen Mann an seiner Stelle zu verbrauchen (s. Krull 231), wie dies Thomas Buddenbrook zum Verhängnis wird. Krulls

[146]) Und an das Märchen wird in diesem siebenten (!) Kapitel reichlich erinnert. Der Laden erscheint als Schlaraffenland, als Berg Sesam; Felix fühlt sich in der Rolle des Märchenhanses, der das Zauberwort weiß, das ihm alle Schatzkammern öffnet (s. Krull 55).

Taten in lübisches Klima transponiert, und die Katastrophe wäre vollkommen. Man würde ihn des gemeinen Diebstahls bezichtigen, ihn der Kuppelei überführen und als Hochstapler dingfest machen[147]. Ihm wäre, um das frühere Bild aufzugreifen, das Zauberwort entfallen, das ihm Zugang verschaffte zu allen Schätzen der Erde. In einem Lübecker Hotel wäre Felix Liftboy geblieben für alle Zeit, wie Thomas den Geschäftsmann spielen muß sein Leben lang. Diesen tödlichen Zwang zu beseitigen, wurde der entschwerende Zauber des Märchens bemüht.

Märchenhaft wie die „Bekenntnisse" sind alle früher erreichten Lösungen Thomas Manns, der glückliche Ausgang von „Königliche Hoheit" (s. RuA 346. Nachlese 172 ff) ebenso wie das Ende der Joseph-Tetralogie (s. NSt 182). Wo ein Leben der Entgrenzung gefunden ist diesseits des Todes, da stets um den Preis der Entwirklichung. Niemals zeigt der Held sich entscheidend gewandelt, immer ist es die Welt. Zwar bietet der „Krull" eine Lösung, eine Befreiung aus Daseinsnot und -enge, aber dies nicht in realistischer Manier. Die Flucht in den Tod war ein Ausweichen vor der Forderung nach Lebensbewältigung, die Flucht ins Märchen ist es ebenso, nur auf weniger bedenkliche Weise. Nicht mehr die ‚üble Erlösung', von der der „Zauberberg" handelt, ist sie auch nicht die Erlösung vom Übel, die man vom Realisten fordern darf. Der Bitte des Dichters, man möge sein Werk einmal ‚lebensfreundlich' nennen (s. AuN 289), wird man ernstlich kaum willfahren können. Josephs Allverliebtheit (s. J 1135), Krulls Allsympathie, sie sind gewandelte Etiketten nur eines Tatbestandes, der im Frühwerk, unter Schopenhauers Einfluß, auf den Namen des Todes lautete[148]. Um störende Assoziationen auszuschalten, wurden sie ins Freundlichere umstilisiert, der leichten Welt des Märchens angeglichen. „Keine Metamorphose des Geistes ist uns besser vertraut als die, an deren Anfang die Sympathie mit dem Tode, an deren Ende der Entschluß zum Lebensdienste steht. Die Geschichte der europäischen Décadence und des Ästhetizismus ist reich an Beispielen dieses Durchbruchs zum Positiven ..." (RuAe II, 51). Und Thomas Mann nennt den Namen Barrès. Er hätte Hofmannsthal aufrufen können. Man hat von Hofmannsthals Wandlung gesprochen[149] und den Gewinn, die Annahme der Realität gemeint im Gegensatz zu den lebenverleugnenden Tendenzen des Jugendwerkes. Eine solche Wandlung läßt sich bei Thomas Mann nirgends konstatieren. Um es noch einmal zu wiederholen: Nicht Lebensfreundlichkeit ist am Ende erreicht, das Werk bezeugt auf allen Stufen die Faszination des Todes. Das Ja zum

[147]) Mit knapper Not kann Tonio Kröger dieser Gefahr entrinnen (s. Erz 315 ff).

[148]) Über dessen Symbolbedeutung als Durchgang zum eigentlichen Leben vgl. S. 86, Anm. 164 sowie S. 200.

[149]) s. den Aufsatz gleichen Titels von Richard Alewyn, a. a. O. S. 160.

Leben bleibt suspekt und zugelassen nur als Lebenswilligkeit im Raum der Essays. Will man dennoch von Wandel sprechen, so kann gemeint sein nur der (zeitbedingte und in seinen Auswirkungen begrenzte) Schritt vom (Nur-) Ästheten zum (Auch-) Politiker. Als Künstler bleibt er, was er immer war, Chronist und Analytiker der Decadence, der mit ihrer Überwindung zwar experimentiert, sie aber letztlich nicht geleistet hat (s. Betr 193). Wie die Mittel der Gestaltung nicht die des Realisten sind, muß man auch jeden Realismus der Gesinnung rundweg verneinen.

SCHLUSS

VERNEINUNG JEDES ‚REALISMUS DER GESINNUNG'

1. Der Eindruck großer Wirklichkeitsnähe und seine Herkunft: Thomas Manns Arbeitsweise als Ursache der wissenschaftlichen Fehlurteile

Thomas Manns Wirklichkeitsverhältnis blieb zeitlebens naturalistisch heikel. Sein Bedürfnis nach starker Wirklichkeit liegt offen zutage (vgl. S. 65 ff). Wenn es nicht die ist, die der moderne Naturalismus bevorzugt (soziales Elend), so darum, weil er für sein Teil keine Veranlassung sah, in solche Niederungen hinabzusteigen, um den Stoff zu finden, auf den er ansprach. Ihm ist jede Wirklichkeit kraß, sofern sie der Vergeistigung entbehrt. Da er das Zarte, Feine, Geistige zum Ideal erhob, mußte aller Ungeist, alle direkte Wirklichkeit in seinen Augen, unter seinen Händen Züge des Groben, Rohen, Plumpen, d. h. aber Häßlichen annehmen[150]. In ironisch-entlarvender Schilderung geistfernen Daseins bewährt sich sein naturalistisches Weltverhalten.

Daß man ihn bis heute unbeirrt als Realisten anspricht, kommt — alle menschliche Trägheit und Traditionsgläubigkeit uneingerechnet — letztlich doch nicht von ungefähr. Mehreres wirkt zusammen, den Eindruck von Realitätsnähe und -dichte entstehen zu lassen. Da ist einmal des Dichters überaus sorgfältige, in ihrer Akribie geradezu wissenschaftlich anmutende Arbeitsweise[151]. Gälte es eine gelehrte Abhandlung, die Umsichtigkeit der Zurüstungen könnte nicht größer sein, das „Sich-eingraben in den neuen

150) Aus demselben Grunde, dem Gegensatz zu den von der Zeit als gültig anerkannten Werten, zeigt die krasse Wirklichkeit, die das Mittelalter sich ausdachte, vornehmlich Züge des Derben, Rohen und Unflätigen (s. Richard Alewyn, ZfdPh 56, 1931, S. 68).

151) Dazu jetzt am eindringlichsten:
Hans Wysling, Die Technik der Montage. Zu Thomas Manns Erwähltem. In: Euphorion 57, 1963, S. 156-99; ders.: Archivalisches Gewühle. Zur Entstehungsgeschichte des Hochstapler-Romans. In: Blätter der Thomas Mann-Gesellschaft 5, 1965, S. 24-44; ders.: Aschenbachs Werke. Archivalische Untersuchungen an einem Thomas Mann-Satz. In: Euphorion 59, 1965, S. 272-314; Gunilla Bergsten, Thomas Manns Doktor Faustus. Untersuchungen zu den Quellen und zur Struktur des Romans. Studia litterarum Upsaliensia 3, Lund 1963; J. Elema, Thomas Mann. Dürer und Doktor Faustus. In: Euphorion 59, 1965, S. 97-117; Heinz Saueressig, Die Entstehung des Romans ‚Der Zauberberg', Biberach 1965.

Arbeitsgrund“ (EF 27) nicht wesentlich forciert werden. Um den „Zauberberg“ schreiben zu können, verwandelt er sich exakt in einen Mediziner, aus Anlaß der Josephsgeschichten ist er, eigenem Vernehmen nach, „ein wenig Orientalist geworden“ (RuAe I, 767. s. EF 40), die Wiederbelebung alter „Faustus“-Pläne stellt ihn vor die Notwendigkeit, Musik studieren zu müssen (s. EF 40)[152]. Drei Beispiele nur, aber sie geben die Regel. Niemals geht der Dichter leichtfertig zu Werk (s. RuAe I, 731), immer hat er die Welten, denen er sich dichtend zuwandte, nach Möglichkeit studiert. Um die „Physiologie ... dichterischen Schaffens“ befragt, macht er aus seiner Langsamkeit kein Hehl: „Dem Beginn eines größeren Manuskripts geht in der Regel eine Periode schriftlicher Vorarbeiten voraus. Das sind kurze Entwürfe und Studien, psychologische Pointen und Motive, Aufzeichnungen gegenständlicher Art, Auszüge aus Büchern und Briefen und so fort, die durch quer über das ganze Blatt laufende Striche voneinander getrennt sind. Sie vermehren sich im Laufe der Arbeit und liegen als systematisch geordnetes Konvolut beim Schreiben neben mir“ (RuAe II, 789. vgl. Briefe II, 23; 138/39. BaB 68). Belege dieser Art gab und gibt es zu jedem Werk[153]. Wie man sich den Vorgang des Sammelns und Sichtens, das Wachsen eines solchen Materialpakets zu denken hat, zeigt „Die Entstehung des Doktor Faustus“, Rapport der „Aneignungsgeschäfte“ jener Jahre (EF 31).

So methodisch betriebenen Sachstudien blieb der Erfolg denn auch nicht versagt. Welches Stoffgebiet immer er wählte, die Fachkritik war zumeist genötigt, dem Autor sachliche Tadellosigkeit zu bescheinigen. Und Thomas Mann wiederum war nicht wenig stolz auf ein solches Testat (s. RuAe I, 755), wie er umgekehrt ungewohnt heftig reagierte, sobald man ihn sachlicher Unkenntnis zieh, ihm — auch das kam vor — Unrichtigkeit der Darstellung vorwarf (s. RuAe I, 730 ff).

Was ihn so heftig reagieren ließ, war in erster Linie[154] schlechtes Gewissen; das schlechte Gewissen des Künstlers, der eigentlich ein Bürger und

---

[152]) Wie weit er dieser Forderung nachkam, lehrt der nicht eben schmale Katalog von Büchern, „englischen und deutschen, gewiß zwei Dutzend, über Musik und Musiker“, die er „‚mit dem Bleistift‘ studierte ...“ (EF 40).

[153]) Ein solches Konvolut Krull-Papiere verwahrt die Thomas Mann-Gesellschaft in Zürich; dazu Thomas Mann: „Ich sammle, notiere und studiere für die Bekenntnisse des Hochstaplers ...“ (Thomas Mann an Ernst Bertram, Briefe aus den Jahren 1910-1955, Pfullingen 1960, S. 204).

[154]) Ein weiteres Motiv ist das Unterlegenheitsgefühl des Autodidakten. Aus Sorge, sich lächerlich zu machen, treibt er die Beherrschung des technischen Apparats stets gerade so weit, daß dem Fachmann der Spott vergeht (s. EF 39). So warteten denn selbst die Philologen vergeblich auf eine Blöße. Seine Goethe-Kenntnis verblüffte die Zunftgenossen, und noch größer war das Erstaunen, als er bei Behandlung des Gregorius-Stoffes sich — unter anderem — als ein vorzüglicher Kenner des Mittelhochdeutschen erwies.

Geschäftsmann hätte werden sollen und nun, da er es nicht geworden war, wie zur Entschuldigung gleichsam bestrebt blieb, sich in Lebensform und Arbeitsweise jener Bürgerwelt möglichst anzugleichen. Darum das betont Unauffällige der Kleidung, das peinlich genaue Befolgen regelmäßiger Arbeitszeiten, daher nun auch das Streben nach Gediegenheit, nach Können und Solidität im Handwerklichen, der auf Bestand vor der Wirklichkeit ausgerichtete Kunstverstand. Künstlertum, hat Thomas Mann seinen Mitbürgern erklärt, sei etwas Symbolisches, die „Wiederverwirklichung einer ererbten und blutsüberlieferten Existenzform auf anderer Ebene" (AuN 300). Indem er die bürgerlichen Tugenden des Fleißes, der Redlichkeit und Sorgfalt kultivierte, hörte er auch als Künstler nicht auf zu sein, was seine Väter waren.

Schon sein erster Roman trägt den Stempel solcher Kunstmeisterlichkeit. Seit Paul Scherrers Arbeiten[155] wissen wir, wieviel Schweiß der junge Dichter es sich kosten ließ, die Stammbäume und chronologischen Schemata zu glätten, das Handlungsgefüge von Widersprüchen zu befreien, Vermögensaufstellungen und sonstige Data hieb- und stichfest zu machen. Mit dem Erfolg, daß nun Wirtschaftler[156] und Versicherungsfachleute[157] das Buch als Kompendium nahmen und den Dichter kurzerhand zu einem der Ihren erklärten. Das wäre nicht weiter schlimm, hätten nicht auch die Philologen sich dupieren lassen und, von der Detailvernarrtheit des Autors (s. RuAe I, 734) wie dem lautstark propagierten naturalistischen Feldgeschrei gleichermaßen bestochen, einen Realismus gefolgert, der gar nicht vorhanden war.

Thomas Mann aber hütete sich, diesen ihren Irrtum zu berichtigen. Im Gegenteil, er bestärkte sie noch darin. Wer immer ihm von liebevoller Zeichnung, von Sympathie (des Schöpfers) mit seinen Kreaturen sprach,

---

[155]) Bruchstücke der Buddenbrooks-Urhandschrift und Zeugnisse zu ihrer Entstehung 1897-1901 (= Scherrer I). In: Die Neue Rundschau 69, 1958, S. 258-91 u. 381/82. — Aus Thomas Manns Vorarbeiten zu den Buddenbrooks, Zürich 1959 (= Scherrer IV); auch in: Blätter der Thomas Mann-Gesellschaft 2, Zürich 1959.

[156]) Nach Fritz Neumarks einleitendem Lob der „Detailkenntnis des Wirtschaftlichen" kommt selbst die Versicherung, er habe bei der Lektüre „einen höchst instruktiven Einblick in Geist und Getriebe einer großen Handelsfirma" davongetragen, kaum mehr überraschend (a. a. O. S. 14).

[157]) Erich R. Prölss — Die Rückversicherung in den Werken der Weltliteratur. In: Versicherungswissenschaftliches Archiv, Heft 1, Berlin 1959, S. 1-12 — zeigt sich nach Lektüre von Thomas Mann und Galsworthy „nicht wenig befriedigt darüber, daß das Werk der beiden großen Epiker nicht nur von höchster künstlerischer Qualität ist, sondern, soweit es sich um Fragen der Rückversicherung handelt, auch vor dem Forum der Fachleute zu bestehen vermag" (S. 12. vgl. auch Walter Hartung, Thomas Mann und das Bürgertum, Diss. Bonn 1949, S. 85).

durfte seines Beifalls gewiß sein (s. Betr 440); wer die gegenteilige Ansicht vertrat, wurde mit Nachdruck eines Besseren belehrt. Die jüngst veröffentlichten Briefbände dokumentieren in eindrucksvoller Weise, mit welcher Aufmerksamkeit und Umsicht Thomas Mann die Aufnahme seiner Schriften überwachte. Daß er dabei vor korrigierenden Eingriffen nicht zurückscheute, lehrt das Beispiel seines Freundes Kurt Martens. Als dieser in einem Essay über „Die Gebrüder Mann" (1906) die „Buddenbrooks" ‚zersetzend' findet und dem Autor ‚frostige Menschenscheu' nachsagt, hat er eine vielseitige polemische Entgegnung zu gewärtigen. Mit dem Erfolg, daß ein späteres, 1921 erschienenes Porträt des Dichters vom gleichen Verfasser wesentlich konventioneller ausfällt, vieles scharf und richtig Gesehene verschweigt oder zurücknimmt. So erhält der Dichter Gelegenheit, die „umfassende Gerechtigkeit" (Briefe I, 194) seines „intelligentesten und bestunterrichteten" Kritikers zu bewundern, während die anfängliche Freundschaft längst erkaltet war, der beinah herzliche Ton von einst sich nicht mehr einstellen will. Unermüdlich arbeitete Thomas Mann an seiner Legende, und das Echo, das er auslöste, gibt ihm bis heute recht.

Wie wenig er allem Anschein zum Trotz Realist ist, glauben wir im bisherigen Verlauf der Untersuchung nachgewiesen zu haben. Das Verdachtsmoment, an dem der Zweifel sich ursprünglich entzündete, war der Protest der jeweils betroffenen Wirklichkeit. Thomas Mann hat um der Legende willen diese Proteste stets überhört. Wohl trat er der Empörung seiner Landsleute entgegen — zu groß war der um die „Buddenbrooks" entfachte Skandal — aber die ‚Bilse'-Kampfschrift und ihre Ableger[158] sind bezeichnend weniger durch das Gesagte als durch das, was sie verschweigen[159]. Und da er auf das eigentliche Problem zu sprechen kommt, ist manches schief gesehen, die Art etwa, in der er den Zorn seiner Vaterstadt von ihrem Unverständnis ableiten will, der Unfähigkeit, zwischen Realität und Kunstwerk grundsätzlich zu unterscheiden[160]. Indem er diesen Unterschied betont, pocht er doch zugleich auf das Recht, als Künstler nach der Wirklichkeit arbeiten zu dürfen. Ein Kampf gegen Windmühlenflügel, da niemand ihm je dies Recht bestritten hat. Sich so, wie sie waren, in einer Dichtung wiederzufinden, hätte die biederen Lübecker vermutlich irritiert, aber sie wären es einverstanden und am Ende vielleicht gar noch stolz darauf gewesen. Nicht daß sie sich erkannten, sondern wie sie sich erkannten, daß sie sich samt und sonders zu ihrem Nachteil verändert wieder-

---

[158]) „Ein Nachwort" 1905, Brief an Martens vom 28. 3. 1906 (Briefe I, S. 61-65).

[159]) Lange Zeit werden da ephemere Fragen behandelt. Daß er den Rangunterschied zwischen sich und dem Autor der ‚Kleinen Garnison' ernstlich betonen zu müssen glaubt, zeugt von nichts als verletzter Autoreneitelkeit.

[160]) Überhaupt erbittert die zur Schau getragene Harmlosigkeit, das scheinbar ungläubige Staunen ob der Wirkung seiner Kunstmittel.

fanden, nahmen sie übel[161]. Mit einigem Recht, wird man einräumen müssen, wenn man ihnen auch Trostgründe genug aufrechnen kann, zu den schon erwähnten den, daß der Dichter dabei ohne Ansehen der Person verfuhr, zeitgenössische Prominenz[162], namhafte Kollegen[163] nicht anders behandelte als sie, die unbekannten Bürger. Und wenn es sie, die Namenlosen traf, so war es nicht einmal persönlich gemeint. Solche verspäteten Einsichten vermochten nicht, die Wellen der Empörung zu glätten. Eine latente Gereiztheit blieb, beim einfachen Leser wie der hohen Kritik. Daß sie die Quelle verschiedenster Fehlurteile wurde (Holthusen, Muschg), ist zu bedauern. Positiv verstanden sollte sie eine Mahnung sein, das Wirklichkeitsverhältnis unseres Dichters neu zu überdenken.

2. Die dichterische Eigenart Thomas Manns — Versuch einer literarhistorischen Einordnung

Eine Legende, zumal eine fromme, zerstören zu müssen, ist immer mißlich. Wenn schon nicht Realist, was soll unser Autor dann sein? Das Gegenteil vielleicht? Hier scheut man zurück, ein Zeichen dafür, daß ‚Realismus' für viele noch immer eine kanonisch vorbildliche Art dichterischer Verwirklichung zu sein scheint, ein Non plus Ultra der Ästheten gleichsam, so daß dem, der diese Forderung nicht erfüllt, etwas wie ein heimlicher Makel anhaftet. Auch Thomas Mann scheint in dem Heiklen seines Wirklichkeitsverhältnisses etwas wie einen heimlichen Vorwurf gesehen zu haben. Wie anders ist sonst die Ausdauer zu erklären, mit der der Autor von „Buddenbrooks" die Naivität besaß, sich öffentlich einen Realisten zu nennen (s. AuN 753)[164]? Und nach Erscheinen seines Erstlings alles tat, diesen ganzen Problemkreis zu verunklären, wozu (bei diesem Stilisten

[161]) Diesen Unterschied betont auch Wilhelm Alberts — Thomas Mann und sein Beruf, Leipzig 1913 —, wobei er dem Dichter vorhält, als Verneiner des Lebens (s. S. 179) und satirischer Vernichter alles Gegenständlichen (s. S. 180) begonnen zu haben; ein Manko, für das er zwar keine Entschuldigung, wohl aber die Hoffnung bereit hat, Thomas Mann werde „immer mehr zum Einklang mit sich und der Welt, zur innersten Bejahung des Lebens durchdringen.... Zu einer solchen Umwandlung in der Seele des Dichters hat wohl auch die schlimme Reaktion gegen die Buddenbrooks ihr Teil beigetragen. — Und so wäre denn von neuem dem Bösen das Gute entsprossen" (S. 189).

[162]) Wilhelm II., Fürst Bülow alias Knobelsdorff.

[163]) Hauptmann-Peeperkorn ist das bekannteste Beispiel, aber die Liste ist umfangreicher. Hinter dem steilen Dichter Daniel zur Höhe („Beim Propheten", „Doktor Faustus") erkennt man die Maske Derleths, Gustav Mahler gilt als Pate Aschenbachs, Bert Brecht kehrt wieder als Lieder-Möller („Unordnung und frühes Leid") usw.

[164]) Die Bezeichnung ‚Naturalist' meint in seinem Munde das gleiche wiederum mit schärferem Akzent (s. Betr 180. AuN 410). „Buddenbrooks" werden ebensowohl als realistisches wie als naturalistisches Opus bezeichnet (s. Betr 81; 107. AuN 293; 301; 445; 566).

befremdliche) Verschwommenheiten der Terminologie nicht wenig beitragen mußten[165]. — Dagegen wäre zu erinnern, daß es neben realistischer Arbeitsweise genug Möglichkeiten gibt zu großer Kunst: Die Romantik liefert ein Beispiel dafür[166]. Wie sehr auch naturalistisches Künstlertum, mag es immerhin aus weniger reinen Quellen fließen, höchster Leistungen fähig ist, dafür gibt es in deutscher Zunge einen frühen Beweis: das Werk Grimmelshausens. Einen späten, den vorläufig letzten Beitrag, liefert unser Dichter. Müssen wir hinzufügen, daß alle Aufmerksamkeit, alles kritische Bemühen dieser Blätter verstanden werden möchte als heimliche Huldigung vor der Größe ihres Gegenstandes?

Thomas Mann als Dichter der Moderne — dies Urteil ist, wo nicht völlig zu verwerfen, so doch stark einzuengen. Er selbst hat vom Wesen des Künstlers nie anders als in Paradoxen gesprochen. Ungeduldig nach Neuem wie keiner, sei doch niemand „auch wieder traditionsgebundener ... als er. Kühnheit in der Gebundenheit, die Erfüllung der Tradition mit aufregender Neuigkeit, das ist recht eigentlich seine Sache und sein Geschäft ..." (NSt 172). Mit seiner Lebensspanne ausgreifend in zwei Epochen, hatte er reichlich Gelegenheit, diese Paradoxa zu bewähren. Im letzten Viertel des 19. Jahrhunderts, der Spätzeit des bürgerlichen Zeitalters geboren (s. RuAe I, 570), empfängt er von dort die entscheidenden Eindrücke. Indem er Altes mit Neuem verschmilzt, an ererbtem Geistesgut modifizierend festhält, liefert er ein anschauliches Beispiel für die These, daß der Untergang eines Zeit-

---

[165]) Realismus, Naturalismus, Ironie, Komik, Humor, keiner dieser Begriffe läßt sich in seinen Schriften klar und genau abgrenzen. Mehrfach hat er sich dagegen verwahrt, als Ironiker abgestempelt zu werden und umgekehrt versucht, humoristische Stilzüge seiner Prosa hervorzukehren (s. Nachlese 166/67. RuAe I, 486/87). Darin haben ihm beigepflichtet:
Paul Altenberg, Die Romane Thomas Manns, Bad Homburg v. d. Höhe 1961, S. 363/64; Herman Meyer, Das Zitat in der Erzählkunst. Zur Geschichte und Poetik des europäischen Romans, Stuttgart 1961, S. 209; Charlotte Rohmer, Buddenbrooks und The Forsyte Saga, Diss. Würzburg 1933, S. 31; Lucie Schauer, Untersuchungen zur Struktur der Novellen und Romane Thomas Manns. Antithese und Synthese als Kategorien der dichterischen Seinserfahrung, Diss. Berlin 1959, S. 140; Oskar Seidlin, Ironische Brüderschaft. Thomas Manns „Joseph" und L. Sternes „Tristram Shandy". In: Orbis litterarum 13, 1958, S. 44-63, und zuletzt Käte Hamburger, Der Humor bei Thomas Mann, München 1965.
Noch ein so kluger Interpret wie Reinhard Baumgart — Das Ironische und die Ironie in den Werken Thomas Manns, München 1964 — ließ sich herbei, auf eine Sinnbestimmung dieses komplexen Phänomens zu verzichten, in der Erwartung, Ironie sei bei Thomas Mann an die Problematik des jeweiligen Einzelwerks gebunden (s. S. 15/16). Mit dem Erfolg, daß er für die „Buddenbrooks" vom Thematischen her keinen Grund sieht zu ironischem Sprechen und sich auf die seltsam schwankende Formel zurückzieht: „Es gibt Ironien in diesem Roman, keine Ironie" (S. 104).

[166]) wie denn realistische Schreibweise noch nichts über den dichterischen Rang aussagt.

alters nicht notwendig das Ende dessen zu sein braucht, der in ihm wurzelt (s. RuAe II, 221). — Und sein Werk, das altneue, welcher Epoche gehört es zu? Stellt man das Heikel-Problematische seines Wirklichkeitsbezuges in Rechnung, wird man es unzweideutig dem vergangenen 19. Jahrhundert zurechnen müssen. Der Versuch, es von diesem Ansatz her literarisch einzuordnen, würde eine überraschende innere Nähe zu empfindsamen und romantischen Denkvorstellungen ergeben[167]. Des Dichters Art, die Leiden des Lebens durch Ironie zu vergelten, fügt ihn — ein später Nachfahre der Sterne, Wieland und Jean Paul — ein in die Tradition des humoristischen Romans.

[167]) Seine geistigen Vorbilder Schopenhauer, Nietzsche und Wagner sind allesamt Schüler der Romantik. So realistisch sich das 19. Jahrhundert gebärdete, es blieb vielfach und in entscheidenden Punkten romantischem Erbe verpflichtet.

LITERATUR

A. Benutzte Texte

Im Rahmen der Stockholmer Gesamtausgabe werden zitiert:

B	Buddenbrooks. Verfall einer Familie, 1951.
Erz	Erzählungen, 1958.
KH	Königliche Hoheit, 1955.
Z	Der Zauberberg, 1954.
J	Joseph und seine Brüder, Bd. I, II, 1959.
LW	Lotte in Weimar, 1958.
F	Doktor Faustus. Das Leben des deutschen Tonsetzers Adrian Leverkühn, erzählt von seinem Freunde, 1960.
Erw	Der Erwählte, 1959.
Krull	Bekenntnisse des Hochstaplers Felix Krull, 1957.
Betr	Betrachtungen eines Unpolitischen, 1956.
AuN	Altes und Neues. Kleine Prosa aus fünf Jahrzehnten, 1953.
AdG	Adel des Geistes. Sechzehn Versuche zum Problem der Humanität, 1955.
Nachlese	Nachlese. Prosa 1951-1955, 1956.
RuAe I, II	Reden und Aufsätze I, II, 1965.

Darüber hinaus sind angeführt:

Betrogene	Die Betrogene, Frankfurt 1953.
EF	Die Entstehung des Doktor Faustus. Roman eines Romans, o. O. 1949.
RuA	Rede und Antwort, Berlin 1922.
NSt	Neue Studien, Stockholm 1948.
Briefe I	Thomas Mann, Briefe 1889-1936, 1961.
Briefe II	Thomas Mann, Briefe 1937-1947, 1963.
Briefe III	Thomas Mann, Briefe 1948-1955 und Nachlese, 1965.
BaB	Thomas Mann an Ernst Bertram. Briefe aus den Jahren 1910-1955, Pfullingen 1960.

B. Sekundärliteratur

Alberts, Wilhelm: Thomas Mann und sein Beruf, Leipzig 1913.

Alewyn, Richard: Johann Beer und der Roman des 17. Jahrhunderts, Halle 1931.
Das Realismus-Kapitel daraus jetzt überarbeitet unter dem Titel „Realismus und

Naturalismus“ in: Deutsche Barockforschung. Dokumentation einer Epoche, Hamburg/Berlin ²1966 (Neue Wissenschaftliche Bibliothek 7), S. 358-71.

Alewyn, Richard: Naturalismus bei Neidhart von Reuental. In: Zeitschrift für deutsche Philologie 56, 1931, S. 37-69.

Alewyn, Richard: Eichendorffs Dichtung als Werkzeug der Magie. In: Neue Deutsche Hefte 43, 1958, S. 977-85. Unter dem Titel „Ein Wort über Eichendorff“ auch in: Eichendorff heute, hrsg. v. Paul Stöcklein, München ²1966, S. 7-18. Auch als Nachwort in: Eichendorff. Werke in einem Band, hrsg. v. I. Hillmann, Hamburg ²1965, S. 579-92.

Alewyn, Richard: Über Hugo von Hofmannsthal, Göttingen 1958.

Alker, Ernst: Geschichte der deutschen Literatur von Goethes Tod bis zur Gegenwart Bd. 2, Stuttgart 1949.

Allemann, Beda: Ironie und Dichtung, Pfullingen 1956.

Altenberg, Paul: Die Romane Thomas Manns, Bad Homburg vor der Höhe, 1961.

Auerbach, Erich: Mimesis. Dargestellte Wirklichkeit in der abendländischen Literatur, Bern 1946.

Back, Hanne: Thomas Mann. Verfall und Überwindung, Wien 1925.

Bauer, Arnold: Thomas Mann, Berlin ²1962. Köpfe des XX. Jahrhunderts Bd. 16.

Baumgart, Reinhard: Das Ironische und die Ironie in den Werken Thomas Manns, München 1964 (vorher Diss. Freiburg 1953).

Behncke, Claus: Literatur in der Diskussion. Das Wiener Gespräch über unser Jahrhundert und seinen Roman. Referate, Diskussionen, Berichte; zusammengestellt und kommentiert von Claus Behncke. WDR 3. Programm, Sendung vom 20. 12. 1965.

Berendsohn, Walter A.: Thomas Mann. Künstler und Kämpfer in bewegter Zeit, Lübeck 1965.

Bergsten, Gunilla: Thomas Manns Doktor Faustus. Untersuchungen zu den Quellen und zur Struktur des Romans, Lund 1963. Studia litterarum Upsaliensia 3.

Bertram, Ernst: Das Problem des Verfalls. In: Mitteilungen der literarhistorischen Gesellschaft Bonn, Jahrgang 2, 1907, S. 72-79.

Biese, Alfred: Deutsche Literaturgeschichte Bd. 3, München ¹⁰1917.

Biltz, Karl Peter: Das Problem der Ironie in der neueren deutschen Literatur, insbesondere bei Thomas Mann, Diss. Frankfurt a. M. 1932.

Blöcker, Günter: Die neuen Wirklichkeiten. Linien und Profile der modernen Literatur, Berlin 1957.

Blume, Bernhard: Thomas Mann und Goethe, Bern 1949.

Bohnke, Jutta: Thomas Manns Romantechnik, Diss. Tübingen 1950.

Brinkmann, Richard: Wirklichkeit und Illusion. Studien über Gehalt und Grenzen des Begriffs Realismus für die erzählende Dichtung des 19. Jahrhunderts, Tübingen 1957.

Bürgin, Hans, und Mayer, Hans-Otto: Thomas Mann. Eine Chronik seines Lebens, Frankfurt a. M. 1965.

Demetz, Peter: Formen des Realismus: Theodor Fontane. Kritische Untersuchungen, München 1964.

Diedenhofen, Karl: Theodor Fontane und Thomas Mann. Eine vergleichende Untersuchung als Beitrag zu den Problemen der Ironie und der Bedeutung des intellektuellen Elementes in der Literatur, Diss. Masch. Bonn 1951.

Diersen, Inge: Untersuchungen zu Thomas Mann. Die Bedeutung der Künst-

lerdarstellung für die Entwicklung des Realismus in seinem erzählerischen Werk, Berlin 1959.
Diersen, Inge: Thomas Manns ‚Buddenbrooks'. In: Weimarer Beiträge 3, 1957, S. 58-86.
Elema, J.: Thomas Mann, Dürer und Doktor Faustus. In: Euphorion 59, 1965, S. 97-117.
Eloesser, Arthur: Thomas Mann. Sein Leben und sein Werk, Berlin 1925.
Erlacher, Louis: Untersuchungen zur Romantechnik Thomas Manns, Diss. Basel 1932.
Fehr, Karl: Der Realismus in der Schweizerischen Literatur. Bern und München 1965.
Fischer, Ernst: Das Problem der Wirklichkeit in der modernen Kunst. In: Sinn und Form 10, 1958, S. 461-83.
Flinker, Martin: Thomas Mann's politische Betrachtungen im Lichte der heutigen Zeit, 's-Gravenhage 1959.
Fougère, Jean: Thomas Mann oder die Magie des Todes. Übers. v. E. Kowalski, Baden-Baden 1948.
Frey, Gesine: Der Raum und die Figuren in Franz Kafkas Roman ‚Der Prozeß', 1965. Marburger Beiträge zur Germanistik Bd. 11.
Garnerus, Karl: Bedeutung und Beschreibung des Binnenraumes bei Storm, Raabe und Fontane, Diss. Masch. Köln 1952.
Geerdts, Hans Jürgen: Klassisch-realistische Wiederholungen im Schaffen Thomas Manns. In: Weimarer Beiträge, Zeitschrift für deutsche Literaturgeschichte 1962, S. 711-26.
Grüters, Walter: Der Einfluß der norwegischen Literatur auf Thomas Manns ‚Buddenbrooks', Düsseldorf 1961.
Grützmacher, Richard: Die moderne Auffassung des Todes, mit besonderer Berücksichtigung Thomas Manns und Goethes. In: Geisteskultur 36, 1927.
Hamburger, Käte: Thomas Mann und die Romantik. Eine problemgeschichtliche Studie, Berlin 1932. Neue Forschung. Arbeiten zur Geistesgeschichte der germanischen und romanischen Völker 15.
Hamburger, Käte: Thomas Manns „Joseph und sein Brüder". Eine Einführung, Stockholm 1945.
Hamburger, Käte: Der Epiker Thomas Mann. In: Orbis litterarum XIII, 1958.
Hamburger, Käte: Der Humor bei Thomas Mann, München 1965. Sammlung Dialog Bd. 4.
Hannemann, Helmut: Illusion und Desillusion in den Novellen Thomas Manns, Diss. Hamburg 1955.
Harlass, Gerald: Das Kunstmittel des Leitmotivs. Bemerkungen zur motivischen Arbeit bei Thomas Mann und Hermann Broch. In: Welt und Wort 15, 1960, S. 267-69.
Hartung, Walter: Thomas Mann und das Bürgertum, Diss. Bonn 1949.
Hass, Hans Egon: Die Ironie als literarisches Phänomen, Diss. Bonn 1950.
Hatfield, Henry Caraway: Thomas Manns ‚Buddenbrooks': The world of the father. In: University of Toronto Quarterly, Volume XX, 1950/51, S. 33-44.
Hatfield, Henry Caraway: Thomas Mann, Norfolk Conn. 1962.
Hauser, Arnold: Sozialgeschichte der Kunst und Literatur, Bd. 2, München 1953.
Havenstein, Martin: Thomas Mann. Der Dichter und Schriftsteller, Berlin 1927.

Helbling, Carl: Die Gestalt des Künstlers in der neueren Dichtung. Eine Studie über Thomas Mann, Bern 1922.

Heller, Erich: Thomas Mann. Der ironische Deutsche, Frankfurt a. M. 1959.

Heller, Peter: Some Functions of the Leitmotiv in Thomas Manns Joseph-Tetralogie. In: Germanic Review XXII, 1947, S. 126 ff.

Hellersberg-Wendriner, Anna: Mystik der Gottesferne. Eine Interpretation Thomas Manns, Bern und München 1960.

Heselhaus, Clemens: Das Realismusproblem. In: Hüter der Sprache. Perspektiven der deutschen Literatur, hrsg. v. Karl Rüdinger, München 1959, S. 39-61.

Hock, Stefan: Über die Wiederholung in der Dichtung. In: Festschrift für Wilhelm Jerusalem. Wien und Leipzig 1915, S. 100 ff.

Hof, Walter: Ironie und Humanität bei Thomas Mann. In: Wirkendes Wort 13, 1963, S. 147-55.

Hofmann, Ernst: Thomas Mann — Patholog — Therapeut? Graz 1950.

Hotes, Leander: Das Leitmotiv in der neueren deutschen Romandichtung, Diss. Frankfurt a. M. 1931.

Huettner, Max: Der biologische Wert der Illusion, das Stoffproblem Thomas Manns. In: Annalen der Philosophie 1921, S. 86-99.

Ingerslev, Frederik: Romantische Ironie in der modernen deutschen Literatur. An Thomas Mann und Jakob Wassermann erläutert. In: Edda XXX, 1930, S. 256-68.

Jancke, Rudolf: Das Wesen der Ironie. Eine Strukturanalyse ihrer Erscheinungsformen, Leipzig 1929.

Jenkel, Gunhild: Die Zusammenfassung der ‚Rougon-Macquart' durch Leitmotive, Diss. Hamburg 1955.

Jens, Walter: Moderne Literatur — Moderne Wirklichkeit, Pfullingen 1958.

Kahle, Wilhelm: Geschichte der deutschen Dichtung, Regensburg ²1954.

Kaiser, Gerhard: Um eine Neubegründung des Realismusbegriffs. Gedanken zu Richard Brinkmanns „Wirklichkeit und Illusion". In: Zeitschrift für deutsche Philologie 77, 1958, S. 161-76.

Kamnitzer, Heinz: Buddenbrooks. Bemerkungen zu Zeit und Roman. In: Aufbau 14, 1958, S. 582-96.

Kantorowicz, Alfred: Heinrich und Thomas Mann, Berlin 1956.

Kasdorff, Hans: Der Todesgedanke im Werke Thomas Manns, Diss. Greifswald 1932, nachgedruckt in: Form und Geist Bd. 26, Leipzig 1932.

Kayser, Wolfgang: Das Groteske. Seine Gestaltung in Malerei und Dichtung, Oldenburg 1957.

Keller, Ernst: Der unpolitische Deutsche. Eine Studie zu den ‚Betrachtungen eines Unpolitischen' von Thomas Mann, München 1965.

Kesten, Hermann: Die wirkliche Welt. Realistische Erzähler der Weltliteratur. Eine Anthologie von Hermann Kesten, o. O. 1962.

Killy, Walter: Wirklichkeit und Kunstcharakter, München 1963.

Koch, Franz: Zur Kunst der Interpretation. Anläßlich von Richard Brinkmanns „Wirklichkeit und Illusion". In: Zeitschrift für deutsche Philologie 77, 1958, S. 407-22.

Kockjoy, Wolfgang: Der deutsche Kaufmannsroman, Versuch einer kultur- und geistesgeschichtlichen genetischen Darstellung, Straßburg 1932.

Kollmann, Erich: Thomas Mann, Wesen und Entwicklung seiner Kunst, Diss. Wien 1926.

Koopmann, Helmut: Die Entwicklung des ‚intellektualen Romans' bei Thomas Mann, Bonn 1962. Bonner Arbeiten zur deutschen Literatur Bd. 5.

Kraul, Fritz: Die ‚Buddenbrooks' als Gesellschaftsroman. In: Der Deutschunterricht 11, Heft 4, 1959, S. 88-103.
Kunz, Joseph: Thomas Mann. In: Deutsche Literatur im 20. Jahrhundert, hrsg. v. Hermann Friedemann und Otto Mann, Heidelberg 1954, S. 208-229.
Lämmert, Eberhard: Thomas Mann. Buddenbrooks. In: Der deutsche Roman II, hrsg. v. Benno von Wiese, Düsseldorf 1963, S. 190-233.
Lang, Wilhelm: ‚Tristan' von Thomas Mann. Genese — Analyse — Kritik. In: Der Deutschunterricht 19, Heft 4, 1967, S. 93-111.
Laxy, Helene: Der deutsche Kaufmannsroman von Thomas Mann: Buddenbrooks (1901) bis zur Gegenwart (1926), Diss. Bergisch-Gladbach 1927.
Lesser, Jonas: Thomas Mann in der Epoche seiner Vollendung, München 1952.
Lugowski, Clemens: Wirklichkeit und Dichtung. Untersuchungen zur Wirklichkeitsauffassung Heinrich von Kleists, Frankfurt a. M. 1936.
Lukács, Georg: Thomas Mann, Berlin [5]1957.
Lukács, Georg: Der letzte große Vertreter des kritischen Realismus. In: Sinn und Form 7, 1955, S. 665-68.
Mahrholz, Werner: Die deutsche Literatur der Gegenwart, Bern 1930.
Majut, Rudolf: Geschichte des deutschen Romans. In: Deutsche Philologie im Aufriß, hrsg. v. Wolfgang Stammler, Bd. 2, Berlin/Bielefeld 1954, Spalte 2198-2478.
Martens, Kurt: Literatur in Deutschland, Berlin 1910.
Martens, Kurt: Die deutsche Literatur unserer Zeit, München 1921.
Martin, C. R.: Thomas Mann auf Menschenjagd. In: Welt am Sonntag vom 1. Juni 1958, S. 8.
Martini, Fritz: Thomas Manns Kunst der Prosa. Versuch einer Interpretation. In: Form und Inhalt. Festschrift für O. Schmitt, Stuttgart 1951, S. 311-31.
Martini, Fritz: Das Wagnis der Sprache. Interpretationen deutscher Prosa von Nietzsche bis Benn, Stuttgart 1954.
Martini, Fritz: Thomas Mann. In: Denker und Deuter im heutigen Europa, hrsg. v. Hans Schwerte und Wilhelm Spengler, Oldenburg/Hamburg 1954. Erschienen als Bd. 1 der Reihe: Gestalter unserer Zeit, S. 113-18.
Mayer, Hans: Thomas Mann, Werk und Entwicklung, Berlin 1950.
Mayer, Hans: Von Lessing bis Thomas Mann, Pfullingen 1959.
Mayer, Hans: Nachwort zu „Buddenbrooks". In: Bibliothek fortschrittlicher deutscher Schriftsteller, Berlin 1952, S. 789-97.
Meyer, Gerhard: Untersuchungen zur Darstellung und Deutung des Todes im Frühwerk Thomas Manns, Diss. Tübingen 1957.
Meyer, Herman: Thomas Mann: „Der Zauberberg" und „Lotte in Weimar". In: Meyer, Das Zitat in der Erzählkunst. Zur Geschichte und Poetik des europäischen Romans, Stuttgart 1961.
Meyer, Herman: Der Sonderling in der deutschen Literatur, München 1963.
Naumann, Hans: Die deutsche Dichtung der Gegenwart, Stuttgart 1931.
Neumark, Fritz: Wirtschaftsprobleme im Spiegel des modernen Romans, Frankfurt 1955.
Nolte, Fritz: Der Todesbegriff bei R. M. Rilke, H. v. Hofmannsthal und Thomas Mann, Diss. Heidelberg 1934.
Pache, Alexander: Thomas Manns epische Technik. In: Mitteilungen der literarhistorischen Gesellschaft Bonn, Jahrgang 2, 1907, S. 43-71.
Peacock, Ronald: Das Leitmotiv bei Thomas Mann, Bern 1934. Sprache und Dichtung 55.

Peter, Hans Armin: Thomas Mann und seine epische Charakterisierungskunst, Diss. Bern 1929.
Petriconi, Hellmuth: Das Reich des Untergangs. Bemerkungen über ein mythologisches Thema, Hamburg 1958.
Pfeiffer, Johannes: Die dichterische Wirklichkeit. Versuche über Wesen und Wahrheit der Dichtung, Hamburg 1962.
Plöger, Jürgen: Das Hermesmotiv in der Dichtung Thomas Manns, Diss. Kiel 1961.
Prölss, Erich Robert: Die Rückversicherung in den Werken der Weltliteratur. In: Versicherungswissenschaftliches Archiv, Heft 1, Berlin 1959, S. 1-12.
Pütz, Heinz Peter: Kunst und Künstlerexistenz bei Nietzsche und Thomas Mann, Bonn 1963. Bonner Arbeiten zur deutschen Literatur Bd. 6.
Rang, Bernhard: Der Roman. Kleines Lesehandbuch, Freiburg 1950.
Regula, Erika Charlotte: Darstellung und Problematik der Krankheit im Werke Thomas Manns, Diss. Freiburg 1952.
Richter, Bernt: Thomas Manns Stellung zu Deutschlands Weg in die Katastrophe. Ein Beitrag zum politischen Denken des Dichters, Diss. Berlin 1960 (Teildruck).
Riley, Anthony: Die Erzählkunst im Alterswerk von Thomas Mann mit besonderer Berücksichtigung der „Bekenntnisse des Hochstaplers Felix Krull“, Diss. Tübingen 1958.
Rilla, Paul: Thomas Mann und sein Zeitalter. Essays, Berlin 1955.
Rohmer, Charlotte: Buddenbrooks und The Forsyte Saga, Diss. Würzburg 1933.
Rychner, Max: Thomas Mann und die Politik. In: Welt im Wort. Literarische Aufsätze, Zürich 1949.
Rychner, Max: Thomas Mann. Rede zu seinem 80. Geburtstag. In: Jahresring 55/56, S.49- 64.
Saueressig, Heinz: Die Entstehung des Romans ‚Der Zauberberg‘, Biberach 1965.
Schauer, Lucie: Untersuchungen zur Struktur der Novellen und Romane Thomas Manns. Antithese und Synthese als Kategorien der dichterischen Seinserfahrung, Diss. Berlin 1959.
Scherer, Wilhelm und Walzel, Oskar: Geschichte der deutschen Literatur, Berlin [4]1928.
I Scherrer, Paul: Bruchstücke der Buddenbrooks-Urhandschrift und Zeugnisse zu ihrer Entstehung 1897-1901. In: Die Neue Rundschau 69, 1958, S. 258-91 u. 381/82.
II Scherrer, Paul: Thomas Mann und die Wirklichkeit. Vortrag. In: Lübekkische Blätter 120, 1960, S. 77-86.
III Scherrer, Paul: Thomas Manns Mutter liefert Rezepte für die Buddenbrooks. In: Libris et litteris 1959, S. 325-35.
IV Scherrer, Paul: Aus Thomas Manns Vorarbeiten zu den Buddenbrooks, Zürich 1959, auch in: Blätter der Thomas Mann-Gesellschaft 2, Zürich 1959.
V Scherrer, Paul: Vornehmheit, Illusion und Wirklichkeit. Belege zu drei Grundmotiven des Felix Krull aus den Materialien des Züricher Thomas Mann-Archivs. In: Blätter der Thomas Mann-Gesellschaft 1, Zürich 1958, S. 2-11.
Scheyer, Ernst: Über Thomas Manns Verhältnis zur Karikatur und bildenden Kunst. In: Betrachtungen und Überblicke, hrsg. v. Georg Wenzel, Berlin/Weimar 1966, S. 143-68.
Schleifenbaum, Waldtraut: Thomas Manns „Buddenbrooks“. Ein Beitrag zur Gestaltanalyse von Dichtwerken, Diss. Bonn 1956.

S c h m i d t, A d a l b e r t: Literaturgeschichte. Wege und Wandlungen moderner Dichtung, Salzburg/Stuttgart 1957.
S c h n e i d e r, G e o r g: Die Schlüsselliteratur Bd. 2, Stuttgart 1952, S. 131-34.
S c h o c h o w, M a x i m i l i a n: Der musikalische Aufbau in Thomas Manns Novelle „Tonio Kröger". In: Zeitschrift für deutsche Bildung IV, 1928, S. 244-53.
S c h r ö d e r, H a n s: Leitmotive in den Werken Emile Zolas, Diss. Hamburg 1950.
S c h r ö t e r, K l a u s: Thomas Mann, o. O. 1964. Rowohlts Monographien 93.
S c h u l t z, H. S t e f a n: Das Menschenbild Thomas Manns. Eine ideologische Betrachtung. In: Monatshefte für deutschen Unterricht, deutsche Sprache und Literatur 43, 1951, S. 173-86.
S c h w a n, W e r n e r: Festlichkeit und Spiel im Romanwerk Thomas Manns. Die Entfaltung spielerischen Lebensbewußtseins von „Buddenbrooks" zur Josephstetralogie, Diss. Freiburg 1964.
S e i d l i n, O s k a r: Pikareske Züge im Werke Thomas Manns. In: GRM XXXVI = Neue Folge Bd. V, 1955, S. 22-41.
S e i d l i n, O s k a r: Ironische Brüderschaft. Thomas Manns „Joseph" und L. Sternes „Tristram Shandy". In: Orbis litterarum 13, 1958, S. 44-63.
S i n g e r, H e r b e r t: Helena und der Senator. Versuch einer mythologischen Deutung von Thomas Manns ‚Buddenbrooks'. In: Stuttgarter Zeitung, Sonntagsbeilage vom 13. 4. 1963, S. 1.
S m i k a l l a, K a r l: Die Stellung Thomas Manns zur Romantik, Diss. Würzburg 1953.
S o e r g e l, A l b e r t: Dichtung und Dichter der Zeit, Leipzig 1922.
S o n t h e i m e r, K u r t: Thomas Mann und die Deutschen, o. O. 1965. Fischer-Bücherei 650.
S p i e r o, H e i n r i c h: Geschichte des deutschen Romans, Berlin 1950.
S t a c k m a n n, K a r l: Der Erwählte. Thomas Manns Mittelalterparodie. In: Euphorion 53, 1959, S. 61-74.
S t e f f e n s, R u d o l f: Die Redeweise als Mittel der Charakterisierungskunst bei Thomas Mann, Diss. Bonn 1950.
S t r e s a u, H e r m a n n: Thomas Mann und sein Werk, Frankfurt a. M. 1963.
S t r e s a u, H e r m a n n: Die Buddenbrooks. In: Die Neue Rundschau, Jg. 1955, S. 392 ff.
T h i e b e r g e r, R i c h a r d: Moderne deutsche Prosa. Ein Beitrag zu ihrer Charakteristik. In: Der Deutschunterricht 16, Heft 2, 1964, S. 5-16.
U l s h ö f e r, R o b e r t: Die Wirklichkeitsauffassung in der modernen Prosadichtung. Dargestellt an Manns ‚Tod in Venedig', Kafkas ‚Verwandlung' und Borcherts ‚Kurzgeschichten' verglichen mit Goethes ‚Hermann und Dorothea'. In: Der Deutschunterricht 7, Heft 1, 1955, S. 13-40.
U n t e r m a n n, M a l l y: Das Groteske bei Wedekind, Thomas Mann, Heinrich Mann und Wilhelm Busch, Diss. Königsberg 1929.
W a l d s t e i n, W i l h e l m: Thomas Mann als Erzähler. In: Waldstein, Kunst und Ethos, Deutungen und Zeitkritik, Salzburg 1954, S. 194-209.
W a l z e l, O s k a r: Die deutsche Literatur von Goethes Tod bis zur Gegenwart, Berlin [2]1920.
W a l z e l, O s k a r: Leitmotive in Dichtungen. In: Zeitschrift für Bücherfreunde, Neue Folge 8, S. 261 ff.
W e i s c h e d e l, W i l h e l m: Die Frage nach der Wirklichkeit. In: Wirklichkeit heute, Stuttgart 1958.
W e i s s, W a l t e r: Thomas Manns Kunst der sprachlichen und thematischen Integration, Düsseldorf 1964. Beihefte zur Zeitschrift ‚Wirkendes Wort' 13.

Wellek, René: Der Realismusbegriff in der Literaturwissenschaft. In: Grundbegriffe der Literaturkritik, Stuttgart 1965, S. 161-82.
Wirtz, Erika A.: Zitat und Leitmotiv bei Thomas Mann. In: German Life and Letters N. S. 7, 1953/54, S. 126-36.
Wolff, Hans M.: Thomas Mann. Werk und Bekenntnis, Bern 1957.
Wolffhardt, Friedrich: Das Symbolische bei Thomas Mann und seine Entwicklung, Diss. Erlangen 1923.
Wolffheim, Hans: Das „Interesse" als Geist der Erzählung. Ein Beitrag zur Stilphysiognomie Thomas Manns. In: Euphorion 47, 1953, S. 351-89.
Wysling, Hans: Die Technik der Montage. Zu Thomas Manns Erwähltem. In: Euphorion 57, 1963, S. 156-99.
Wysling, Hans: Archivalisches Gewühle. Zur Entstehungsgeschichte des Hochstapler-Romans. In: Blätter der Thomas Mann-Gesellschaft 5, 1965, S. 24-44.
Wysling, Hans: Aschenbachs Werke. Archivalische Untersuchungen an einem Thomas Mann-Satz. In: Euphorion 59, 1965, S. 272-314.